D1550892

La Scala

Andrew M. Greeley

Ascesa all'inferno

Traduzione di
Laura Montixi Comoglio

Realizzato da
BERNARD GEIS ASSOCIATES

Rizzoli Editore

MILANO 1985

Proprietà letteraria riservata
© *1983 Andrew M. Greeley*
© *1985 Rizzoli Editore, Milano*

ISBN 88-17- 67421-4

Titolo originale dell'opera:
Ascent into Hell

Prima edizione: settembre 1985

Ascesa all'inferno

A Dan Herr,
con l'augurio di restar sempre sulla breccia.

Aprile è il più crudele dei mesi, genera
Lillà da morta terra...

T. S. Eliot

Nota

Questa è la storia del perché un uomo si fece prete e del perché lasciò il sacerdozio attivo.

Il personaggio di Hugh Donlon è un prodotto della mia immaginazione e non è basato su alcun prete di mia conoscenza. Non intendo suggerire l'idea che questa sia una vicenda caratteristica né degli uomini che abbracciano il sacerdozio né di quelli che ne abbandonano l'esercizio attivo. Né sua moglie deve essere considerata l'archetipo della donna che sposa un prete il quale abbia rinunciato al proprio ministero. Questo non è uno studio sociologico sul matrimonio fra preti e suore.

Padre Donlon, la sua famiglia, i suoi amici e tutti gli altri personaggi del romanzo sono creature prodotte dalla mia fantasia. È ovvio che coloro a cui piace ricercare in un romanzo tracce di quello che potrebbe essere un *roman à clef* o di "un'autobiografia sottilmente velata", sono liberissimi di farlo, avendo pagato il libro ed avendolo magari letto fino in fondo. Una caccia al personaggio parallelo nella vita reale, tuttavia, rivelerebbe molto più su chi indaga che non sulla storia qui narrata.

E nemmeno si deve pensare che, essendo Hugh Donlon un prete come me, la sua voce sia la mia voce. Solo Maria parla per me. Inoltre, al pari di Dio, rifiuto di assumermi la responsabilità del comportamento morale delle mie creature.

L'insieme delle informazioni sul funzionamento della Borsa Merci di Chicago è stato fornito da Robert Brennan e Richard Mortell. Essi non sono responsabili di eventuali imprecisioni nella descrizione di quanto sarebbe potuto accadere — ma che in realtà non accadde — a quella splendida istituzione.

La Pasqua ebraica

Tre sono le esperienze che costituiscono il nucleo della religione (o, se preferite, delle religioni) di Jahvé: la Comunione, l'Uscita dalla Schiavitù e la Nuova Vita. Sia la Pasqua cristiana che l'ebraica celebrano queste tre esperienze, ma la Pasqua cristiana sovrappone forse nuovi significati ai preesistenti contenuti della festività. In entrambe la cena dei Pani Azzimi rappresenta l'esperienza della Comunione, l'Agnello Pasquale l'esperienza dell'Uscita dalla Schiavitù e il Fuoco e l'Acqua quella della Nuova Vita. Nella Pasqua cristiana il giovedì è il giorno in cui si rinnova l'impegno alla Comunione, il venerdì quello in cui si celebra l'Uscita dalla Schiavitù e il sabato è la festività della Nuova Vita.

Sia nella tradizione cristiana che in quella ebraica l'Agnello conquista il perdono e quindi la libertà; è la vittima innocente che affronta la collera di Dio, l'essere amorevole che rivela l'amorevole misericordia del Signore. Il Venerdì Santo, quindi, è una festività particolarmente dedicata al perdono, la festività in cui il vecchio muore affinché il nuovo, un'altra volta libero, possa risorgere.

I seguaci di Mosè narrarono la loro esperienza dell'Uscita dalla Schiavitù nel racconto dell'Esodo, la diaspora di un popolo che nel suo disperdersi divenne libero. I seguaci di Gesù, sotto la potente spinta dell'esperienza di liberazione nella comunione col Figlio di Dio Incarnato, la descrissero in due narrazioni che ebbero grande risonanza fra i loro contemporanei — il riscatto dei prigionieri di guerra (salvezza) e l'acquisto degli schiavi per restituire loro la libertà (redenzione). Forse oggi susciteremmo un eguale interesse se raccontassimo le stesse vicende sotto forma di storia di un generale dell'esercito che libera i prigionieri di un campo di concentramento o del capo di una squadra di soccorso che mette in salvo gli scampati a una valanga.

Oppure potremmo raccontare la storia di uomini e donne che hanno trascorso gran parte della loro vita nell'errore dell'autocrocifissione e di passioni malintese, per scoprire alla fine che il loro

Dio non è autoritario ma amorevole, un Dio la cui misericordia non può essere guadagnata perché è già accordata.

I sette passi dalle Scritture citati in questo racconto sono le ultime sette parole di Gesù sulla croce, intorno alle quali si strutturava l'ufficio liturgico dell'Ora Terza, largamente diffuso nel mondo cattolico prima del 1960.

Prologo

1933

"Donna, ecco tuo figlio... Figlio, ecco tua madre."

La notte del Venerdì Santo Thomas Donlon si inginocchiò nella sagrestia della cappella dell'ospedale di Oak Park. Era venuto a fare un patto con Dio.

Una suora aprì la porta che dava al sepolcro affinché egli potesse pregare per sua moglie alla presenza del Santissimo Sacramento, riposto fino alla mattina del Sabato Santo. Egli spense l'unica luce elettrica e si piegò sul duro inginocchiatoio di legno dinanzi al vecchio stipetto da sagrestia sovraccarico di cassettini e pannelli decorati. La lampada del sepolcro inondava l'ambiente di guizzanti bagliori rosso-sangue — il sangue di Gesù che era morto per i peccati di Thomas Donlon, il sangue di sua moglie Peggy che sarebbe potuta morire prima di giorno, forse come punizione per i peccati di lui.

Quando l'aveva incontrata, solo un anno prima, Peggy era una deliziosa giovane vestita di bianco che una domenica mattina di giugno, dopo la Messa, se ne stava in piedi vicino alla pergola di Twin Lakes, una fanciulla dolce, innocente e radiosamente bella. Il padre di Thomas Donlon — un facoltoso, disonesto, sordido capitano di polizia — era morto. A venticinque anni Tom aveva ereditato il denaro di famiglia e un bel numero di caseggiati divisi in appartamenti, un posto in un prestigioso studio legale nel centro degli affari di Chicago, il Loop, e infine la promessa d'una nomina presso l'Alta Corte della Contea in futuro.

Aveva trascorso l'anno precedente in Europa, all'inizio in solitario esilio vagando qua e là fra le rovine di un sistema bancario in disfacimento e di un ordine sociale che andava disgregandosi. Poi, a Salisburgo, aveva incontrato una giovane insegnante di musica.

Ma la ragazza non aveva voluto seguirlo temendo, forse a ragione, il logorio delle difficoltà di un paese che non conosceva. Thomas Donlon, invece, tornò a Twin Lakes in cerca di moglie.

E la trovò, una giovane donna di sontuosa bellezza, una Venere irlandese dalla pelle lattemiele e folti capelli corvini.

Fu un corteggiamento rapido. I Curtin erano felicissimi che un giovanotto così fine volesse sposare la loro Peggy. Anche se lei aveva solo diciotto anni, Tom era una preda troppo invitante per lasciarselo sfuggire, specialmente in un momento in cui sembrava che la Depressione sarebbe potuta durare all'infinito. Peggy pensava di essere innamorata, ma in realtà era un'innocente ceduta dalla famiglia a un giovanotto lussurioso in cambio di velate promesse di vantaggi politici e benefici economici.

Il pomeriggio in cui si incontrarono andarono a nuotare insieme ed egli scoprì che in costume da bagno bianco Peggy era non meno attraente che in abito bianco. Quella notte, dopo essere stati a ballare al Red Barn, Tom la baciò nella misteriosa, umida oscurità del campo da golf, la tenne stretta fra le braccia e le disse non senza ragione che era la più bella donna che avesse mai conosciuto.

Ella tremò mentre lui l'accarezzava, ma le sue labbra non esitarono e risposero generosamente a quelle di lui. Tom si rese conto che Peggy era troppo giovane per sposarsi e che i suoi genitori avrebbero rimandato il matrimonio di un anno o due. Tuttavia i Curtin volevano il suo denaro, lui voleva Peggy e Peggy voleva essere innamorata, anche se il futuro sposo era un giovanotto esile, amante della lettura e riservato — eccetto quando le sue mani scivolavano sul corpo di lei.

Tom Donlon era un uomo di rigidi principi, forse come reazione alla totale mancanza di principi del padre. Una voce in fondo alla mente gli diceva sommessa che corteggiare Peggy era un po' più che esercitarsi nell'acquisto di una moglie e che sfruttando l'avidità dei Curtin egli violava tutti i suoi principi. Tuttavia la brama di lei era così potente che egli mise a tacere la voce come avrebbe potuto spegnere la sua Philco.

La notte del matrimonio egli scoprì, come avrebbe dovuto prevedere, che Peggy era completamente impreparata. Invece di adirarsi con lei Tom Donlon s'infuriò con se stesso per aver spinto nel proprio letto una ragazza che non sapeva né riflettere né essere indipendente.

In quel momento l'amore prese il posto della lussuria. Le rimise in ordine la camicia da notte scompigliata, spianò il pizzo bianco e le accarezzò le braccia ancor più bianche e con un colpetto sulla mano che stringeva pateticamente un rosario di perle disse alla sua sposa di non preoccuparsi, che il loro amore avrebbe trionfato. Parecchi giorni dopo, in un albergo per sposini di Ozark, Peggy aveva insistito perché consumassero il matrimonio e aveva fatto del suo meglio per cooperare. Mesi dopo, quando il loro primo figlio incominciava a muoversi in grembo, venne la ricompensa alla pazienza e alla sensibilità di lui, che avevano ricevuto un considerevole aiuto dalle parole magiche trovate in un libretto intitolato "Esame di Coscienza per le donne cattoliche sposate". Le parole erano: "Nelle questioni pertinenti al debito coniugale la buona moglie cattolica segue con fiducia la guida del marito". La formula, ripetuta misteriosamente e senza spiegazioni al Convento del Sacro Cuore, dove Peggy aveva frequentato le scuole superiori, era sufficiente a legittimare la passione. Peggy scoprì di godere il sesso, forse non quanto Tom, ma abbastanza da ammettere con un certo senso di colpa che le piaceva e da domandarsi se non fosse "anormale". Tom pensava che alla fine, con la pazienza e l'amore, la sua donna sarebbe diventata ancor più lussuriosa di lui.

Nei pochi mesi trascorsi assieme Tom scoprì che la moglie non era soltanto una bella ragazza con tette sode, lunghe gambe diritte e la promessa di una sessualità in boccio. Peggy era affascinante e imprevedibile, il genere di donna che svela parte del proprio mistero e poi si ritira in un mistero ancor più profondo.

Esageratamente moralista nella sua avversione al fumo e al bere ("Non in casa mia, e il governatore Roosvelt dica ciò che vuole"), Peg era tuttavia quella che dava vita ai ricevimenti — talvolta un po' noiosi — organizzati dalle mogli dei soci di Tom nello studio legale, cantando con la sua voce chiara e gradevole l'ultima canzone di Broadway dopo appena l'accenno a un invito, e in capo a qualche ricevimento anche senza invito.

Era dotata per la pittura ad acquerello ma aveva ritegno a mostrare i risultati del proprio lavoro. La volta in cui Tom si impossessò di un suo dipinto con la forza e poi, sorpreso, ne commentò ad alta voce la delicata bellezza, lei gli proibì di dire a chiunque che dipingeva, manco fosse stato un vizio segreto. Tuttavia batté le mani per la felicità quando lui la persuase a frequentare all'Istituto d'Arte quelle lezioni che sua madre Maude Curtin aveva fermamente proibito.

La religiosità di Peggy era rigida ed ella credeva profondamente nella propria fede, aveva timore della collera del Signore e fiducia nel Suo generoso amore. Era assolutamente modesta riguardo al proprio corpo — quantunque si concedesse a Tom ogni volta che lui lo voleva — e tuttavia riuscì quasi a persuaderlo a condurla allo spettacolo di Sally Rand alla Fiera del Secolo del Progresso Mondiale.

E ora stava per morire.

Era andata a letto presto, dicendo di avere un po' di mal di testa. Verso la mezzanotte lo aveva chiamato. Egli era raggomitolato in salotto con un libro di storia medievale, una passione che ora era subentrata a un'altra nella sua vita.

"Ho paura, Tommy, penso che il bambino stia per arrivare."

"Una settimana prima?"

"Lo so... le doglie sono regolari... e mi fanno male."

Il dottor Walter Mohan, allegro e compiacente, stava aspettandoli nella sala vuota del Pronto Soccorso dell'ospedale di Oak Park. Un'occhiata a Peg e il suo contegno cambiò.

Hugh Thomas Donlon nacque sette ore dopo, un maschietto di quasi tre chili robusto e urlante. Il dottor Mohan — sulla quarantina, esile, rosso di capelli, leggero accento irlandese — era tragicamente serio quando spiegò le condizioni di Peg. "Abbiamo il problema dell'emorragia, Tom, e si presenta in un modo che non mi piace. Le prossime ventiquattr'ore saranno molto critiche."

Pallidissima, la voce flebile, Peg era calma e coraggiosa. "È tutto nelle mani di Dio, tesoro. Dovremo pregare per rimetterci alla Sua santa volontà"

Disperato e pieno di paura, Tom era entrato con passo incerto nella sagrestia illuminata di rosso sangue della cappella dell'ospedale.

Sarei qui anche se non credessi a nulla, finì per confessare alla Divinità. Per quattro ore supplicò, pregò, implorò. Poi ricordò l'abitudine di sua madre di far promesse a Dio. Il capitano della polizia di Chicago Daniel Donlon, detto "Dollari", aveva avuto poca pazienza con le promesse di Harriet Donlon; anzi, aveva avuto poca pazienza con qualsiasi cosa riguardasse quella donna insicura e malinconica, e specialmente con i suoi tentativi di insegnare al loro unico figlio quei principi morali che il capitano aveva ignorato per tutta la vita. Tom non aveva mai fatto una "promessa" prima d'allora. Non poteva nuocere e avrebbe potuto essere d'aiuto.

Che cosa aveva da offrire?

"Guarda, se vuoi che il bambino si faccia prete non mi opporrò. Te lo prometto. Lasciami Peg e potrai prenderti Hugh."

Una cosa maledettamente stupida a dirsi. Una volta Peg aveva osservato che sarebbe stato meraviglioso se "Dio li avesse benedetti con la vocazione di uno dei nostri figli". Nel proprio intimo egli si era ribellato a quest'idea, e poi era rimasto turbato. Dio sa che la povera Chiesa ha bisogno di buoni sacerdoti.

"Spero che la tua intelligenza non si senta insultata da una simile promessa." Si rivolgeva al Signore più che altro nel modo in cui un buon avvocato, che perorasse una causa un po' debole, si sarebbe rivolto a un illustre giudice federale — il tipo di giudice che Tom avrebbe desiderato d'essere in futuro. "È stata un'osservazione stupida. Non biasimare Peg per la mia stupidità. Se vuoi mio figlio, ora o più tardi, puoi averlo. Se in questo momento vuoi anche Peg puoi averla. Solo, ti prego, non volerla."

C'è un certo punto in cui anche il più pentito dei colpevoli non ha altra risorsa che rimettersi alla clemenza della Corte.

Alla fine scivolò via dalla cappella e corse per il corridoio deserto fino alla camera di Peg. Il dottor Mohan era sorridente.

"Spero che tu fossi nella cappella a pregare per me, Tommy" disse lei con voce flebile mentre la prendeva fra le braccia.

"Ero là, e ho pregato tanto." Respirava a fatica, come se avesse corso per parecchie miglia in un'umida giornata di agosto.

Ella apparve sorpresa. "Sei stato così buono. Ero preparata a morire, ma ho chiesto a Dio ancora un po' di tempo per poterti ringraziare di tutto l'amore..." La voce le si spezzò.

"Ancora piuttosto debole," disse Mohan "ma fuori dei guai, grazie al cielo. Così giovane..."

"Troppo giovane" disse Tom Donlon, voltandosi per nascondere le lacrime.

Parecchie settimane più tardi Tom Donlon stava riflettendo sul programma di Roosvelt. "Chiacchiere accanto al camino ascoltate prima di andare a letto", si era detto. Aveva spento la radio appena aveva finito Roosvelt, in modo da non svegliare Peg, sebbene sapesse che, una volta addormentata, non l'avrebbe svegliata nemmeno una bomba.

Abitavano in un appartamentino ammobiliato affollato di cianfrusaglie in un edificio sull'Austin Boulevard. Tom era stato del parere che avrebbe dovuto risparmiare per acquistare una casa e arredarla, senza sprecare denaro in mobili nuovi per un appartamento piccolo. Maude Curtin era risentita, poiché si era aspettata che entro breve tempo la sua principessa andasse a vivere in un palazzo, o per lo meno quello che passava per un palazzo, sulla North Austin.

Peggy si era limitata a ridere, rifiutando di prendere sul serio la prudenza economica del marito. "Mi piace vivere qui" aveva insistito. "Voglio mio marito vicino in qualsiasi stanza lui sia. Se questo mi stancherà, allora comprerò una casa."

Tom non dubitava che lei dicesse sul serio. Era una donna obbediente e docile. Tuttavia, quando lui all'improvviso si stancò di prendere l'autobus che attraverso l'Austin e il Washington Boulevard raggiungeva il Loop, Peggy andò in un'agenzia Packard di Oak Park, firmò un assegno di 750 dollari e gli regalò l'auto come "dono di compleanno".

Lui era stato sul punto di tenerle una ramanzina sul valore del denaro, ma ci ripensò e prese posto sul sontuoso sedile di guida della Packard. Un buon avvocato sa quand'è il momento del "nolo contendere".

Era passato un anno da quando aveva dato il proprio voto, e aveva votato per Franklin D. Roosvelt. Confusamente, nel dormiveglia, calcolò che Peggy avrebbe votato per la prima volta per le elezioni nazionali di lì a tre anni, nel 1936; e che sarebbe stato nelle lontane elezioni del 1954 che Hugh avrebbe dato il suo primo voto. Come sarebbe stato il paese allora? La Depressione sarebbe durata così tanto? Che specie di mondo Hugh avrebbe dovuto affrontare nella gioventù?

Avrebbe dato una buona riuscita. Un giovanotto solido, che stava crescendo bene, quantunque apparisse così piccolo che era difficile immaginarlo in giro per un seggio elettorale decorato di bandiere come membro del Partito democratico.

Tom Donlon rise fra sé. Certo che sarebbe stato un Democratico. Non era forse un Cattolico?

La sorpresa e il mistero generati da quella notte lo avrebbero affascinato e turbato per il resto dell'esistenza.

Si svegliò all'improvviso da un sonno profondo. Peg stava allattando il bambino, il quale la notte non richiedeva che una poppata e poi tornava subito a dormire. Tom aveva immaginato che sua moglie, pudibonda e difficile com'era, sarebbe passata al più presto all'allattamento artificiale.

Di nuovo l'aveva sottovalutata. A lei piaceva moltissimo dare il proprio latte all'adorato figlio maschio.

Le palpebre appesantite gli si chiusero. Stava per riaddormentarsi. Ma si obbligò a riaprirle. C'era qualcosa di strano...

Peg sedeva accanto al letto con Hugh fra le braccia. Irradiavano un chiarore tenue, indistinto. Lei si era sfilata le spalline della camicia da notte, e la pelle del bambino e il suo corpo bianco e morbido sembravano fondersi. I suoi occhi ardevano di passione intensa, possesso, delizia.

Ella lo vide osservarla e sorrise anche a lui, invitandolo a unirsi a loro. "Ho tenuto un po' del mio latte per te."

"Cosa...?" balbettò lui.

"Volevi assaggiarlo e avevi paura di chiedermelo." Con decisione gli attirò la testa verso il capezzolo.

Il suo latte era dolce e tiepido, com'era Peggy stessa. Gli stava amministrando il suo sacramento. Il chiarore si diffuse lentamente anche intorno a lui.

"Ho amore a sufficienza per entrambi" disse lei in tono compiaciuto.

Non più una sposa bambina con una bambola vivente; Peggy era la donna primigenia, misteriosa, avvincente, portatrice di vita, capace di esercitare un fascino assoluto. Rimise Hugh a dormire nel suo lettino, accarezzò Tom sulla testa, spense la luce e gli si rannicchiò vicino. Padre e figlio erano stati nutriti entrambi. La madre e moglie poteva dormire.

Il mattino successivo, una domenica — Messa a St. Lucy, Padre Coughlin e Walter Winchell alla radio — Tom tentò di dirsi ch'era stato un sogno. Eppure Peg era nel letto accanto a lui, le spalline sfilate, la camicia da notte alla vita, le mammelle forti e rassicuranti.

Il chiarore era stato reale?

E quel genere di amore ardente, fisico, fra madre e figlio, era pericoloso?

Strofinò le labbra contro quelle di lei e toccò delicatamente la mammella dalla quale aveva bevuto come da un calice col quale il sacerdote avrebbe potuto dire Messa. Lei continuò a dormire.

Non sono pentito di aver mercanteggiato con Dio per te.

Libro I

"Ho sete."

Capitolo I

1954,

La ragazza che aprì la porta proprio nel momento in cui Hugh stava per infilare la chiave nella serratura era così sconvolgentemente bella che egli balzò indietro, come per proteggersi gli occhi da una luce accecante.

Dimostrava circa vent'anni, capelli biondi lucenti, viso mobile ed espressivo con un chiaro accenno di ilarità repressa, una figura snella, piuttosto che voluttuosa, in bermuda e camicetta di cotone stampato, sandali ai piedi, entrambe le mani sprofondate in tasca con aria spavalda.

"Ciao." Era in piedi nel riquadro di luce della porta, con gli occhi azzurro chiaro che danzavano divertiti.

"Ciao," rispose lui con una voce sottile che gli era innaturale. "Sono Hugh Donlon."

"Ma certo." Il suo volto si contrasse.

"Io abito qui."

"Già che abiti qui, vuoi entrare...?"

"Abiti qui?" farfugliò lui senza capirci nulla.

Lei inclinò la testa da un lato, con un sorriso divertito ma tollerante, guardandolo con la benevola condiscendenza di una ricca contessa.

"Certo... Non ti capita niente se entri. Non sono pericolosa."

La sto fissando e mi comporto come uno zotico, si disse Hugh. Ma non me ne importa. È stupenda.

Varcò la soglia ed entrò nel salottino della loro casa per l'estate. "Hai un nome?" domandò.

La stanza era confortevolmente brutta coi suoi vecchi mobili male assortiti e i tappeti logori. Quando avevano discusso sull'opportunità di avere una casa per l'estate sul lago Geneva sua madre aveva avuto la meglio, come sempre accadeva nelle blande divergenze d'opinione fra lei e il marito, ma il giudice aveva tenuto a precisare che la casa non avrebbe dovuto costituire un'ostentazione di lusso. Ezio Pinza cantava "Una serata incantata" da *South Pacific*, ma il giradischi non era certo dei migliori.

"Non ce l'hanno tutti?" Un guizzo di intelligenza e di umorismo attraversò quegli occhi che cambiavano rapidamente espressione. Questa è anche sveglia, pensò lui. Mi ha messo sulla difensiva e cercherà di ricavarne il massimo vantaggio. D'accordo, graziosa signora. Con te non m'importa di stare sulla difensiva.

Con un movimento aggraziato lei attraversò la stanza per spegnere il giradischi, appallottolò una gomma da masticare nel suo involucro e se la cacciò in tasca e infine fece sparire un rotocalco sotto un quotidiano su un tavolino pieno di macchie.

Seminarista o no Hugh esercitò il diritto spettante a ogni giovanotto di considerare attentamente cosa rendesse bella una giovane donna.

Il sorriso era la prima cosa. Non proprio un sorriso, per la verità, ma mezzo sorriso e mezzo sogghigno che suggeriva umorismo, fiducia in sé, raffinatezza, birbanteria e presupponeva come cosa ovvia e questione di semplice giustizia che lei vedesse direttamente dentro di lui.

Hugh si sentì avvampare.

E gli occhi. Azzurro tenue come le acque del lago Geneva. Cambiavano con la stessa rapidità del lago in una giornata ventosa, quando piccoli cumuli di nuvole lo attraversavano di corsa trascinandosi dietro luci e ombre come se per un attimo si fosse in Olanda invece che nel Wisconsin e il lago fosse stato prestato a Rembrandt perché lo ritraesse.

Il suo viso era forse un po' troppo affilato e il naso un po' lungo. Ma la carnagione chiara era perfetta e la delicata struttura del viso prometteva che la bellezza non sarebbe stata alterata dal tempo. Il suo corpo snello suggeriva femminilità senza ostentarla; i seni erano piccoli e perfetti, come se uno scultore li avesse modellati perché gli uomini potessero stringerli in mano; vita sottile, sederino impertinente. Hugh interruppe il flusso delle sue fantasticherie. Dopo tutto, stava studiando per diventare sacerdote.

"Arriverò a sapere qual è questo nome?" disse cercando di apparire calmo e freddo.

"Se hai deciso che ho superato l'esame." Completamente sicura di sé sedette sul divano indicandogli la poltrona accanto.

"Coi massimi voti" disse lui.

"Sono Maria. Per la precisione, Maria Angelica Elizabetha Vittoria Paola Pia Emmanuela... quasi abbastanza per una squadra di baseball."

In quel momento, con sua grande sorpresa, Hugh colse un accenno di vulnerabilità, forse addirittura un po' di timore in quegli occhi alla Rembrandt. Perché dovresti avere paura di me, graziosa contessa?

"Dovrei conoscerti, Maria?" le domandò cautamente.

"Mi conosci da un sacco di tempo." Scuotendo la testa con finto disappunto, e poi trasformandosi totalmente, cessò di essere contessa per farsi cameriera. "Vuoi una birra...? So che cosa vuoi. Non andartene."

Mentre correva fuori dalla stanza lui la seguì con gli occhi e poi si rimproverò con severità. Aveva lasciato perdere le ragazze quattro anni prima, quando era entrato in seminario. Giovani donne come Maria potevano fargli battere forte il cuore, ma andavano tenute a distanza, specialmente dopo le quattro deprimenti settimane trascorse come assistente presso l'orfanotrofio Holy Family Orphanage. Si domandò cosa ne era della sua famiglia.

Era contento di essere a casa, seduto in una stanza accogliente e familiare con la sua mescolanza di sedie bianche di vimini, divani beige con le molle rotte e la stoffa consunta provenienti dalla casa dei nonni nel West End e tappeti che erano già nella casa quando i Donlon l'avevano acquistata, così logori che tendevano a scivolare sullo sdrucciolevole pavimento di legno. Mazze da golf, racchette da tennis, costumi da bagno e biancheria si ammucchiavano qua e là negli spazi vuoti e le lampadine erano sempre troppo deboli perché nessuno riusciva a ricordarsi di comprarne di più forti quando andava all'emporio di Walworth.

Gli unici colori vivaci della stanza erano gli ultimi acquerelli di sua madre, che per insistenza della famiglia erano stati appesi in ogni spazio disponibile del muro, compreso quello sopra il camino che veniva usato solo raramente.

I colori dominanti erano l'azzurro e l'oro; cieli azzurri, acque dorate del lago, azzurro come gli occhi di Maria, oro come quello fra i suoi capelli.

"*Eccolo.*" Maria era tornata. "Lamponi con panna. Tua madre ci ha raccomandato di tenere una grossa provvista di lamponi per il ritorno del primogenito."

"Maria chi?"

Lei sedette sul divano a gambe incrociate. Nei suoi occhi le nuvole spazzarono via il sole. Il gioco era finito e lei era triste. "Maria Manfredy, chi altri? Sono compagna di classe di tua sorella al Trinity, la figlia del calzolaio di Division Street... sai, quel bell'uomo coi capelli grigi con una moglie carina che parla un inglese un po' incerto."

Non aveva vent'anni, ma sedici o diciassette. Hugh era furioso contro di sé. Ingannato in quel modo da una bambinetta, figlia di un calzolaio. Davvero una contessa. L'orfanotrofio doveva avergli fatto un effetto peggiore di quanto avesse creduto.

"Mi dispiace, Maria" disse. "Non mi pare di ricordarmi di te; la gente cambia."

I suoi occhi meravigliosi non potevano restare rannuvolati a lungo. La luce del sole li inondò di nuovo.

"Potrei essere cambiata *un pochino*." Col ritorno del sole tornarono anche birbanteria e intelligenza. Hugh dovette rivedere la propria opinione. Una diciassettenne, d'accordo, ma fuori del comune. Saprebbe apparire qualunque genere di persona, e sta cercando di scoprire quale versione mi piace di più. Tutte quante, penso.

"Non ti ricordi la volta che mi riportasti a casa in braccio?" Ora era timida e seducente. Questa è la Maria che mi attrae più di tutte. Quando i suoi occhi mi supplicano in quel modo sono nelle sue mani.

"Come dimenticare una cosa simile?"

"Bene..." Maria respirò profondamente, come un tuffatore prima di buttarsi giù. "Ero una bimbetta orgogliosa che una domenica pomeriggio se ne andava a St. Ursula col vestito della Prima Comunione per le prove della Processione dell'Incoronazione della Vergine. Era appena finito di piovere e in cielo c'era persino l'arcobaleno. Un gruppetto di ragazzi più grandi si mise a inseguirmi e a prendermi in giro per la mia origine italiana, e intanto mi scaricavano addosso le loro pistole che sparavano elastici. Caddi sul marciapiede, mi tagliai un ginocchio e mi riempii il vestito di fango. Poi i ragazzi fuggirono lasciandomi singhiozzante e sicura che sarei morta di infelicità e di vergogna. Arrivò la pattuglia dei ragazzi che sorvegliavano il quartiere e il capitano mi si avvicinò e mi pulì la faccia sporca, mi asciugò le lacrime, curò come meglio poté il taglio sul ginocchio. Poi mi prese per mano e insieme ci avviammo verso Division Street. E io ricominciai a piangere, perché mia madre e mio padre sarebbero rimasti così male al pensiero che la loro unica figlia non potesse sfilare nella processione.

"Ricordi ora? Dovesti portarmi in braccio per l'ultimo mezzo isolato prima del negozio perché io non volevo tornare a casa. Mio padre disse che il giudice Donlon era l'uomo migliore della parrocchia pur essendo un politico, e mia madre ti diede un bicchiere di vino rosso fatto in casa, e tu te lo bevesti quasi tutto, senza nemmeno una smorfia. Poi tu, mia madre e mio padre mi faceste ridere e tu andasti a parlare con Suor Cunnegunda, così potei partecipare alla processione anche se avevo perso le prove."

Aveva il viso inondato di lacrime. Lui avrebbe voluto asciugargliele di nuovo.

Le prese il mento nella mano e la costrinse a girarsi verso di lui.

Lei era attratta, un po' spaventata, arrendevole.

Finirò per baciarla, pensò Hugh. Devo baciarla.

Vi fu un rumore proveniente da fuori.

"Portiera d'auto, i tuoi genitori" sussurrò Maria.

Egli la udì appena.

"Non farlo" disse lei sgusciando via.

La madre di Hugh li vide seduti insieme sul divano e vi fu un accenno di disagio nel sorriso con cui li salutò.

"Non ci aspettavamo che arrivassi a casa così presto... Eravamo andati al cinema."

Suo padre fu più abile nel dissimulare l'inquietudine. "Avevi ragione, Maria. *La Tunica* è proprio un bel film."

"Eri qui tutta sola?" domandò sua madre. "Dov'è Marge?"

"È fuori con Joe Delaney" rispose timidamente Maria.

"E suppongo che Tim non si sia ancora fatto vedere" aggiunse il giudice Donlon. "Tu torni a casa e madre, padre, fratello, sorella sono tutti via."

"C'era Maria" disse Hugh.

"E tu non avevi la minima idea di chi io fossi, magari avrai pensato che fossi una ladra d'alto bordo." Prima che il giudice e la signora Donlon avessero la possibilità di esaminare più da vicino l'espressione di Hugh, Maria aveva preso in mano la situazione.

Servì "un altro giro di lamponi con panna offerti dalla casa" e raccontò di nuovo la storia della Processione dell'Incoronazione, questa volta da gran commediante, terminando con Hugh che barcollava giù per Division Street dopo aver scolato una bottiglia di "grappa della premiata distilleria Manfredy."

Suo malgrado la signora Donlon rise fino alle lacrime. "Sembri felice e rilassato, Hugh" disse quando si fu ripresa. "Il tempo trascorso all'orfanotrofio deve averti fatto bene."

"Mi sento bene" disse lui, non volendo ammettere che la felicità e la pace erano venute solo con la comparsa di Maria nel riquadro di luce della porta d'entrata.

"State a sentire." Sembrava che Maria non sarebbe mai riuscita a calmarsi. "È così caldo e afoso... perché noi, poveretti, che siamo rimasti a casa, non ce ne andiamo a fare una nuotata...?" Poi la voce le si smorzò e l'eccitazione scomparve. Nei suoi occhi tornarono fragilità e timore.

Timore di essersi spinta troppo oltre coi compassati Donlon?

Hugh pensava di no. Tu non potresti mai andare troppo oltre, Maria. Noi non siamo come te, ma tu sei ciò che noi pensiamo che magari potremmo essere, se mai ci resterà un po' di tempo dopo aver adempiuto ai nostri serissimi doveri.

Sua madre fu la prima a soccombere a quella vocina fievole, proprio lei che probabilmente non era mai andata in vita sua a fare il bagno di mezzanotte.

"Magnifica idea, cara. È quel che stavo pensando anch'io."

Suo padre riuscì a restare quasi del tutto impassibile.

Cinque minuti più tardi, con indosso un castigato costume nero e una maglietta, Maria camminava silenziosa e quasi invisibile dietro ai Donlon più vecchi alla volta del molo. Hugh seguiva dietro di lei, continuando a struggersi dalla voglia di posare le labbra sulle sue.

L'umidità era così alta da parere una presenza fisica, come uno spettro con le mani appiccicaticce e l'alito caldo, un greve spirito sinistro in agguato nel cielo senza luna, troppo sfuggente per essere illuminato dal debole chiarore delle stelle.

Peggy si tuffò dal molo senza difficoltà e senza il minimo timore del buio. Il giudice la seguì.

Maria esitò. "Non è che io sappia nuotare tanto bene."

"È stata un'idea tua e ora hai paura." Hugh la stava garbatamente provocando.

"Una donna può avere ripensamenti." Si tolse la maglietta e la lasciò cadere a terra sul molo.

Troppo buio per vedere le sue spalle, che parevano appena uno squarcio bianco nella notte.

Hugh spinse il pallido squarcio bianco oltre l'estremità del molo.

Era abbastanza sicuro che lei sarebbe stata furibonda. Invece, tornò a galla ridendo e sputacchiando acqua. "È fantastico, fifone, vieni giù."

Hugh si tuffò e nuotò verso la zattera con sua madre, mentre il giudice teneva compagnia a Maria.

"Perché non l'abbiamo mai fatto prima?" domandò Peggy. "Penso che sarei capace di dipingere la scena... nuotatori in una notte senza luna."

"Com'era *La Tunica*?" Maria domandò timidamente a Peggy quando si ritrovarono sul molo.

"È stato molto commovente" rispose Peggy con solennità "vedere sullo schermo la vita del Redentore, seppure indirettamente. È un film che mi darà molto da pensare."

"Una quantità spaventosa di imprecisioni storiche" commentò

il giudice. "Tanto per fare un esempio, i legionari in Palestina erano senza dubbio siriani, non italiani."

"A me piacerebbe essere carina come Jean Simmons" scappò detto a Maria, ora decisamente un'adolescente.

"Sei molto più carina tu, cara" disse Peggy con generosità "e lo sarai per tutta la vita... A volte mi domando che cosa Egli pensa di noi. Son passati diciannove secoli e continuiamo a essere egoisti, meschini e riluttanti ad accettare la Sua santa volontà."

"Scommetto che è molto più contento di noi di quanto lo sarebbe stato se stanotte non fossimo venuti a nuotare... ehi, dov'è il molo?" Maria, che si era lasciata trasportare troppo lontano, cominciò a dibattersi nell'acqua. "Non sono mica tanto brava a nuotare, non è vero...?"

Nel buio Hugh l'afferrò per il braccio e la spinse verso il molo. Per un delizioso attimo il suo corpo sfiorò quello di lui.

"Aspetta solo e vedrai che imparerò a nuotare, e avrò l'eleganza e il fascino di un delfino." Si liberò dalla sua stretta e protese la mano verso la scaletta, ansimando come se avesse tentato di trattenere il respiro. "Ad ogni modo Egli ha fatto il lago e la luna e questa notte per noi — ha persino fatto il molo perché io potessi aggrapparmici — e dovremmo esserGli grati."

La mia contessa tiene persino sermoni, pensò Hugh. E quando mi sfiora mi sembra di morire.

"E dovremmo esserGli grati per averci mandato te che ci hai fatto godere la serata" aggiunse sua madre, anche se la concezione teologica di Maria era davvero estranea alla sua tetra visione della Divinità.

"Ora mi farà piangere, signora Donlon." Maria si era di nuovo staccata dal molo, ma questa volta — ahimè — non ebbe bisogno dell'aiuto di Hugh per ritrovarlo.

Ed egli, anche in quell'oscurità, poté appena accennare un abbraccio, con sua madre e suo padre in acqua accanto a lui.

Attraversando il prato diretti verso casa Hugh e Maria si attardarono dietro ai genitori di lui. In lontananza il fulmine disegnava linee frastagliate nel cielo. Grilli enormi continuavano la loro protesta contro la calura. Per tacita intesa, si fermarono sotto il lampioncino posto all'entrata del gazebo che serviva da studio a Peggy.

Hugh le tirò su il mento in modo da poterla guardare negli occhi; occhi maliziosi, canzonatori e tuttavia vulnerabili. I capelli bagnati incollati alla testa, l'acqua che ancora le colava giù per il viso e le spalle, Maria era una seducente giovane schiava che avrebbe potuto essere tutta sua se lui l'avesse voluta. Nella grave notte estiva le sembrava promettere dolcezza e vita eterne se solo l'avesse presa fra le braccia.

"Sei un tipo sorprendente, Maria" disse un po' goffo, percependo sotto le dita il rapido pulsare della gola di lei.

"Niente male per una all'inizio delle superiori, non è vero?" ridacchiò lei.

In quell'istante Hugh si rese conto con assoluta chiarezza di avere il potere di decidere a favore o contro il sacerdozio. Prendere Maria fra le braccia avrebbe comportato il ripudio della sua vocazione sacerdotale.

Perché mai le tentazioni dovevano essere così patetiche e incantevoli?

E Maria era una tentazione? Forse, in fondo...

Hugh decise per il sacerdozio. "È meglio che rientriamo..." disse lasciandole il mento.

"Troppe zanzare qua fuori." Maria rise. "Può capitare che uno venga punto malamente."

Capitolo II

1954

Quella stessa notte, più tardi, Hugh, ancora in pantaloncini corti, si inginocchiò di fianco al letto per le preghiere serali. Pregò perché Tom restasse fuori dei guai, perché Marge fosse protetta da ogni male, perché i suoi genitori avessero meno preoccupazioni con i figli, per il suo compagno e amico Jack Howard che stava meditando di lasciare il seminario.

E grazie anche per averci mandato Maria che ci ha portato un po' di buonumore.

Le lenzuola erano appiccicaticce, non tirava un alito di vento e fuori i grilli cantavano, senza sosta. Maria era nella camera accanto alla sua, sola finché Marge non fosse rincasata. I suoi genitori dormivano in una camera in fondo al corridoio. Solo una sottile parete lo divideva dalla deliziosa Maria.

Padre Meisterhorst sarebbe stato inorridito. Il direttore spirituale del seminario aveva tormentato Hugh per tre anni sulla questione delle ragazze con cui si era scambiato bacetti e tenerezze quando frequentava le scuole superiori. Questi "peccati del passato" avrebbero generato cattivi pensieri, aveva tuonato il vecchio, nonché la tentazione irresistibile di mettersi alla ricerca delle sue "compagne di peccato" per ricominciare daccapo.

Hugh non era convinto che i suoi peccati fossero davvero così gravi, anche se gli dispiaceva di averli commessi, e non si sentiva per niente incline a mettersi in cerca delle ragazze che aveva avuto alle superiori, diverse delle quali erano fidanzate, alcune sposate e una già madre. E nemmeno aveva difficoltà a contenere le proprie fantasticherie sulle ingenue conquiste della sua adolescenza.

Maria era un'altra faccenda. Non più vecchia delle ragazze che aveva baciato appassionatamente ai tempi delle superiori, ma molto più pericolosa e attraente. La sua vocazione era sottoposta a una prova di cui non aveva nessun bisogno.

Ma non se ne sarebbe andato via dalla propria casa per sfuggirle.

La vita era fatta di dure scelte, per amore del Signore. Vi sarebbero state altre donne attraenti che lo avrebbero costretto a prendere decisioni difficili.

Era in un'età in cui un uomo cerca moglie, a meno che non abbia qualche altro impegno. Le sue stesse energie vitali rendevano Maria attraente. Resistere al suo richiamo gli avrebbe dato la misura del proprio carattere.

Inoltre, lei masticava chewing gum.

La mano di Peg Donlon si strinse ancor più forte su quella del marito. Egli percepì la pressione, familiare e rassicurante, delle perle del rosario. Dopo ventidue anni l'amava più che mai.

Durante il film si erano tenuti la mano e in auto, tornando a casa, lei gli si era accoccolata vicino.

Lui si era fermato sull'autostrada per baciarla.

La nuotata li aveva infiammati ancor di più. Appena chiusa la porta della camera da letto furono l'uno nelle braccia dell'altra. Durante il periodo a circa metà del loro matrimonio in cui lei era molto occupata coi figli e lui assorbito prima dai casi del periodo bellico e poi dall'impegno di imparare il mestiere di giudice d'appello, la sua campagna di liberazione della moglie per farne una donna sensuale aveva languito. Poi, dopo un ritiro spirituale a Barrington con i Gesuiti, Tom si era reso conto di essersi allontanato dall'amore romantico e appassionato; una cosa mal fatta, specialmente per un medievalista.

Dopo il ritiro aveva scoperto che Peg era all'altezza dei suoi desideri sessuali, una sfida da mozzare il fiato e far girare la testa.

Un po' di ritiro, sogghignò facendosi compassione.

Ovviamente lei aveva continuato a vergognarsi della propria "animalità" e, altrettanto ovviamente, tormentava i sacerdoti in confessionale in cerca di rassicurazioni che loro non potevano darle. La sua vergogna, tuttavia, non era tale da limitarne l'attività. I loro corpi sarebbero rimasti sfiniti prima che soddisfatti.

Dopo un lungo silenzio lei disse: "Gli permetteranno di tornare?".

Stava pensando a Tim, il loro secondogenito, matricola a Notre Dame finché non era stato sospeso per aver introdotto clandestinamente alcolici nel campus.

"Penso di sì. Solitamente offrono ai trasgressori un'altra possibilità. Lo ha fatto per ridere, non per profitto. È stata soltanto una bravata goliardica."

"Perché farà queste cose?"

Il giudice sospirò. Nel periodo trascorso presso l'Alta Corte della Contea, prima che il presidente Roosevelt lo nominasse giudice federale, aveva assistito a troppi casi per farsi illusioni riguardo a Tim. Quel ragazzo aveva bisogno di un aiuto professionale, ma non sembrava avere intenzione di trarne alcun beneficio.

"Non è facile essere figli di un giudice" disse cautamente.

"E Marge?" La notte era per l'amore e per le preoccupazioni per i figli. "Non ho mai parlato a mia madre nel modo in cui lei si rivolge a me."

"Le cose sono cambiate dopo la guerra" disse lui impacciato.

"Pensavo che Maria avrebbe esercitato un'influenza benefica su di lei."

"Grazie a Dio ha amiche come Maria" convenne lui, sapendo che era di Maria e Hugh che sua moglie si preoccupava di più in quell'umida, appassionata notte d'estate. "Quella ragazzina italiana ha fatto un sacramento di una cosa semplice come una nuotata, ne ha fatto la rivelazione della grazia di Dio. Molto precisa, molto acuta, molto semplice. Certo che è stato Lui a fare il lago e il cielo e la luna e noi stessi. A volte noi irlandesi abbiamo bisogno di qualcuno che ci ricordi la sacralità di queste cose."

"I siciliani sono moralmente rilassati."

"Ma via, tu sei affezionata a quella ragazza quanto tutti gli altri."

"Certo, mi piace. Come potrebbe non piacermi? Anch'io ho trovato meravigliosa quella nuotata. Ma hai visto la reazione di Hugh? Che Dio mi perdoni per aver fatto correre un pericolo simile alla sua vocazione."

"Se Hugh non riesce a vivere in un mondo dove ci sono anche giovani donne come Maria senza perdere la vocazione, mi sembra che allora Dio non abbia poi tanto bisogno di lui."

"Sono terribilmente preoccupata per le nostre responsabilità" insisté Peg.

Egli le accarezzò i folti capelli neri fra i quali cominciava ad apparire qualche affascinante stria bianca. "Possiamo soltanto cercar di fare del nostro meglio. Dio non si aspetta niente di più."

"Spero che tu abbia ragione" mormorò preoccupata la moglie, mentre la mano che teneva il rosario prendeva ad accarezzargli il petto. Premette le labbra contro quelle di lui. "Ti amo tanto. Non voglio fallire come madre dei tuoi figli."

Hugh non riusciva ancora ad addormentarsi. Rinunciò perché era fatica sprecata, si infilò pantaloni e maglietta e con passo leggero attraversò l'atrio, uscì di casa e si diresse verso il molo che si protendeva sul lago Geneva; un lago lungo, stretto, simile a un fiordo, che quarantamila anni prima un ghiacciaio aveva intagliato nelle colline del Wisconsin meridionale. Solo le stelle condivisero con lui le prime ore del mattino.

Quando aveva rifiutato la borsa di studio a Michigan per entrare in seminario era stato detto che la vocazione era in realtà di sua madre, non sua. Ma ciò non era sembrato giusto né alla sua famiglia né a lui. Mamma e Papà sarebbero stati estremamente felici, ciascuno a modo suo, se avesse perseverato fino all'ordinazione. Ma si erano ritirati in buon ordine per consentirgli di decidere liberamente. Erano stati loro che, quando venne colto ad amoreggiare con Flossie Mahoney nel seminterrato della sua casa, avevano insistito perché si iscrivesse alla Fenwick High School e non al seminario. Doveva "conoscere il proprio animo", aveva affermato il giudice.

L'indomani stesso avrebbe potuto annunciare l'intenzione di lasciare il seminario ed essi avrebbero accettato la sua decisione, forse con qualche lacrima da parte di Mamma, ma senza recriminazioni.

Sposare una ragazza come Maria. Un'idea avventata sotto un cielo pieno di stelle.

Avrebbero accettato anche lei. Una fanciulla buona e dolce, avrebbe detto sua madre.

No, la vocazione non era di sua madre. Nella misura in cui Dio operava attraverso gli esseri umani, la vocazione doveva venire attribuita alla rigida fede religiosa nella quale era stato allevato, una fede che lo sfidava a fare del proprio meglio anche quando — anzi, specialmente quando — era più difficile.

Aveva meditato su questi problemi nel periodo in cui frequentava l'ottavo anno, problemi che lo avevano indotto a decidere in favore del sacerdozio. Lui e Marty Crawford si erano picchiati nel cortile della scuola dopo che Marty aveva chiamato la madre con un appellativo insultante. La settimana successiva avevano perso l'incontro di calcio col St. Kevin perché Padre Shay — del St. Kevin — aveva fatto anche da arbitro e cronometrista e aveva fischiato la fine della partita proprio un attimo prima che il St. Ursula segnasse il punto della vittoria. Hugh aveva detto a Padre Shay che lo considerava un imbroglione.

Poi Marty era rimasto ucciso in un incidente d'auto dopo aver commesso peccato mortale con una ragazza della scuola pubblica di Park Nine. O per lo meno questo era ciò che tutti pensavano, e se era vero Marty era andato diritto all'inferno.

Hugh si sentiva responsabile della morte di Marty. Se non lo avesse pestato a quel modo lui non avrebbe perso la testa e rubato l'auto.

Poi aveva baciato Flossie nel seminterrato di casa sua, dove i Mahoney avevano la sala dei giochi, ed era stato colto dalla signora Mahoney nel momento in cui le sfilava la camicetta. Sapeva che sarebbe finito all'inferno per l'eternità, proprio come Marty. Era stato così furioso contro di sé per la propria irresponsabilità. La crisi decisiva era venuta quando i ragazzi dell'ottavo anno erano andati in ritiro spirituale. L'insegnante era Padre Slawson, che faceva uso di trucchi e giochi magici come parte del suo metodo didattico — scheletri danzanti, scatole esplosive, stanze che piombavano nell'oscurità, illustrazioni e diagrammi dell'inferno. Egli disse ai ragazzi che erano pozzi di sozzura e che i loro pensieri immondi li avrebbero condotti a soffrire in eterno tra le fiamme infernali.

"Se volete sfuggire all'inferno," aveva detto "dovete seguire la chiamata di Dio e farvi preti. Dio dispensa a ciascuno la chiamata al sacerdozio. È così generoso nell'elargire vocazioni come lo è nell'elargire la pioggia in primavera, le foglie in autunno, la neve d'inverno. Potete voltare le spalle a una vocazione, gettarla, lasciare che si estingua. Ma se lo fate, verrete consumati fra le fiamme dell'inferno per l'eternità. Se volete la felicità eterna con Dio e i suoi angeli e santi, dovrete rifuggire da questo mondo malvagio e diventare uno dei prescelti da Dio."

Il venerdì sera della settimana di ritiro Hugh sedeva in silenzio alla tavola dei Donlon, apparecchiata per la cena, riflettendo sulle macabre affermazioni di Padre Slawson mentre Timmy, col viso lentigginoso deformato dalla consueta smorfia scontenta, protestava contro il pesce.

"Dovresti mangiare il pesce anche se non ti piace" gli disse Peggy. "Il Signore non voleva morire sulla croce, ma lo ha fatto. Le cose difficili sono sempre le più degne."

"Gesù non doveva mangiare questo pesce." Tim si scostò i capelli rossi dagli occhi.

"Ma tu sì." Il giudice risolse la questione come avrebbe emesso una sentenza.

"Gesù avrebbe potuto trovare un modo molto più facile per salvarci dai nostri peccati" incalzò Peggy. "Scelse una morte terribile come quella sulla croce per dimostrare quanto ci amava."

Hugh domandò perplesso: "Tu non hai sposato papà perché era la cosa più difficile, vero?".

Il giudice ridacchiò e Peggy arrossì. "È il mio purgatorio in terra... no, seriamente." Posò la mano su quella del marito. "Il santo è il vostro povero papà che mi sopporta. È l'amore che conta, l'unica cosa che conta. Quando l'amore suggerisce di far qualcosa di difficile, allora lo si fa. Quando l'amore ti dona un bel marito" sorrise a Tom "allora si ringrazia Dio per tanta fortuna."

"Posso prendere altri piselli?" Marge, una graziosa brunetta ricciolina dagli occhi marrone che frequentava la seconda, interruppe introducendo il suo argomento preferito, il cibo.

"Che cosa c'è di dessert?" s'informò Tim.

"Niente pesce, niente dessert" rispose inflessibile sua madre.

Tim parve sul punto di mettersi a piangere, poi ricordò l'affermazione spesso ripetuta dalla madre, "i Donlon non piangono" e, sconsolato, riprese a cincischiare il suo pesce.

Quella notte Hugh decise che si sarebbe certamente fatto sacerdote.

Ora che era più vecchio si rendeva conto che Padre Slawson aveva esagerato. Tuttavia credeva che essere un "alter Christus" — un altro Cristo — fosse quanto di più perfetto un essere umano potesse fare. Era un cimento arduo. L'affrontare simili cimenti aveva fatto di lui un uomo, come suo padre.

E così lui sarebbe stato prete non per volere di sua madre e di suo padre ma perché era il modo più nobile per dimostrare di essere uomo, un uomo sufficientemente forte e coraggioso da lasciar perdere le giovani attraenti persino se appena ti sfiorano nelle acque del lago vai a fuoco.

Non si fugge davanti ad esse, disse Hugh alle stelle scettiche, si resiste alla tentazione.

Maria era stesa sul letto, le dita intrecciate dietro la testa, e ascoltava i grilli, l'acqua che lambiva la spiaggia, il respiro leggero di Marge. La sua amica le aveva raccontato una storia di appassionati amoreggiamenti dopo *Tre soldi nella fontana* e poi si era addormentata rapidamente e senza fatica. Era probabile che prima della fine dell'estate Marge si sarebbe decisa ad arrivare fino in fondo. Ed era ancor più probabile che l'avrebbe fatto senza provare il morso della colpa. Com'era che genitori così devoti avevano potuto mettere al mondo una figlia come Marge, apparentemente priva di morale, e un figlio come Tim, perennemente nei guai per aver bevuto, rubato, o ingannato qualcuno?

E che cosa stava facendo lei come ospite di questa complicata famiglia irlandese che l'aveva adottata per l'estate? Lei esercitava — Peg aveva insistentemente detto a sua madre — un'influenza benefica su Marge. Tuttavia i suoi genitori, che lei adorava e che l'adoravano, si erano sgomentati di quell'invito, perché temevano che la figlia si sarebbe trovata in una situazione a cui era impreparata. D'altra parte, come tutti a St. Ursula, essi erano persuasi che dal punto di vista gerarchico i Donlon fossero secondi solo agli arcangeli, e così si erano dichiarati d'accordo.

Maria non sapeva cosa pensare del rigoroso ma garbato giudice, il quale rideva ogni volta che lei apriva bocca, e della sua splendida moglie, che a volte sembrava preferirla a sua figlia. Incerta sul comportamento da tenere, Maria si era messa d'impegno ad accattivarseli coi suoi modi scherzosi e disinvolti. Dietro al suo buonumore, tuttavia, v'era la mente astuta e calcolatrice della siciliana, una mente che lavorava basandosi su sensazioni, impressioni e talvolta su intuizioni fulminee. Non era un tipo razionale come le sue amiche irlandesi che si fabbricavano spiegazioni plausibili, quantunque illusorie, per le pazzie che commettevano. Maria procedeva per le strade della vita a piccoli passi, nel buio, correndo rischi solo quando il suo istinto le suggeriva che ne valeva la pena.

Marge era la sua migliore amica e Maria aveva creato a entrambe la fama di coppia più divertente della classe, ma sapeva benissimo di essere di quattro o cinque anni più matura di lei.

Aveva molto da imparare dai Donlon, le diceva il suo intuito, e forse c'era anche qualcosetta che poteva fare per loro. Così accantonò la gomma da masticare e si mise a studiare attentamente il loro modo di esprimersi. Poi incominciò a imitarne le maniere, non perché si aspettasse qualcosa, ma perché le pareva sensato adattarsi al loro stile di vita finché fosse stata loro ospite.

Hugh richiedeva più che adattamento, intuì. V'era un potere inquietante in quegli occhi, vampate di desiderio appena dissimulato. Quando Hugh la guardava come si guarda una donna... si sentiva accapponare la pelle. Si sentiva donna.

Si sarebbe veramente fatto prete? Poteva un uomo farsi prete e intanto farla sentire come percorsa da scariche elettriche?

Per un uomo simile, non si sarebbe rivelato un errore terribile cercar di fare a meno di una donna?

Riguardo al proprio futuro Maria aveva un atteggiamento realistico. Nell'arco di un anno avrebbe finito le superiori e probabilmente si sarebbe impiegata in una banca del West End, il cui presidente era cliente di suo padre. Un altro paio d'anni e sarebbe stata sposata, una prospettiva che non trovava delle più attraenti. Non aveva quasi vita sociale, nonostante i tentativi di Marge di crearglicne una. Non si sentiva attratta da nessuno dei ragazzi che conosceva di vista, né dai ricchi studenti del Fenwick con cui ballava di tanto in tanto quando organizzavano una festa con le ragazze del Trinity, né dagli scaltriti, melliflui giovanottelli del suo vecchio quartiere dei quali zii e cugini parlavano con approvazione. Non rappresentarono il genere umano con cui avrebbe voluto dividere l'esistenza o, si disse rabbrividendo, il letto.

Hugh Donlon era differente. Bello da togliere il fiato, un metro e ottantacinque, spalle larghe, muscolatura robusta e la grazia di movimenti dei ballerini che aveva visto nei film. I suoi folti capelli neri e la pelle chiara, molto simili a quelli della madre, gli occhi tristi e il sorriso pronto facevano pensare a uno straordinario angelo con le sembianze di uomo.

"Taci, cuore" si disse sottovoce. "Finirai per svegliare tutta la casa!"

Non riusciva a scacciarlo dai propri pensieri. Fin dalle ultime classi della scuola media e per tutti i quattro anni di Fenwick era stato l'eroe che aveva giganteggiato nel quartiere. Ci si aspettava che si iscrivesse al seminario di Quigley, ma i suoi genitori e Monsignor "Muggsy" Brannigan dissero che avrebbe dovuto avere un'adolescenza normale e frequentare Fenwick, come gli altri ragazzi della parrocchia. Lui aveva fatto del proprio meglio perché il suo profilo scolastico non fosse nulla di eccezionale. Aveva rifiutato di competere per qualche carica particolare nella classe e si era tenuto lontano dal calcio e dalla pallacanestro perché il giudice temeva che troppo successo ottenuto da giovane gli avrebbe "fatto girare la testa" e perché sua madre temeva che giocando si sarebbe potuto far del male.

Non funzionò ugualmente. Da matricola venne eletto capoclasse per acclamazione e trascinato contro la propria volontà ad allenarsi. Da "anziano" aveva guidato i Friars attraverso una stagione di alterne fortune fino allo spareggio fra le squadre locali che si giocò a Soldiers Field contro una Austin High School spaventosamente forte — un "incontro violento alla West Side", era stato detto. Gli studenti del Fenwick erano inferiori per prestanza fisica, preparazione tecnica e strategia di gioco. Tuttavia, fino a tre quarti della partita riuscirono a contenere la supremazia dell'Austin entro un sei a zero, e il touch down venne su bloccaggio di uno dei numerosi punt di Hugh.

Maria ricordava quell'incontro come fosse stato l'altro ieri. A quell'epoca frequentava la sesta, e assisté frenetica alla partita da dietro i pali di porta, in compagnia del padre. Un gruppetto di uomini che sedeva accanto a loro criticò l'allenatore del Fenwick perché stava cercando di battere l'Austin al loro stesso gioco invece di "lasciare Donlon libero di tirare". Maria aveva odiato l'allenatore del Fenwick con tutto il cuore.

Poi, all'inizio dell'ultimo quarto, Hugh dovette di nuovo calciare dalla propria linea di meta. Gli uomini commentarono che era il momento di fingere il calcio. Se avesse superato la linea dell'Austin non ci sarebbe stato nessuno a fermarlo. Ma aggiunsero che l'allenatore del Fenwick non glielo avrebbe mai permesso.

La palla fu rimessa in gioco e tutto l'Austin volò di nuovo addosso a Hugh, che stava tentando un altro blocked punt. Non vi fu il tempo di calciarla. Appena afferrata la palla Hugh si portò come un fulmine sulla destra, schivò un enorme end dell'Austin e si tuffò oltre la linea laterale. Centomila persone, prevalentemente adolescenti, scattarono in piedi gridando chi per incoraggiamento e chi per la costernazione. Maria non riusciva a vedere oltre le teste degli spettatori, più alti di lei, che aveva davanti. L'ultima visione fugace del campo fu una maglia dorata che si stringeva intorno a quella nera di Hugh che correva come un fulmine. Suo padre, sapendo quanto lei lo adorasse, se la issò sulle spalle in tempo perché riuscisse a vedere la maglia nera che oltrepassava la linea di meta.

Il giocatore del Fenwick che doveva trasformare, così miope da stentare a vedere i pali di porta, realizzò i punti supplementari. Hugh, che aveva tenuto la palla da calciare, si avviò lentamente fuori del campo mentre la folla approvava a gran voce. L'allenatore del Fenwick appariva seccato.

Maria lo odiò ancora di più.

Il Fenwick vinse per sette a sei e Kerry Regan, la ragazza fissa di Hugh, affermò che quella notte erano arrivati fino in fondo. Maria non le aveva creduto. Non Hugh.

Sia l'università di Michigan che quella di Harvard gli avevano offerto una borsa di studio perché giocasse nella loro squadra, ma non Notre Dame. E invece egli si era iscritto al seminario ed era sparito dalla circolazione.

Ma non era completamente scomparso dai pensieri di Maria. Quando lei e Marge, durante il loro primo anno al Trinity, divennero amiche intime, Maria incominciò a bombardarla di domande sul fratello che sarebbe divenuto sacerdote. Conosceva altri ragazzi del vicinato che avevano la stessa intenzione, ma non erano come Hugh. E lei non aveva mai incontrato nessuno come i Donlon.

Sì, i Donlon erano affascinanti, passionali e misteriosi. E Hugh era il maggiore dei loro misteri.

Okay, Signore, vuoi *davvero* che faccia il prete?

E se non vuoi, Ti dispiace se mi innamoro di lui?

Di nuovo nessuna risposta. Maria rinunciò e andò a dormire.

Capitolo III

1954

Il mattino successivo, nella luce chiara di un'altra giornata caldissima e umida, Hugh si diede dello stupido per tutte le sue preoccupazioni sotto le stelle della sera prima. Dopo tutto Maria non era che un'adolescente incline alla ridarella come Marge, bella, sì, in modo non appariscente, ma nulla di cui preoccuparsi. Quando venne deciso che le avrebbe dovute accompagnare entrambe ai campi da tennis, non ebbe nulla da obiettare. Ai campi Marge li abbandonò immediatamente e sparì sull'Impala decappottabile di Joe Delaney — un appuntamento combinato, decise Hugh pieno di disgusto per la flagrante violazione delle regole famigliari sulle relazioni fisse.

E così rimase con Maria, una stupenda visione in maglietta bianca che le lasciava nude le spalle e la schiena e calzoncini da tennis, presi a prestito da Marge.

Non poi così poco appariscente.

Maria era aggraziata e veloce, ma ben lontana dal poter competere con lui, che pure le aveva concesso un handicap di trenta punti per game. Ciononostante lei riuscì a vincere due game sui primi sette, godendosela un mondo nel batterlo.

Il caldo era feroce e presto entrambi furono in un bagno di sudore. Hugh si tolse la maglietta fradicia.

"Non è corretto," gli gridò Maria dall'altra parte del campo "cercare di distrarmi. Hai paura che ti batta?"

"Proprio tu parli di distrazioni?" gridò lui di rimando.

Lei conquistò il primo punto dell'ottavo game rispondendo al miglior servizio di Hugh con un colpo sbagliato ma fortunato che le procurò attacchi di risa convulse. Col suo handicap di due punti conduceva per quaranta a zero, e Hugh dovette conquistare duramente ciascuno dei quattro punti successivi perché Maria, resa frenetica dall'eccitazione del game finale, correva per il campo invasata come un derviscio, rispondendo meccanicamente con tiri impossibili.

Arrivati a disputarsi il punto che avrebbe deciso le sorti del set Hugh effettuò un primo servizio lungo seguito da un tiro smorzato. Maria mandò a rete.

Lanciò la racchetta in aria e la riprese al volo. "Tu imbrogli, irlandese, e se oserai scavalcare la rete spero che cadrai a faccia in giù. Non sono il tipo a cui piace perdere."

"Penso che tu sia molto sportiva" disse lui avvicinandosi sicuro alla rete e stringendole la mano.

"Perché non mi hai dato tre punti...?"

Non appena le loro mani si toccarono il tempo si fermò per Hugh.

Si sporse oltre la rete e la baciò, sfiorandole con la bocca prima le guance e poi le labbra in attesa.

Ella era inesperta e nervosa; non era quasi mai stata baciata prima d'allora. Lui la circondò con le braccia attirandosi la sua testa contro il petto, un giovane corpo sudato contro un altro giovane corpo sudato. Le sue mani le accarezzarono la pelle morbida della schiena. Poi la baciò di nuovo, dolcemente per non impaurirla.

"Come sono contenta di non aver vinto!" sospirò lei felice.

Devi proprio avere l'aspetto di una bamboccia in adorazione, Maria Angelica; non hai un briciolo di orgoglio o di dignità.

D'accordo, non ne ho. Ma lui è splendido in calzoncini da bagno alla barra di una barca a vela. Sull'acqua sembra così libero e felice, non più vincolato a tutti quegli stupidi obblighi che derivano dall'essere un Donlon.

Avevano navigato per tre ore sulla *Pegeen*, una piccola barca a vela che Hugh teneva con gran cura. Maria aveva imparato che la "scotta" non è la vela, ma il cavo che tiene la vela; che quando lui gridava "Pronta!" lei doveva allentare la scotta del fiocco, e che quando lui gridava "Virata!" lei doveva lasciarla andare, saltare dall'altra parte della minuscola imbarcazione e afferrare l'altra scotta, a babordo o a tribordo, secondo i casi.

Sapeva che non avrebbe mai imparato la differenza fra "babordo" e "tribordo".

Cadde in acqua solo una volta — quando venne colpita dal boma — e si inzuppò la maglietta nera del Fenwick (che portava perché le piaceva) e i bermuda bianchi.

Hugh la tirò su e la ammonì severamente di tener d'occhio il boma.

Ella insisté nel dire che lui non le aveva mai parlato del boma e rise della sua aria spazientita. Rideva anche ogni qualvolta lui dava un ordine e rispondeva subito "Sissignore" e "Nossignore",

come se fosse stata un cadetto dell'*Ammutinamento del Bounty*.
Poi Hugh rise con lei e sembrò godere appieno della libertà e
della gioia della *Pegeen* che danzava sulle onde.
"Perché mi guardi in modo così strano?" domandò con un leggero rossore sul viso — o per lo meno il suo viso appariva più arrossato di quanto si poteva attribuire al sole.
"Sei tu che mi guardi in modo strano da quando mi si sono bagnati i vestiti" rispose lei.
"È solo ammirazione..." Il rossore aumentò. "Mi stai guardando come... come una giocatrice, una contessa in una casa da
gioco."
"Tutte le contesse siciliane sono morte." Maria decise di dire
la nuda verità. "Stavo ammirandoti... questo tuo modo di sembrare così libero e felice qui sul lago... come ti muovessi armoniosamente col vento, con l'acqua e tutto. Penso che in questo preciso
momento tu sia il vero Hugh Donlon."
Egli si voltò dall'altra parte, confuso, come un bimbetto di seconda lodato dalla sua suora. Hugh Donlon timido e confuso. Ac-
cipicchia, Maria!
"Tu vedi un po' troppo con quei tuoi occhi azzurri sempre in
movimento, giovane donna. Eppure hai ragione... il vento, l'acqua,
la vela, la barra, la mia mano sul cavo..."
"Scotta..."
"D'accordo." Hugh rise deliziato. "Qui mi sento parte del
creato, non operando in armonia col mondo ma semplicemente
stando al posto giusto con la barra e la scotta. Puoi anche metterti
a ridere, ma non sono matto."
E quando sei sulla terraferma tenti di tenere assieme tutto il
mondo. "Ti ho già messo in imbarazzo e non voglio più farlo, eccetto che per dirti quanto sei bello quando fai queste cose."
Egli sorrise, un sorriso dolce e modesto, lasciò la barra, le prese in mano il mento, la baciò teneramente, fece scorrere la mano
con leggerezza dalla gola giù verso il seno coperto dalla maglietta
del Fenwick e riacchiappò la barra — un movimento rapido e
sciolto come quelli dei ballerini in piena forma.
"Grazie, Maria." Hugh stentava a respirare. "È bello che io ti
piaccia quando sono felice."
Una folla di emozioni attraversò la mente di Maria, e tutte co-
spiravano per renderla stordita e confusa. "Mai m'impegnerei seriamente per meno" disse, maledicendosi un attimo dopo per la
propria stupidità. Una sciocchina malata d'amore.
Dopo che Hugh ebbe riportato con grande perizia la *Pegeen*
dal trampolino al suo posto di ancoraggio dall'altra parte del mo-

lo, Maria ebbe una lezione sul modo di ripiegare e legare le vele. Accaldata, stanca e ancora stordita non fu un'allieva molto brillante. Le vele ripiegate le sfuggirono di mano e caddero sul prato. "Non si fa così" le disse lui seccamente. "Avanti, Maria, puoi fare di meglio."

L'adorazione si trasformò in furore. Maria entrò in quello stato d'animo che sua madre soleva chiamare "effetto Etna". "Non t'azzardare mai più a dirmi una cosa simile" gli strillò. "Non sono né una campeggiatrice, né una schiava, né una bambina che va al catechismo, né una povera vecchia suora in sacrestia, né la tua governante, né un'affiliata dell'Altar Society..."

Hugh si lasciò cadere sul ceppo di un vecchio albero in un delirio di risate.

"Che c'è di così divertente?" domandò lei con le mani sui fianchi in atteggiamento spavaldo.

"Me stesso" ridacchiò lui impacciato. "Se mi starai intorno per un po' di tempo, Maria, ti accorgerai che sono un enorme imbecille... il tipo di bamboccio che trascorre un pomeriggio meraviglioso con una bella ragazza e poi sta a fare il pignolo sulle regole per la piegatura delle vele. Spero che mi perdonerai. La mia coscienza irlandese, suppongo. E adesso ti ho fatta piangere..."

"Ridi sovente di te stesso?" domandò lei attraverso le lacrime, col cuore che minacciava di andarle in pezzi per la tristezza che leggeva negli occhi di lui.

"Non abbastanza. Perché piangi?"

"Perché tu sei così meraviglioso." Maria si voltò e attraversò di corsa il prato verso casa.

Appena il senatore Joseph R. McCarthy comparve sul piccolo teleschermo il giudice uscì dal cottage impettito e furibondo. Non poteva proprio sopportare la vista di quell'uomo. I Democratici dovevano semplicemente vincere le congressuali che si sarebbero svolte in autunno e portargli via il suo posto al comitato.

Si sistemò su una sedia a sdraio all'ombra della grande quercia ai piedi del molo e aprì un libro sulla poesia francese del XIV secolo. Ma Maria lo distraeva. In due pezzi azzurro giocava a fare la lotta con Hugh all'altra estremità del molo. Fortunato Hugh, che aveva una così splendida creatura da scaraventare in acqua. Ordinariamente le ragazze molto giovani non esercitavano una grande attrattiva sul giudice Donlon. Come donna, Peg gli era più che sufficiente nella vita.

Ma era una giornata umida e sonnolenta, ed egli non riusciva a staccare gli occhi da quella piccola siciliana bionda — geni normanni o germanici da qualche parte, era probabile. E anche se suo padre era un ciabattino, Manfredy era un nome aristocratico. La ragazza aveva l'eleganza di una bambola di Dresda, l'energia di un sindacalista e l'intelligenza pronta di un costoso avvocato difensore — il tipo di avvocato di cui si valeva la malavita organizzata. Si biasimò per i suoi pregiudizi etnici.

Peg si avvicinò piano piano, attenta a non turbare la sua concentrazione sul francese medievale, ma attenta anche a non farsi troppo vicina. Quell'estate la loro attrazione reciproca era tale che dovevano fare attenzione a non sfiorarsi in pubblico.

Il costume bianco senza spalline attraversato da una larga striscia rossa che andava dall'anca al seno opposto che Peg indossava quel giorno le aveva meritato l'ammirazione estatica di Maria.

Maria e Peg, fantasticava il giudice fra sé, semiaddormentato. Che belle donne...

Hugh smise di fare la lotta con la piccola siciliana per trascinare verso l'acqua la madre che rideva.

Per un attimo Tom Donlon la rivide mentre allattava il bambino nell'appartamentino di Austin Boulevard... Le aveva detto della sua "promessa" a Dio dopo che Tom jr. — o Tim, come finì per chiamarsi — era venuto al mondo. Peggy non ne era rimasta impressionata. "Avevo già dedicato Hugh a Nostro Signore nel momento in cui aveva incominciato a muoversi dentro di me" aveva commentato.

Il marito ne era rimasto turbato. Ciò imponeva un duplice fardello sul bambino, e Peg gli aveva imposto il suo con troppa ingenuità.

Marge (Margaret jr.) fu l'ultima figlia perché alla sua nascita Peg aveva subito un'isterectomia, che i medici avevano reputato necessaria, quantunque non così indispensabile come Tom aveva detto sia alla moglie che alla sua ombra, Monsignor Clifton O'Meara, il quale riteneva che la decisione sarebbe dovuta spettare a lui. Tre gravidanze e tre aborti spontanei in sette anni non avevano offuscato la bellezza di Peg, ma ne avevano devastato il già imperfetto sistema riproduttivo.

Tom si rammaricava di aver dovuto ingannare la moglie. Un Gesuita docente di morale presso il seminario gli aveva assicurato che l'operazione era giustificata. Peggy era troppo infantile per poter contare sulle sue decisioni in questioni di tanta importanza.

Era una moglie meravigliosa, ma non sarebbe mai sfuggita del tutto ai danni procurati da Maude Curtin.

Alla fine Hugh la gettò in acqua mentre Maria, che con molta discrezione si era tenuta da parte durante lo scontro, osservava rispettosamente la scena.

E se i danni procurati da Maude si fossero riversati sui loro figli? Tim e Marge avevano certamente dei problemi. E Hugh... non sarebbe stato meglio per lui lasciare il seminario e mettersi con una ragazza come Maria?

Sul limitare del molo Hugh — alto, forte, muscolatura robusta — apparve per un attimo in mezzo alle due donne, una snella, l'altra voluttuosa, l'una coi capelli biondi tagliati corti, l'altra con lunghi capelli neri. Le due donne sembravano lottare per lui, l'una in nome di un Dio troppo esigente, l'altra in nome dell'amore giovanile. Tom sapeva quale delle due avrebbe vinto. Non sapeva con certezza se era bene che vincesse e se la sua vittoria l'avrebbe fatto felice a lungo.

Il giudice intuì che all'estremità del molo era in atto una cospirazione. Poi scorse i tre aggressori che gli si avvicinavano carponi, una bella moglie, un'adorabile fanciulla e il suo affascinante figlio. Tom Donlon non era mai stato scaraventato nel lago in vita sua. Ma, quantunque un simile attacco fosse un affronto alla sua dignità di giudice federale, si sarebbe comportato con calma olimpica.

Beh, magari un po' di lotta. A scopo simbolico. In un'umida giornata d'estate al lago, se sei conteso fra due donne attraenti, i simboli hanno una grandissima importanza.

Sistemò con cura il libro francese sotto la sedia. Non c'era motivo di bagnarlo.

Maria stava aiutando Peg a preparare la tavola per cena, una cosa che faceva abitualmente, senza che glielo chiedessero, con gran rincrescimento di Marge.

Nel pomeriggio Marge e la madre avevano avuto di nuovo uno scontro. Peg si era domandata se fosse "salutare" per Marge frequentare solo Joe Delaney. C'erano tanti altri "ragazzi simpatici" a Geneva quell'estate. "Non potresti passare una serata a casa, e cenare con noi...? Hugh è qui per la prima volta, quest'estate. E hai un ospite. Non pensi che di tanto in tanto potresti aiutarmi a preparare la cena?"

"Tu non hai bisogno di me" replicò seccamente Marge. "Maria fa tutto il lavoro di casa. Le piace."

"Lasciami fuori, per favore, dei vostri scontri" le disse questa rapidamente.

"Non puoi scontrarti con mia madre" rispose lei di malumore. "È troppo pia per scontrarsi. Come Hugh. Ci sarebbe da pensare che sono preti entrambi."

"Non dire cose così ingiuste" supplicò Peggy. "Ma perché non possiamo avere un po' di pace in questa casa? Perché ce l'hai continuamente con me?"

"Te le tiri addosso tu" strillò Marge correndo fuori in risposta all'imperioso colpo di clacson di Joe Delaney.

Marge era viziata. Aveva continue discussioni coi genitori, che le volevano bene, e con Hugh, che adorava in quanto fratello maggiore. Sembrava essere schiava della lite nello stesso modo in cui alcuni sono schiavi del bere.

Quando Marge faceva le sue scenate, Maria si toglieva silenziosamente di torno e si metteva a canticchiare motivi d'opera.

"Voi italiani siete gente felice e spensierata" le disse Peggy, ricordandosi di quando avevano gettato nelle acque del lago Geneva un giudice del Settimo Distretto vestito di tutto punto.

"No davvero." Maria interruppe l'aria che stava canticchiando. "Secondo mio padre siamo cupi e perseguitati dal destino, e tentiamo di farci credere grandi amanti, cantanti e danzatori."

"Ma tu non fingi, Maria."

Il primo giorno la ragazza era rimasta piuttosto interdetta sulla funzione delle forchette da insalata, e inorridita dall'assenza di bicchieri da vino. Non riusciva a capire la tenace ostilità di Peg nei confronti degli "agi materiali". Tuttavia era un'imitatrice rapida e discreta, e sapeva anche scherzare su se stessa riguardo alle "forchette per le patate, forchette per la carne, forchette per le verdure e, Peggy, forchette *da dolce*".

Peggy era la "signora Donlon" in presenza d'altri e "Peggy" in privato. Ben lungi dall'esserne offesa, Peg ne era in qualche modo lusingata.

"È perché mia madre e mio padre sono realmente felici. Siamo un'eccezione, penso."

Tornò a canticchiare la sua aria.

Voglio bene a questa piccola. Perché deve proprio minacciare la vocazione di Hugh? Perché non può correre dietro a Tim?

"I tuoi genitori non pensano di mandarti all'università? Sei in gamba, sono sicura che te la caveresti bene."

Maria si soffermò su quest'idea, il viso espressivo in una delle rare pause di pensosità. "Sono orgogliosi di me, suppongo, e farebbero qualsiasi sacrificio. Ma non ne vedo il motivo. Posso benissimo leggere e ascoltar musica senza andare all'università."

Peggy era stata al negozio del calzolaio per convincere la madre di Maria a lasciarla venire a lago Geneva. Sua madre era una donna molto attraente ma molto timida intorno ai trentacinque, e

trattava Peggy come fosse stata una regina. Fu una conversazione difficile perché l'inglese di Paola era molto limitato.
Tuttavia aveva accondisceso alla richiesta di Peg senza la minima perdita di dignità.
"È probabile che ti sposi molto giovane, allora?"
Maria dispose le tazzine per il caffè. "Solo se trovo qualcuno che sappia entusiasmarmi come il giudice."
Scoppiarono a ridere entrambe. "Me la sono tirata addosso da me" ammise Peggy.
Pietà d'Iddio, le voglio più bene che a Marge. E poi, un corpicino così attraente. Nipotini.
"In realtà, penso che farò ciò che fece mio padre, e cioè andrò in Italia e mi troverò un marito. Un bel marito tranquillo che mi prenderà in giro tutto il tempo e farà ciò che gli dico io."
"Penso che ben pochi uomini rifiuterebbero."
Maria arrossì. "Grazie" rispose con semplicità.
Quella ragazza era una minaccia per la santa volontà di Dio.
Eppure, cosa avrebbe Egli avuto da obiettare a tanta dolcezza?

"Mi sembri arrabbiata con me." Con indosso una fresca camicetta bianca e un paio di bermuda rosa accuratamete stirati e un nastro intonato nei capelli, Marge stava di nuovo per uscire in auto con Joe Delaney per andare a ballare a Delevan. "Stai meditando sul tuo fallimento nella responsabilità di esercitare su di me un'influenza stabilizzatrice?"
"Sei una puttanella" rispose Maria senza peli sulla lingua.
"Okay, una predica me l'ha già fatta Hugh. Ora sentiamo la tua."
"Tu adori Hugh, è il tuo meraviglioso fratello grande, o almeno questo è quanto mi hai sempre detto."
Era verso l'imbrunire, le zanzare incominciavano a pungere e le lucciole a brillare.
"Tu pensi cosa pensano anche loro, che dovrei lasciare Joe." Il suo labbro inferiore si sporse all'ingiù in un broncio infantile.
"Penso che dovresti essere garbata con la tua famiglia" insisté Maria la cui irascibilità, normalmente sopita come un vulcano inattivo, stava cominciando a inviare segnali d'avvertimento.
"Non lo saresti nemmeno tu al mio posto... Non preoccuparti, mia madre sa che stai cercando di rendermi più stabile. Comunque, le piaci più tu di me."
Marge si voltò e corse verso la Cadillac di Delaney, senza offrire a Maria la possibilità di esplodere.
Così ella uscì e si avviò verso il molo, e invece di dar sfogo alla rabbia pianse... finché le zanzare non la spinsero in casa.

Per una volta Dio, seminario, vocazione, Padre Meisterhorst cessarono di esistere. Solo Maria, Maria dalle labbra in attesa e dal corpo arrendevole. Si baciavano ovunque potevano, in auto, sul molo quando nessuno li guardava, in acqua quando lui le insegnava a nuotare, fuori della sala da ballo al molo dei divertimenti in città, nel salotto del cottage quand'erano soli, seduti nelle ultime file in un cinema.

Ignoravano i genitori di lui e chiunque nel mondo degli adulti. Esistevano solo per il sapore dolce delle loro labbra, per la tenerezza con cui le loro mani si toccavano e per il tepore dei loro abbracci. La danza rituale di quando frequentava le superiori, in cui giovani uomini e giovani donne partecipavano a un tiro alla fune in cui a un certo punto veniva posto un limite, era impossibile con Maria.

Ella non poneva limiti. Era lui che doveva stabilire il limite posto dalla tenerezza e dal rispetto.

Poi il seminario si intromise nei suoi pensieri, senza preavviso e senz'essere desiderato.

Avevano visto *Tre soldi nella fontana* con meraviglia estatica, poiché la sua atmosfera sentimentale e romantica armonizzava alla perfezione col loro stato d'animo. Per tutta la durata del film lui le aveva accarezzato leggermente la gamba e lei si era rannicchiata nella stretta di Hugh come se la continuazione della sua esistenza fosse dipesa dalla protezione di lui.

Erano usciti dal cinema nella notte umida, avvolti nella confusione di una passione simile a un sogno, lei particolarmente attraente in bermuda bianchi e maglietta del Fenwick che le evidenziava leggermente il seno.

"Ciao, Hugh." Era una voce familiare e raggelante. "Quella non era la Roma in cui ho studiato io, per mia sfortuna."

Era Padre John Xavier Martin, un giovane professore di diritto canonico che insegnava al seminario, uno dei pochi sacerdoti diocesani in una facoltà prevalentemente in mano ai Gesuiti.

"Buona sera, Padre Xav." Hugh si era impappinato, ma ricuperò rapidamente l'equilibrio. "Ha mai gettato una monetina nella fontana di Trevi?"

Il suo braccio stava ancora cingendo Maria. Lo fece scivolare via più rapidamente che poté.

"Sì" ammise sconsolatamente il giovane prete. "Ma fino ad ora non ha funzionato."

"Ah, Padre Martin, questa è Maria Manfredy, compagna di classe di mia sorella Marge."

"Ciao, Maria." Padre Martin finse di accorgersi di lei solo in quel momento. "Lieto di conoscerti. Hai frequentato anche tu il Fenwick?" –

"Frequento il Trinity, Padre, come Marge Donlon." Le parole fluivano dolcemente; nella sua voce non si coglieva che un doveroso accenno di rispetto per il sacerdote. "Però facciamo il tifo per il Fenwick, dato che non c'è nient'altro in giro."

"Così è la vita." Padre Martin la studiò con molta attenzione. "È stato un piacere incontrarti, Maria... Buona estate, Hugh."

Svanì nella notte estiva.

"Sei nei guai?" Maria era mortalmente pallida alla luce del lampione stradale.

"Nulla da cui non possa tirarmi fuori con qualche spiegazione, se proprio dovrò" disse lui con molta più sicurezza di quanta ne provasse realmente.

Marge moriva dalla fretta di arrivare a casa per raccontare a Maria il proprio trionfo. Maria era l'unica che potesse capirla, l'unica che si interessasse a lei, l'unica che si rendesse conto di che palla al piede fosse il vivere legata a gente insignificante e priva di vivacità com'erano i suoi genitori.

L'amavano, com'era ovvio. Erano meravigliosi. Ma vivevano solo di regole e di principi. Non scherzavano, non si divertivano, non conoscevano che la monotonia. Chissà come avevano fatto a trovare la passione sufficiente a mettere al mondo tre figli.

E Hugh, poverino, così pio, anche se non credeva a un bel niente di tutta quella roba, no davvero. Tim era l'unico della famiglia che avesse un po' di vita, e loro lo portavano dallo psicologo.

Ma niente psicologo per Marge. Lei avrebbe rotto alla prima occasione e nel frattempo avrebbe cercato di divertirsi più che poteva, anche di nascosto.

Ora che non era più vergine, pensò trionfante, si sarebbe divertita molto di più. Mamma sarebbe stata di certo furente se lo avesse scoperto. Ma lei cosa diavolo credeva che ci stessero a fare gli organi sessuali?

Maria disapprovava. Ma Maria capiva. Anzi, mentre si preparava ad andare fino in fondo con Joe Delaney pensava al tutto come a una specie di documentario cinematografico che avrebbe potuto godersi a posteriori con lei.

In realtà, non era stato un gran che. Joe era stato rozzo e privo di tatto. Sbottonata la camicetta, tolti i pantaloni, strappata via la biancheria, un paio di tenerezze alla svelta, poi mi penetra, mi si stende sopra come fossi un galleggiante e alla fine si mette a gridare come un pazzo. Dev'esserci qualcosa di meglio.

Non aveva particolarmente goduto la deflorazione e ora sentiva un forte bruciore.

Beh, era fatta, comunque. Si era tolta il pensiero. Era questo ciò che contava.

Tuttavia, avrebbe dovuto farne qualcosa di grandioso per Maria, per dare un po' di brivido a quella santarellina coi vestiti fuori moda.

"Ci vediamo domani sera?" aveva domandato Joe avidamente mentre lei scendeva dall'auto.

"Forse" aveva tagliato corto lei.

Maria, in pigiama a calzoncini corti, leggeva seduta sul letto. Quando Marge irruppe nella stanza voltò verso di lei un viso carico di angoscia e affetto.

Marge si gettò fra le sue braccia e pianse amaramente.

Capitolo IV

1954

I genitori di Hugh erano dolorosamente consapevoli della sua avventura romantica. Ogni mattina si recavano in auto con lui alla Messa delle otto che veniva celebrata in una chiesetta sulle colline sopra Fontana e Hugh, che nonostante quanto Padre Meisterhorst avrebbe detto non riteneva che lui e Maria peccassero gravemente, continuava a ricevere la Santa Comunione. Poi tornavano al cottage per la colazione prima che le ragazze si svegliassero. Ordinariamente, prima che Marge e Maria comparissero e la giornata incominciasse, Papà usciva per andare al golf, Mamma si ritirava nel gazebo adattato a studio per lavorare coi suoi acquerelli, e Hugh sedeva in salotto a leggere passi dall'Abate Marmion senza capire nemmeno una parola, o a mandare avanti faticosamente la lettura di un capitolo del *Signore delle mosche*.

Il giudice e Peggy avevano parlato una volta sola dei loro timori.

Il mattino successivo all'incontro con Martin, di ritorno dalla Messa, suo padre aveva iniziato a dire con aria esitante che Maria era una giovane deliziosa.

"Ci sentiamo responsabili..." aveva aggiunto la madre.

"Nulla di cui sentirsi responsabili, Mamma. Maria e io ci stiamo divertendo. Nessuno dei due pensa che durerà. Io tornerò a Mundelein e lei tornerà al Trinity. Entrambi avremo piacevoli ricordi per gli anni futuri. E questo è tutto."

Il giudice tentò di affrontare il problema per un altro verso il giorno in cui fermò la loro Buick danneggiata in tre punti nel vialetto che passava dietro al cottage. "Se mai decidessi di lasciare il seminario, Maria sarebbe una giovane ideale da ehm... corteggiare. Voi due sembrate equilibrarvi molto bene."

"A noi piace molto" incalzò sua madre. "Non vogliamo interferire nella tua decisione o nella volontà di Dio."

Hugh rise senza difficoltà. "Non è una cosa che avrà conseguenze così lontane. Non posso permettermi una breve avventura estiva senza che voi pensiate subito a dei nipotini?"

Peg aprì bocca per dire qualcosa, ma tacque.

Più tardi, quella stessa mattina, dopo che il giudice fu uscito per andare al campo da golf e sua madre si fu ritirata nel gazebo, Hugh andò a sedersi in salotto, aspettando che le ragazze scendessero per la colazione. Mentre rileggeva per la terza volta la stessa pagina da Marmion si biasimava amaramente. Non era affatto così semplice come aveva finto con i suoi. Era innamorato di Maria. Era un'estate d'amore destinata a passare, senza dubbio, ma era anche un amore esaltante e inquietante. Stava violando le regole del seminario, rischiando di far del male a se stesso e a lei, procurando preoccupazioni inutili ai suoi genitori. Era sconsiderato e irresponsabile, ma non poteva smettere.

Non voleva smettere.

Tim fu più brutale di Mamma e Papà. "Ehi, non è che quel bocconcino della Manfredy si fa scopare? Quasi tutte le ragazze di origine italiana lo fanno. Scommetto che è fantastica!"

"Lei non fa un bel niente, e siamo solo amici" rispose Hugh adirato. Proprio in quanto amava Tim, o riteneva di amarlo, rimaneva offeso dal suo incorreggibile cinismo. Nel mondo di Tim nulla era diretto e immediato. A Notre Dame circuiva i professori per ottenere un A o un B anche se ciò richiedeva più tempo e applicazione che studiare. Mentiva alle ragazze quando era altrettanto facile dir loro la verità. Agli esami barava anche quando sapeva benissimo le risposte. Era così che Tim concepiva la vita.

"Prendi ciò che ti offrono quando puoi, fratello" fu il suo consiglio mentre si dirigevano in auto dalla fermata del treno a Williams Bay.

Non aveva senso discutere o adirarsi con lui. "È probabile che prenderai una bella sbronza questo fine settimana, eh?" disse Hugh cambiando discorso. "Lo sai quanto Papà e Mamma si preoccupano."

"Lo so." Tim appariva sinceramente dispiaciuto. "Direi che mi piace davvero un po' troppo. Ma devi pur scacciare le sofferenze scolastiche. Quando sarò riuscito a sottrarmi alle dannate lezioni mi metterò a posto."

Tim era il più sveglio dei tre Donlon e, quando ci si metteva d'impegno, il più affascinante. Solo che non si metteva d'impegno molto spesso. Era troppo occupato a inventare qualche nuovo tiro.

Le ragazze lo consideravano attraente — un rosso magrolino col viso lentigginoso e un largo sorriso accattivante, che ai loro occhi appariva l'incarnazione del folletto delle fiabe irlandesi. Il suo buonumore, la sua battuta pronta e il suo spirito vivace confermavano questa immagine.

Così aveva molto più successo con le ragazze di quanto ne avessero altre matricole di Notre Dame con maggiori doti fisiche o atletiche.

Tim da parte sua aveva imparato a ottenere il massimo da una ragazza col minimo sforzo. Vi erano modi di sbaciucchiarle e accarezzarle che davano loro ciò che volevano e le lasciavano praticamente a sua disposizione.

Era ovvio che piacesse anche a Maria, che con lui scherzava più che col fratellino Hugh. Già che probabilmente si faceva scopare da Hugh, perché non anche da lui?

Era un rischio, ma avrebbe reso la cosa estremamente divertente.

Così, mentre si dirigevano in auto verso la drogheria di Fontana egli fece la sua mossa. Povera Mamma, sto facendo esattamente ciò che lei desidera, distolgo la mente di questa giovane ragazza da Hugh.

Non baciava niente male. Hugh l'aveva eccitata per benino.

Ma poi lei lottò per liberarsi dalla sua stretta, i teneri occhi azzurri pieni di lacrime.

Qualcuna la conquisti e qualcun'altra la perdi.

"Non vorrei offenderti per nulla al mondo, Maria" disse lui in tono di scusa.

"Non ho detto che non sia stato piacevole." Maria si risistemò la camicetta priva di stile.

Lui rise. "Mi piaci, Maria, mi piaci davvero." E questa era la pura verità.

"Perché sei sempre nei guai, Tim?" — anche lei era brava ad apprestare le proprie difese — "rubare il calice dalla sagrestia, sottrarre il denaro della festa della parrocchia, farti cogliere con la birra a Notre Dame? Che ne avresti fatto del calice? E non hai bisogno di denaro, vero? E scommetterei che non hai bevuto nemmeno un goccio di quella birra."

"Non di quella, ad ogni modo." Egli rise. "Non lo so. Ma posso riferirti ciò che dice lo psicologo. Secondo lui sono uno che deve sempre andare in cerca di emozioni."

"Psicologo?" Maria sembrava sbalordita all'idea che esistesse una simile specializzazione.

"Certo. Se un Donlon ha qualche problema, prima va dal prete e poi va dallo psicologo. Hai presente i bob a Riverview? Quando sono là ci vado tutto il giorno. Non c'è nulla di più divertente."

"*Devi* proprio?" domandò lei con voce sommessa.

"No, finché non ci salgo. Poi non riesco più a venir via."

"Non capisco." Sembrava intenta ad afferrare un teorema di matematica.

"Ricordi quando rubai il calice dalla chiesa di Fontana? Sai cosa intendo. Sono sicuro che Marge ti ha raccontato tutto. Intendo dire, l'avevano lasciato in sagrestia, era lì che chiedeva di essere rubato. Una domenica notte scassinai la finestra e me lo portai via. Non si accorsero nemmeno delle tracce sul davanzale. Volatilizzato." Timmy ridacchiò ricordando l'espressione del viso di Monsignor Schultz.

"*Dovevi* prenderlo?"

"Lo volevo così tanto che me lo sognavo di notte, non perché me ne sarei fatto qualcosa e non perché ne avessi bisogno, ma perché era lì ad aspettare che qualcuno lo prendesse. Mi sarei sentito bene se non fossi stato costretto a vederlo sull'altare durante la Messa. Poi una domenica non potei più resistere. Dovevo averlo, era come corre sul bob."

"Oh... e ti sentisti bene dopo averlo preso?"

"Una specie di orgoglio, per esser stato così abile. Ma il vero divertimento è nell'azione in sé... e prendere in giro personaggi ridicoli come il vecchio Schultz. Stavo per restituirlo..."

"E poi ti presero, con gran costernazione di tua madre."

"È ciò che dice lo psicologo."

"Cosa?"

Tim le lanciò un'occhiata, al lato opposto del sedile anteriore della Buick di famiglia. Maledetto Hugh; perché doveva avere sempre il meglio? Oh, beh, era sempre così e sarebbe sempre stato così.

"Lo psicologo dice che lo faccio perché mia madre dice di non farlo."

"Ma lei non dice mai a Hugh di non farlo, mi pare."

Maledettamente abile.

"Io non faccio del male a nessuno" rispose.

Hugh e Maria fluttuavano senza meta in mezzo al lago sul Chris-Craft dei Donlon, sotto un cielo affollato di stelle, dopo aver visto Audrey Hepburn in *Vacanze romane*. Avevano deciso di andare a Geneva in barca perché più intima e romantica dell'auto, sebbene la madre di Hugh, vedendoli avviarsi verso il molo nella luce porporina del tramonto, avesse leggermente inarcato le sopracciglia.

Dopo il film si erano fermati alla sala da ballo dove Maria

aveva cantato "Buttons and Bows" per un pubblico di ragazzi entusiasti e infine avevano giocato a biliardino nella sala giochi sul molo.

Ora stavano rilassandosi sul sedile anteriore della barca; Hugh le teneva un braccio intorno alle spalle e l'altro appoggiato sullo stomaco, sopra la maglietta del Fenwick che ora era diventata una specie di uniforme e che lei lavava meticolosamente ogni sera prima di andar a dormire.

"Non sarebbe bello galleggiare qui per sempre?" disse lui appagato.

"Sposami" rispose lei.

"Eh?" Hugh si tirò su sorpreso.

"Non intendo adesso. Intendo il prossimo anno, dopo che mi sarò diplomata."

"Sei troppo giovane per sposarti, Maria." Una paura glaciale gli si diffondeva per le vene nonostante il tepore della notte.

"Hugh, avrò la stessa età che aveva tua madre quando sposò il giudice."

Dio, aiutami a non ferirla. "Non riuscirei a immaginarmi una moglie migliore..."

"Sono una cuoca bravissima, sarò brava a letto una volta che avrò imparato, ti darò un mucchio di bei bambini, sarò bella anche da vecchia, come mia madre, e mi abituerò a leggere, non ti limiterò troppo, ti amerò sempre e ti renderò felice ogni giorno della tua vita."

"Non avremmo giornate tristi e nemmeno giornate noiose." Hugh sciolse l'abbraccio. "Ma io mi farò prete, Maria."

"No, non credo lo farai" rispose lei fiduciosa. "perché ami troppo le donne."

"Non è che rinunciamo alle donne perché non ci piacciono, Maria." Si agitò a disagio sul sedile di pelle coperto di umidità.

"Ci sono uomini a cui piacciono le donne ma ne possono fare a meno. Mi pare sensato... ma tu non sei uno di quelli, Hugh. Tu ci ami troppo. Tu... tu mi bevi come un bicchiere di limonata fresca in una giornata torrida."

"Non ho nessuna intenzione di umiliarti." Hugh rise nervosamente.

"E chi resta umiliata? Mi piace moltissimo, come piacerebbe a qualsiasi donna. E tu guardi in quel modo ogni donna attraente. Ti ho visto fare il galante con la moglie di quell'uomo al chiosco dei gelati questa sera. Era davvero vecchia... avrà avuto almeno trent'anni... Non potrai andar avanti senza una di noi. Sarò io a sacrificarmi." Rise. "E sarò quell'una."

"Ti sbagli, Maria" disse lui lentamente, domandandosi da dove venissero le sue pronte, sicure intuizioni.

"Non mi sbaglio" rispose lei con dolcezza. "Il fatto è che tu ti trovi in seminario a causa della tua famiglia. Se facessi a modo tuo, ti staresti cercando una moglie."

"La mia famiglia non mi sta forzando." Le si allontanò e si mise al sicuro al volante del Chris-Craft.

"Ti hanno fatto credere di essere libero. Loro credono che tu lo sia. E lo credi anche tu. Ma non lo sei. Sai benissimo che ciò farà piacere al giudice, specie se sarai un prete intellettuale. E farà Peg oltremodo felice. E... adesso non mettere in moto finché non ho finito... soddisferai il folle concetto dei Donlon secondo il quale quando qualcosa è difficile, e magari impossibile, allora deve essere proprio ciò che Dio vuole. Mentre se qualcosa è divertente o può farti felice, allora dev'essere necessariamente peccaminoso."

"Devo avviare il motore, o la corrente ci porterà contro il Black Rock."

Accese il motore e a velocità ridotta ricondusse la barca verso il centro del lago, cercando nel proprio cuore una risposta al furioso assalto di lei. Ti amo, Maria, anche quando sei arrabbiata. Specialmente quando sei arrabbiata. "Ma se sei stato chiamato al sacerdozio," disse infine "devi domandarti se osi rifiutare l'invito di Dio. La felicità non conta."

Maria esplose. "Questo è quanto di peggio ho mai sentito in vita mia. Non sono una buona cattolica come forse siete voi Donlon, ma so che Dio ci vuole felici. Se ti fai prete per senso del dovere, Hugh, non fai la volontà di Dio."

"Sono anch'io un buon cattolico" sbottò lui, cercando di contenere l'ira.

"E non si tratta solo del sacerdozio." Maria gli puntò imperiosamente un dito sul petto. "Anche se non dovessi farti prete, non mi sposeresti ugualmente. Avresti paura che facessi di te lo Hugh Donlon della barca a vela, pieno di gioia e di vita... e d'amore."

Hugh si sentì come se qualcuno gli avesse aperto una porta dentro e avesse lasciato penetrare una sottile lama di luce.

Si affrettò a richiudere la porta. "Sei solo in vena di romanticismo" le disse, mentre qualcosa di meraviglioso e terrificante si dissolveva nel buio.

Capitolo V
1954

Una volta o l'altra bisogna perdere la verginità, si disse Maria. Tanto vale che sia con Hugh Donlon. Lui non le avrebbe fatto male, come Joe Delaney con la povera Marge. Eppure, mentre la Buick rossa e bianca procedeva traballando per il viottolo sotto un accigliato cielo grigio, aveva paura. Con la chiarezza di idee su di sé che aveva sempre, Maria sapeva che la sua innocenza e inesperienza avrebbero potuto indurla ad agire stupidamente. Avrebbe continuato con un fuoco di fila di battute fino all'ultimo momento, e poi avrebbe capitolato.

Spero che tu capisca, Dio. Non penso che mi manderai all'inferno. Tu vuoi che io lo ami, vero?

Il Signore non fece commenti.

Una stupida spedizione per cogliere lamponi. "Len Mulloy ha lassù più o meno duecento acri di bosco che tengono per cacciare. Ha persino un casotto di caccia. Ci ha detto che possiamo portarci via tutti i lamponi che vogliamo."

Tutto ciò che voglio è che lui mi ami un po' più a lungo.

E l'espressione preoccupata della povera Peg quand'erano partiti in auto. Sa leggere il desiderio sul viso della gente quella donna. Per quanto riguarda te siamo rivali, tesoro. Lei ti vuole per Dio e io ti voglio per me.

Perché non riesco a odiarla?

E perché ti amo tanto?

Non c'era vento quando parcheggiarono alla fine del solco e si inoltrarono a piedi nel bosco. Ma quando i cestini furono quasi pieni dei rossi frutti succosi e le loro dita macchiate, una forte brezza stava già soffiando attraverso le cime degli alberi e nuvole basse attraversavano la porzione di cielo che li sovrastava. Maria rabbrividì. Stava diventando freddo.

"Sta per piovere" avvisò.

"No, secondo le previsioni del tempo il fronte della perturbazione non arriverà fino a stanotte. Riempiamo ancora questo cestino."

"D'accordo, non pioverà. Il cielo non voglia che le previsioni siano sbagliate."

Si inoltrarono ancora nel bosco e riempirono l'ultimo cesto. Cominciarono a sentire qualche goccia sul viso, poi le gocce diventarono un torrente che in un attimo li inzuppò fino alle ossa.

"Non sta piovendo," gridò lei coprendo il sibilo del vento. "È solo una fantasia prodotta dalla mia superstiziosa immaginazione di italiana meridionale."

"Facciamo una corsa fino al casotto di caccia" gridò lui di rimando. Era di ottimo umore. "È per di qua, penso."

La pioggia si rovesciava in grigie cortine ondeggianti; il fulmine guizzava nel cielo e talvolta andava a cadere nel bosco. Il vento ululava fra le cime degli alberi.

La pioggia era gelata e Maria rabbrividiva mentre correvano alla cieca per il bosco, con l'acqua che entrava negli occhi e scorreva a rivoli giù per il viso.

"Il fronte è atteso per domani."

Distrutti e senza fiato arrivarono inaspettatamente a una radura e, coi cesti di lamponi che continuavano a battere contro le gambe, attraversarono di corsa lo spazio aperto raggiungendo la porta del casotto di caccia. Hugh armeggiò con un certo numero di chiavi e finalmente riuscì ad aprire la porta. All'interno trovarono un paio di divani rustici, vecchi tavoli e sedie e per terra un tappeto consunto. La stanza odorava di muffa e disinfettante.

"Sei inzuppata fino alle ossa." disse Hugh.

"Impossibile. Il fronte non arriverà prima di stanotte."

Hugh rovistò in un armadio per la biancheria e trovò due asciugamani da spiaggia. "Avvolgitelo addosso" le ordinò lanciandogliene uno. "Accenderò il fuoco e così potremo riscaldarci e fare asciugare i vestiti."

"Sì, capo."

Nella stanza da bagno Maria si tolse gli abiti e considerò con occhio critico la giovane donna riflessa nello specchio scurito. Quasi come se l'avessi programmato, Maria Angelica. Si avvolse l'asciugamano intorno al corpo e, dopo un'occhiata ai corti capelli biondi che le segnavano perfettamente il contorno della testa, ordinò al suo cuore di smettere di battere furiosamente. Il cuore rifiutò di obbedire.

Lui sta ingannando se stesso su quanto succederà. Ma non io.

Così, chi di noi due è peggiore? Respirò profondamente e tornò in salotto.

Il fuoco scoppiettava già nel caminetto. La stanza odorava di resina e di fumo, come un falò di foglie autunnali. Un boy scout in gamba, il mio uomo.

Con l'accappatoio stretto attorno alla vita, Hugh stava preparando del caffè istantaneo su un vecchio fornello elettrico. Gliene passò una tazza. "Avevo torto riguardo alla pioggia" si scusò sorridendo.

"Per lo meno hai fatto in modo che avessimo un'isola deserta con tutte le comodità di casa."

Egli rimase pensieroso per un attimo. Poi il suo viso assunse un'espressione prima divertita e poi dura e decisa. Maria ne fu impaurita.

"Cosa...?" disse.

Hugh si alzò in piedi, le tolse di mano la tazza del caffè e la fece alzare, esaminandola come fosse stata un'opera d'arte che egli dovesse valutare. Le sue dita toccarono l'asciugamano allacciato sotto la spalla e lo fecero cadere al suolo.

Lei non si mosse, raggelata da un misto di timore, pudore e desiderio. Hugh continuava a esaminarla con un'espressione grave e piena di rispetto.

Poi le sue mani cominciarono a esplorarle il viso, come se il resto potesse aspettare fino a più tardi, esaminando attentamente le guance, il mento, gli occhi, il naso, le labbra e i biondi capelli bagnati.

Maria si sentì completamente sua.

Le mani si mossero lentamente verso la gola e la nuca di lei, preparando la via alle labbra. Egli le toccò leggermente le spalle, la schiena, il petto e con infinita delicatezza i seni, prima uno e poi l'altro, cingendoli come se potessero rompersi sotto la pressione del suo tocco.

"Oh, Dio, sì," gemette Maria mentre le labbra di lui seguivano inesorabili alle dita.

"Bello bello" mormorò lui.

Un languido senso di pace si diffuse per il corpo di Maria. Sarebbe andato tutto bene. Non avrebbe fallito.

Per un po' rimasero in bilico. Lei aspettava con ansia di saltare il fosso assieme a Hugh.

Poi, con uno spasmo convulso, Hugh si staccò da Maria, si lasciò cadere sul divano dietro di sé e nascose la testa fra i cuscini.

Maria rimase in piedi sopra di lui, immobile come una statua, consapevole della luce emessa dal fuoco che accarezzava i contorni armoniosi del suo corpo. Poi raccolse l'asciugamano, se lo avvolse intorno ancora una volta e sedette sull'orlo di una sedia dall'altra parte della stanza.

Hugh non parlò e non si mosse.

Maria attese.

"Mi dispiace" disse finalmente lui con voce strozzata.

"Non sono arrabbiata, non sono ferita, non umiliata, né niente del genere."

Sorprendentemente non lo era.

Un'altra lunga attesa. E Maria pensò, d'accordo, Tu, lassù, mi hai dato davvero una lezione. Un giorno Te ne sarò grata. Ma non in questo momento.

"La tempesta che non c'è stata non c'è più" disse infine.

Hugh non alzò gli occhi dai cuscini. "Vuoi andare in macchina e aspettarmi? Non ci metterò molto."

"Sì" rispose Maria sommessamente. "Aspetterò fino a quando vorrai."

I suoi vestiti erano ancora umidi quando se li infilò nella stanza da bagno. Giunta sulla soglia si fermò. "Prendo metà dei lamponi. Non dimenticarti il resto."

La pioggia stava ancora gocciolando dagli alberi mentre lei discendeva faticosamente il sentiero pieno di fango e pozze d'acqua che portava alla Buick rossa e bianca in attesa, bagnata e oltraggiata, all'estremità dei solchi. Un tipico temporale estivo, improvviso, violento e presto esaurito.

Una domenica sera Hugh e suo padre accompagnarono Maria in auto alla stazione di Walworth per prendere il Milwaukee Road che l'avrebbe riportata a Chicago e alle tre camere sul retro del negozio di ciabattino di Division Street. Peggy doveva incontrarsi col comitato organizzatore della Fiera delle Arti del lago Geneva, Marge era invitata a cena dai Delaney e Tim, questa volta sobrio, era a Notre Dame a tentare di prendere accordi per la propria riammissione.

Hugh era al volante della tutt'altro che scattante Buick, col padre seduto accanto. Maria occupava il sedile posteriore, vivace come sempre, e li intratteneva col resoconto di una visita al "vecchio quartiere" — dove lei continuava ad avere le sue radici emotive anche se ora viveva in Division Street — compiuta da certi suoi parenti siciliani "via" Università di Roma.

"Mio cugino Marco — che è quello di Roma — dice a mio zio Geno, 'Don Eugenio, che tu fai per la cultura?'."

"Nessuno ha mai fatto a Geno questa domanda. Così lui agita la mano e dice 'Marco, quando possiedi tre pizzerie, che bisogno hai della cultura?'."

Il giudice non approvò. "La cultura è importante, Maria."

Lo so benissimo. È per questo che ascolto l'opera ogni sabato pomeriggio."

"Qual è la tua opera preferita, Maria?" domandò il giudice.

"*Rigoletto*" rispose lei senza esitare. "È così triste... ma quella povera ragazza ha avuto quel che si meritava... fare la stupida in quel modo coi duchi e la gente importante."

Arrivarono alla stazione.

La domenica notte alla fine dell'estate la stazione di Walworth era un posto tristissimo — mariti di ritorno verso una solitaria settimana in ufficio, famiglie che anticipavano malinconicamente la fine delle vacanze, ragazzi più grandi che tornavano al lavoro in città domandandosi come mai le estati erano più belle quando avevano quattordici anni, polvere e sporcizia e la luce accecante del sole al tramonto, troppo bagaglio, troppa gente, e la certezza che il treno sarebbe arrivato in ritardo e sarebbe stato soffocante e affollato.

Maria indossava un vestito estivo leggero, vecchio di due anni e un po' piccino. In shorts o in pantaloni lunghi sarebbe potuta passare per una contessa. Con un vestitino dimesso era la figlia del ciabattino.

Lasciarono l'auto e Hugh le portò l'antiquata valigia di pelle nera. Dentro, supponeva, c'era la maglietta nera del Fenwick.

"Voglio dirti una cosa, giovane donna." Il giudice aveva un tono estremamente professionale.

"Sì, Vostro Onore?"

"Ammiro il tuo attaccamento al vecchio quartiere e alla sua cultura, sulla quale tu sai scherzare così amabilmente. Ma il vecchio quartiere è in evoluzione, Maria. Ora assumiamo praticanti che provengono da Taylor Street... quest'anno c'è stata persino una candidata che aveva qualifiche migliori di ogni altro giovane."

"Non una bionda, spero."

Il giudice sorrise col suo sorriso rapido e vago. "Non ho avuto il piacere d'incontrarla. Ma non è questo l'essenziale, Maria."

"Capisco, giudice Donlon." Il fischio del treno si udì a poca distanza. "Lei non vuole che io mi perda fra il vecchio 'vecchio quartiere' e il nuovo 'vecchio quartiere'... per non parlare del nuovo 'nuovo quartiere', dove un mucchio di bambini che crescono nel vecchio 'vecchio quartiere' finiranno per andare a vivere... a River Forst." I suoi occhi si riempirono di quelle lacrime che aveva lottato per ricacciare indietro durante il tragitto in auto.

"Precisamente." Il giudice si voltò in modo da non vederle.

Il treno giallo e verde entrò sbuffando in stazione e sembrò accasciarsi con un sospiro affaticato.

Ella li abbracciò entrambi e ad entrambi elargì un fervido bacio sulla guancia, soffermandosi un po' di più ad abbracciare Hugh. "Nessuno dica nient'altro che addio, o piangerò fino a Chicago." Poi si voltò rapidamente e si infilò tra la folla che si spingeva per raggiungere il treno.

"*Arrivederci*, Maria." Le parole caddero sommesse dalle labbra di Hugh.

Sul gradino del treno Maria si voltò con un sorriso radioso fra le lacrime e diede loro l'addio agitando la mano.

Di nuovo la contessa. La contessa che dice addio.

"Per ragioni che non desidero esaminare troppo da vicino," disse il giudice quando furono di nuovo in auto diretti verso il lago Geneva "mi ricorda tua madre alla stessa età."

Capitolo VI

1954

Tornato in seminario, dimenticare Maria fu molto più difficile di quanto Hugh avesse immaginato. Scorreva rapidamente le lettere da casa nella speranza che vi fosse qualche sua notizia; gli pareva di udire il ticchettio dei suoi tacchi sul marciapiede deserto sul quale si affacciava la sua finestra, sebbene non l'avesse mai vista coi tacchi alti; la sognava di notte e fantasticava su di lei durante le meditazioni del mattino, e lungo le noiose lezioni di teologia gli tornavano alla mente il suo ampio sorriso e la sua risata.

Non avrebbe voluto, né potuto, lasciare il seminario.

La sola forza di volontà, tuttavia, non era sufficiente a esorcizzare la fanciulla che lo seguiva lungo i corridoi bui e silenziosi del collegio universitario.

Disperato, Hugh si rivolse all'amico Jack Howard. I loro ruoli si erano invertiti. Hugh aveva aiutato Jack a superare una crisi vocazionale; ora era la volta del basso e tarchiato Jack, che tuttavia era molto incerto.

"Non è alla mia portata, Hugh. Forse dovresti abbandonare."

"Non posso. E non posso parlarne né con Meisty né con nessuno dei Fratelli Gesuiti. Mi denuncerebbero immediatamente al rettore e mi sbatterebbero fuori."

"Pat Cleary parlò con Xav Martin l'anno scorso, quando il rettore voleva espellerlo e tu l'avevi appena tirato fuori dai guai. Dice che Xav è contrario a tutto il sistema di qui, anche se finge che gli vada bene. Secondo lui puoi star certo che Xav tiene la bocca chiusa."

Fino ad ora l'aveva tenuta chiusa.

Hugh attese un'altra settimana. Finalmente il fantasma di Maria incominciava a dissolversi. Poi ricevette due lettere: un conciso biglietto con cui il giudice lo informava che Tim era stato colto un'altra volta a tenere birra in camera ed era stato espulso, e uno di Tim, che gli annunciava l'intenzione di arruolarsi in Marina e affermava di non aver toccato la birra ma di essersi limitato a introdurla clandestinamente negli alloggi degli studenti a beneficio degli altri.

"La Marina è un'idea più che altro mia, Hughie. Mamma pensa che potrà aiutarmi. Sai quanto poco la casta militare piaccia al giudice. Non so, mi pare una buona idea star via un paio d'anni. Non è bello che io debba costituire un problema per tutti voi."

Hugh, disilluso, diede una manata sulla scrivania. No, non era affatto una buona idea. La Marina non avrebbe aiutato Tim. Aveva bisogno di un aiuto professionale. Non avrebbe mai dovuto smettere di andare dallo psicologo.

Bell'aiuto gli ho dato. Mi sono preoccupato più dei miei problemi che dei suoi. E i miei sono in gran parte immaginari.

Quella sera Hugh prese un appuntamento con Padre Martin.

La sera successiva, nervoso e preoccupato, allo scadere del tempo concesso dopo cena per fumare raggiunse in punta di piedi l'aula in cui si tenevano le lezioni di diritto canonico.

Padre Martin lo salutò con un semplice cenno della mano. Era un irlandese snello e bruno, un Tyrone Power in abito talare. "Siedi, Hugh. Che cos'hai in mente?"

"La ragazza che Lei non ha conosciuto quando non ci incontrammo al cinema al lago Geneva. Penso a lei in continuazione."

"Quale ragazza?" Martin alzò il sopracciglio ben disegnato.

Hugh si protese in avanti sul bordo della sedia. Alla calura dell'inizio di settembre era seguito un sereno autunno dorato che addolciva i colori degli edifici di mattoni rossi e dei vasti prati del seminario. L'erba che si intravedeva fuori della finestra della camera di Padre Martin sembrava dello stesso colore dei capelli di Maria.

"Quella con la maglietta del Fenwick."

"*Quella*." Martin roteò gli occhi. "Sì, ricordo la maglietta. Direi che vale la pena di parlarne. Siediti e raccontami."

Hugh raccontò, dilungandosi e soffermandosi su complessi dettagli.

Xav Martin si passò una mano sulle guance, che cominciavano ad apparire non sbarbate dopo un quarto d'ora dal passaggio del rasoio. "Sembreresti innamorato di lei, o pensi di esserlo... Alcuni di noi sono così, Hugh. Passiamo da una passione ardente all'altra. Siamo costantemente innamorati. È per lo più una questione di geni e di ormoni. Non ha importanza se siamo sposati o celibi. Siamo romantici. Ma non è che il prete romantico debba correre a letto con le sue parrocchiane e non è che il marito romantico debba commettere adulterio con la segretaria. Se sei un tipo romantico, avrai una vita più interessante e più difficile. Maria è probabil-

mente la prima di una lunga serie, anche se lasciassi il seminario e
la sposassi. Ti ci abituerai."
"Che cosa dovrei fare?" supplicò Hugh.
"In questo momento? Nulla. Il suo fantasma si dissolverà.
Dopo potrai decidere se vuoi essere sacerdote."
"Certo che lo voglio" disse Hugh deciso.
Padre Martin restò assorto a studiarlo.
"Lo voglio" insisté Hugh.
"Allora devi lasciar perdere Maria."
"Lo so..."
Per il resto del semestre Hugh parlò ogni settimana con Xavier Martin. A poco a poco l'immagine di Maria si ritrasse dalla
sua coscienza. L'estate successiva non la vide; un'altra allieva del
Trinity l'aveva sostituita nel compito di esercitare un "influsso benefico" su Marge. Il giudice e Peg non la nominarono mai. Persino Marge sembrava averla dimenticata, anche se forse era solo
una finzione a suo beneficio.

Maria non rimase che un ricordo inciso nella sua mente e destinato a non essere mai cancellato del tutto.

Capitolo VII

1956

"È per te, ed è un ragazzo" gridò Paola dal magazzino dov'era sistemato il duplex.

Maria saltò in piedi con tale entusiasmo da far volare attraverso la stanza l'Introduzione alla Contabilità.

"Non ricevo chiamate dai ragazzi" disse senza fiato precipitandosi nel magazzino e togliendo il microfono dalle mani della madre che le sorrideva. "Solo da uno."

"Ciao, Maria, spero di non disturbarti."

Il cuore di Maria si mise a volteggiare e le finì in gola. Hugh.

"Stavo uscendo" mentì.

Paola scosse la testa con aria indulgente e uscì silenziosamente dal magazzino.

"Ti tratterrò appena un attimo..."

"Posso dedicarti qualche minuto." Afferrò una delle lesine di suo padre e la tenne in mano come fosse stata un'arma. "Com'erano i lamponi l'estate scorsa?"

"La stessa Maria di sempre." La sua risata nervosa lasciava capire che anche lui aveva il cuore pressoché in gola. Maria decise di essere amabile. "Vorrei chiedere aiuto."

Stava per *lasciare* il seminario? "Sarò seria," promise.

"Fra poco prenderò l'aereo per Las Vegas dove trascorrerò parte delle vacanze invernali. Marge ora abita lì, sai. Mi domandavo se avevi qualche idea su come persuaderla a tornare a scuola. So che vi eravate viste prima che lei lasciasse San Francisco col coreografo inglese."

"Quando la vidi io, era un calciatore brasiliano."

"Oh."

"Il mio consiglio è di non farlo" disse Maria precipitando nel nulla. "Non andare a Las Vegas. Non tentare di persuaderla a tornare a scuola. Non far nulla. Ha bisogno di stare lontana dalla famiglia per un po'. Più le starete addosso, più tempo ci vorrà."

"Le vogliamo bene, Maria."

"Anche lei vi vuole bene; ma ha bisogno di sottrarsi a questo amore per un po'. È l'unico modo perché possa diventare adulta e lasciarsi dietro la ragazzina viziata che era."

Come faccio a piangere con te al telefono?

"È difficile."

"D'accordo, è difficile, ma è anche vero."

"Forse hai ragione... Come va la banca?"

"Tira avanti."

"Sono contento. Spero che potrai venire alla mia prima Messa..."

"Certo."

Hugh, tesoro mio, tu hai bisogno di qualcuno che ti faccia ridere e ti faccia piangere. Perché non posso essere io?

Lo salutò e riagganciò.

Nel corso del lungo volo dall'aeroporto di Midway a Las Vegas Hugh cercò di distrarsi dal ricordo della voce di Maria e del canto nella sua risata concentrandosi su ogni dettaglio del paesaggio. Chiamarla era stato un errore commesso d'impulso che aveva compromesso un'indipendenza duramente conquistata sacrificando se stesso per anni.

Non aveva avuto bisogno del suo consiglio riguardo a Marge. Piuttosto, aveva avuto bisogno di parlarle, di sentirla ridere, di gioire di nuovo della sua vitalità.

Ora stava concentrandosi sulla bellezza senza limiti del Grand Canyon, che stranamente gli dava la sensazione di essere in chiesa. Tentò di scacciare Maria dai propri pensieri. Per l'amor del cielo, gli mancavano solo pochi mesi al suddiaconato e alla promessa di mantenersi celibe per sempre. Che cosa gli era passato per la mente?

I due Donlon più anziani non viaggiavano molto. La statale 12 per il lago Geneva era stata sufficiente per suo padre e per sua madre. Ma ora Tim girava il mondo con la Marina, Marge si era stabilita a Las Vegas con un amante e lui si accingeva a trascorrere una delle sue due settimane di vacanze invernali in una profana scappatella.

Una seducente hostess flirtò sfacciatamente con lui durante il volo, ignorando gli altri passeggeri per poter sedere sul bracciolo della poltrona di fronte alla sua al di là del passaggio dondolando le belle gambe e parlando di sci a Vail, di spettacoli a Vegas e di surf a La Jolla.

Una bambola attraente e vivace, con una figuretta armoniosa e lunghi capelli castani, il tipo che si porta a casa per presentarla alla mamma.

Lei alluse chiaramente al fatto che avrebbe avuto tempo di vederlo durante la pausa di due giorni che aveva a Las Vegas. Sarebbe venuta a letto con lui? Probabile. Cercava marito. Un celibe poteva non rendersi conto di cosa rischiava di perdere. Che cosa avrebbe provato a portarsi in camera questa bamboletta?

Dopo due trimestri al Lone Mountain College di San Francisco Marge aveva lasciato la scuola e se n'era andata con un coreografo inglese — "inglese", come lei aveva calcolato, risultò particolarmente offensivo per i suoi genitori. Rifiutò sia di tornare a casa che di permettere ai suoi di andare a trovarla, e persino di parlar loro al telefono per più di pochi minuti.

"Non è che vi odio" aveva detto una volta piangendo amaramente. "Vi voglio terribilmente bene. È per questo che non posso parlarvi."

Il coreografo si era trasferito da San Francisco a Las Vegas per dirigere uno spettacolo in uno dei locali sullo Strip. Marge l'aveva seguito in qualità di "assistente", assicurando che sarebbe diventata coreografa di professione, un'affermazione che suo padre aveva trovato così palesemente assurda da non meritare commenti.

Il giudice continuava a pensare a Marge come alla bimbetta dai capelli scompigliati che gli si era arrampicata sulle ginocchia e lo avevo guardato fisso negli occhi con espressione adorante. Irato e disgustato, aveva avuto l'intenzione di non occuparsi più di lei. Ma Peg l'aveva molto biasimato. "È nostra figlia, e dobbiamo sostenerla. Magari potrebbe cambiare idea. Dobbiamo pregare Dio per lei e cercare di capire dove abbiamo sbagliato."

Marge era divisa fra ira e impazienza mentre attendeva l'atterraggio dell'aereo di Hugh in compagnia di Larry e dell'amica Jean Hartmann.

Abbastanza stranamente, sentiva moltissimo la mancanza di Hugh. Il rapporto fratello grande/sorella piccola aveva funzionato bene per entrambi, eccetto quando lui dava sfogo ai suoi impulsi religiosi. E anche allora, dopo aver tenuto le sue prediche, Hugh si rilassava, dimenticava tutto e tornava a essere l'eroe della sua infanzia.

Per questo aveva un disperato bisogno di vederlo.

D'altra parte, era furibonda contro i genitori per averlo mandato con l'incarico di persuaderla a tornare indietro, specialmente perché si sentiva sola e piuttosto impaurita.

Dannazione, perché non possono lasciarmi in pace?

Larry era molto caro ma non così terribilmente eccitante, dopo i primi entusiasmi. Vi erano momenti in cui le ricordava suo padre. Solo che alla lunga non era risultato essere un buon coreografo quanto suo padre era un buon giudice. Larry non avrebbe concluso nulla e Marge non aveva intenzione di non concludere nulla assieme a lui.

"Perché tuo fratello vuol farsi prete?" domandò Jean.

"Non lo capisco proprio" rispose Marge che non aveva voglia di parlarne. "Influenza di mammina, suppongo; è un modo per tenere il figlio per sé."

Jean era stata un'idea dell'ultimo momento. Avrebbe distratto Hugh dalla sua missione e — chissà — magari lui si sarebbe innamorato. Ciò gli avrebbe impedito di sprecare l'esistenza a fare il prete. Marge sapeva che Jean era il suo tipo.

Come Maria.

Marge provò un improvviso senso di colpa. Aveva perso i contatti con Maria. Non aveva risposto a nessuna delle lettere che le erano arrivate a Lone Mountain. Non voleva soffermarsi a pensare al buonsenso di lei. E nemmeno al suo amore.

"Si può essere uomo e tuttavia prete?" domandò educatamente Larry. "Mi pare che dovrebbe essere piuttosto difficile."

"Aspetta e vedrai" disse Marge con convinzione.

Comparve l'avviso di allacciare le cinture per l'atterraggio a Las Vegas. Hugh infilò a fatica *The Man in the Gray Flannel Suit* nella sacca sistemata sotto il sedile di fronte. I sobborghi erano un altro strano mondo — quantunque forse più simile a quello in cui avrebbe lavorato di lì a un anno di quanto non lo fosse Vegas.

Una ragione in più per scoprire com'era il mondo di Las Vegas.

Oppure il mondo in cui avrebbe lavorato se avesse rifiutato l'offerta del cardinale di frequentare un corso universitario di perfezionamento.

Un fine settimana all'inizio di dicembre il vecchio cardinale canuto e smemorato lo aveva convocato nella sua casa di mattoni rossi che sorgeva sul lago, sulla sponda opposta a quella del seminario. Le autorità del seminario, gli aveva detto, dicevano un gran bene di lui. Il sagrestano più efficiente che la cappella principale avesse avuto da anni. Amministratore insuperabile. Non offendeva la gente. I consiglieri gli dicevano che avrebbe dovuto far impratichire uno degli uomini nella gestione degli affari. Non sapeva se ciò avesse veramente senso. La fiducia nello Spirito Santo era meglio delle stravaganti nuove idee di pianificazione. Probabilmente avrebbe dovuto provare. L'avrebbe mandato a frequentare un corso universitario di perfezionamento, alla Loyola o alla De Paul. All'inizio Hugh era esultante. Avrebbe messo un po' d'ordine nel caos degli affari della diocesi. Poi esitò. Voleva diventare parroco, non uomo d'affari in tonaca.

"Devo pensare alle possibili ripercussioni di un simile lavoro sulla mia vita di preghiera" aveva detto.

Il cardinale capiva il problema. Difficile pregare se stai tutto il giorno in un ufficio.

Correva voce che il lavoro fosse stato offerto a Sean Cronin, che era avanti di un anno rispetto a lui. Cronin era un giovane malinconico e passionale, figlio di un milionario, capelli biondi, occhi marrone socchiusi. Teneva le distanze da gran parte della gente, e tuttavia era molto popolare fra i compagni di classe; era amico intimo di Jimmy McGuire, uno dei migliori allievi del seminario.

"Nessuno mi ha detto nulla al riguardo" aveva risposto brevemente alla domanda di Hugh. "Fa' come ti pare. Se tu odiassi altri esseri umani, potrebbe essere divertente."

Si accese anche l'avviso di non fumare. Sotto di lui si stendeva il deserto arido, come la vita di un prete scontento.

Negli ultimi due anni Maria era stata nominata solo una volta. Durante la pausa a metà dell'anno scolastico — poco prima di lasciare la scuola — Marge aveva detto che a Maria piaceva il suo lavoro in banca. Il cuore di Hugh si era fermato. Il suono del suo nome lo aveva colpito come un martello pneumatico.

Il Lockheed terminò il faticoso viaggio posandosi sulla pista. Gli altri viaggiatori si prepararono a precipitarsi verso l'uscita non appena l'aereo si fosse fermato. A Las Vegas, evidentemente, la fretta di raggiungere i tavoli da gioco non ti permetteva di perdere un attimo.

"Si diverta" gli disse la seducente hostess mentre usciva dall'aereo.

"Ci proverò."

Tim Donlon girellava con indifferenza nella gioielleria. Era la più elegante fra quelle in cui era entrato fino ad allora; la si incontrava percorrendo la Garden Road arrivando dalla Bank of China e rappresentava una forte attrazione per i turisti americani e inglesi che rimanevano sorpresi da quanto poco la giada e l'argento tailandesi costassero a Hong Kong.

Per simili avventure indossava l'uniforme completa da sottuffi- ciale di Marina coi galloni di tecnico radar e l'elegante copricapo. Il copricapo nascondeva i capelli rossi. L'uniforme gli conferiva un aspetto onesto e rispettabile.

La Marina non era noiosa quanto Notre Dame. Tim si era di- vertito nei porti toccati dalla sua portaerei prima nel Mediterra- neo e poi nel Pacifico. Ma tener d'occhio uno schermo radar per otto ore al giorno era una noia. Le partite a poker che giocava quando era fuori servizio non erano particolarmente entusiasman- ti, anche se l'esperienza accumulata ai tavoli di pinnacolo di Ma- son Avenue gli dava un tale vantaggio su gran parte dei suoi com- pagni che alleggerirli del loro denaro gli richiedeva pochissimo impegno. Ma non lo emozionava abbastanza.

In cerca di emozioni, si era dato al furto e al contrabbando.

L'esperienza inebriante di sottrarre gioielli e trasportare droga nei maggiori porti del mondo era più soddisfacente della sfronta- tezza, addirittura più soddisfacente del sesso, quantunque l'opti- mun fosse mescolare l'illegalità al sesso.

Alcuni dei gioielli andavano ai compagni a cui spillava denaro alle carte o a donne che lo avevano divertito o a giovani turiste americane incontrate per la strada. Sottrarre l'oggetto proibito era molto più importante del denaro che avrebbe potuto ricavarne ven- dendolo.

All'interno, il pavimento della gioielleria era coperto da uno spesso tappeto rosso che assorbiva i rumori, e le pareti da pesanti tendaggi arancione. Il negozio pareva un incrocio fra un bordello e un'impresa di pompe funebri.

Si diresse verso il banco di vetro dove una giovane commessa stava mostrando dei gioielli a un'anziana coppia di americani. Le giovani commesse erano il bersaglio più facile in tutti i porti del mondo.

La ragazza era qualcosa di particolare, la classica bellezza ci- nese, snella, composta, capelli accuratamente pettinati, unghie lunghe laccate, corporatura minuta e attraente, una figlia dell'O- riente in formato tascabile.

Il suo inglese era perfetto, con un leggero accento irlandese — probabilmente aveva studiato dalle suore — e appariva più intelli- gente e sofisticata delle sue simili che lavoravano nei bordelli dal- l'altra parte della città.

"Un regalo per la sua ragazza, marinaio?" disse con un sorri- so allettante.

"Qualcosa in giada e argento, signorina." Parlava imitando i contadini del sud. "Spero che non costi troppo."

"Abbiamo articoli da tutti i prezzi." Ella sorrise di nuovo e tolse un plateau dal bancone chiuso e chiave.

Tim cercò con lo sguardo il pezzo da portarsi via — un pezzo non troppo grosso, o la sua mancanza sarebbe stata notata immediatamente. Ah, eccolo là, un ciondolo con una giada squisitamente lavorata; poteva valere sui millecinquecento dollari americani.

"Quant'è questo, signorina?" domandò indicando un paio di orecchini privi di gusto. "Posso spendere solo trecento dollari."

"La sua ragazza potrà avere parecchie cosette carine entro quella cifra. Posso suggerirle qualche possibilità?"

Ora l'abilità stava nell'attendere che lei si distraesse un attimo, oppure nel distrarla lui stesso.

Capitolo VIII
1956

Peg Donlon trascorse il freddo pomeriggio tempestoso dipingendo. Prima d'allora non aveva mai preso in considerazione l'inverno come soggetto per i suoi acquerelli. Ora vedeva ardore nella neve e nella luce del sole. Ardore, ecco ciò che piaceva alla gente nei suoi quadri; certo non era una grande artista, ma i suoi lavori avevano un buon mercato stabile e le garantivano un introito maggiore di quanto avrebbe potuto sognare nel momento in cui Tom le aveva ingiunto di frequentare l'Istituto d'Arte, dal quale Maude Curtin l'aveva tenuta lontana a causa dei pettegolezzi che correvano sulle lezioni di disegno dal vivo.

Questa intensità di sentimenti nei suoi lavori era qualcosa di nuovo. Aveva venduto una mezza dozzina di quadri del genere prima di sorprendere una discussione sul loro "contenuto erotico".

Intinse di nuovo il pennello e aggiunse un po' d'azzurro al cielo. Lavorava prevalentemente a memoria o su schizzi.

Perché il sesso doveva comparire ovunque...? Prima del 1945 non avrebbe nemmeno pronunciato la parola.

Alla fine, aveva abbandonato i tentativi di parlare dei suoi problemi di sesso coi sacerdoti. In passato, confessandosi, si era accusata di essere stata impaziente, distratta nelle preghiere, di aver avuto pensieri e parole poco gentili, di aver nutrito pensieri impuri riguardo al marito e ad altri uomini, aggiungendo poi con esitazione di aver provato troppo piacere in alcune delle azioni connesse col soddisfacimento del debito coniugale. Il sacerdote le faceva domande sulla contraccezione, poi le chiedeva se l'atto era stato "portato a termine in modo appropriato", e infine le ripeteva che nient'altro era peccato.

E se i rapporti sessuali erano troppo intensi, se davano troppo piacere, se compromettevano troppo l'autocontrollo? Come si fa a domandare queste cose a un prete?

Cercò di concentrarsi sul dipinto che aveva sul cavalletto. Far apparire la neve assetata di sole.

Ciò che stava accadendo ai suoi figli era la punizione per il suo piacere animale? Dio avrebbe punito Hugh togliendogli la vocazione perché sua madre godeva troppo il piacere?

Mise da parte il pennello e stese la mano verso il confortante rosario di perle.

Marge era ancora in collera contro il fratello. Era così maledettamente conciliante e gradevole. Larry, che era ateo ed estremamente mal disposto verso di lui, era stato conquistato in due minuti. Jean Hartmann, che prima di abbandonare la sua cittadina nel Nebraska era stata una luterana del Sinodo del Missouri, non aveva nessun desiderio di conoscerlo. Arrivati alla bistecca, l'ampio sorriso di Hugh aveva già reso più cordiale anche la valchiria.

Marge aveva scodellato il suo discorsetto a Hugh nel momento stesso in cui, sceso dall'aereo, le aveva posato un leggero bacio sulla fronte.

"Non ho intenzione di tornare, Hugh, mai. Vi amo tutti, ma non passerò la vita in quella noiosa prigione che è North Mason. Non credo in nessuna delle cose in cui credete voi. Non voglio avere a che fare né con la Chiesa, né con Dio né con le regole. Voglio essere mia, divertirmi, amare, essere libera. Lo capisci? Non ascolterò prediche e non seguirò nessun consiglio. So cosa faccio e se tu vuoi chiamarlo vivere nel peccato, è affar tuo."

Mentre rovesciava questo torrente di parole Marge si rendeva conto di quanto infantile apparisse.

"Sono venuto per il clima mite" rise Hugh. "E per dirti che ti voglio bene."

Il ristorante dov'erano andati a cenare dopo che Hugh aveva preso una stanza in un "rispettabile" motel a un miglio dal Las Vegas Boulevard, era tipico della città — bistecche superbe, un juke box il quale affermava che ciò che Lola vuole Lola ottiene, il rumore metallico delle slot machines come sottofondo. Carne e denaro, ecco la nostra Vegas.

Il progetto di Marge era che dopo cena Jean accompagnasse Hugh alle sale da gioco e gli mostrasse la città, per poi finire la serata assistendo alla seconda rappresentazione del loro spettacolo. Se Hugh aveva qualcosa da obiettare contro una serata dissoluta con una ballerina di fila disoccupata — carne a disposizione — non mostrò alcun segno di scontento.

Disse con un sorriso fanciullesco: "Devi proteggermi dai bari, Jean".

"I giochi sono tutti quanti onesti, Hugh" rispose lei col suo lento sorriso che ricordava la pubblicità del dentifricio. "I giocatori vanno protetti solo da se stessi."

Jean era un tantino troppo voluttuosa e i suoi capelli un tantino troppo chiari per incarnare la tipica ragazza americana di campagna. Ed era troppo snella e genuina per avere i requisiti di una nordica dea dei ghiacci. Era intelligente, sola, e in quel momento impaurita. Nemmeno lei poteva liberarsi la mente dalla religione, sebbene avesse lasciato ormai da cinque anni l'istituto confessionale presso cui studiava per fuggire a Las Vegas.

Usciti dal ristorante, Hugh riuscì a prendere Marge da parte per qualche minuto.

"Parlavo sul serio quando ti dissi che non sono qui per fare pressioni, bimba, ma devo dirti che mi manchi."

Le lacrime cominciarono a formarsi, parve a Marge, nella parte posteriore della testa.

"E mi piacerebbe poterti riportare a casa se vuoi o in qualsiasi momento vorrai. Tuttavia dovrà essere una tua scelta. E in qualsiasi momento io possa aiutarti... ora o in seguito... ti prometto" — le strizzò l'occhio — "nessun te-l'avevo-detto-io."

Marge si sciolse in un torrente di lacrime fra le braccia di Hugh, che avrebbe potuto riportarsela all'areoporto in quello stesso momento.

Invece, uscì con Jean a fare il giro delle sale da gioco.

Lei sapeva di essere del tutto irrazionale. Gran parte della sua vita lo era. Ciononostante rimase amaramente in collera con lui perché non l'aveva riportata all'areoporto.

Hugh osservava attentamente il mazziere che distribuiva le carte del ventuno. C'erano un po' più di due probabilità contro una che la sua carta coperta fosse un nove o una più alta. Con l'otto scoperto aveva diciassette punti contro i tredici che Hugh totalizzava con tre carte.

"Me ne dia un'altra" disse con un tono artificiosamente noncurante.

Un tre di cuori. Le probabilità di non superare i ventun punti nemmeno con la prossima carta erano ancora maggiori. Spinse tutto il suo migliaio di dollari in fiches verso il centro del tavolo. "Finora ho avuto fortuna. Tanto vale puntare tutto."

Le dita di Jean gli si strinsero attorno al braccio, una sensazione che lo turbava e al contempo gli piaceva. Non era del tutto d'accordo.

Cinque di denari.

"Ventuno." Sorrise allegramente girando il quattro di picche.

Il mazziere sussultò perché sapeva bene quanto Hugh che nel mazzo restavano solo carte alte. Si servì una carta, ed era una regina di cuori.

"Mai fidarsi della dama mortale" osservò Hugh allegramente. "Per me è sufficiente. Prendi i soldi e scappa, come ha sempre detto mia madre."

Incassarono le fiches e lasciarono la sala da gioco diretti verso il locale di Marge per lo spettacolo di mezzanotte.

"Hai corso un rischio spaventoso," lo rimproverò Jean "con tutto quel denaro."

"Non proprio. Sono le situazioni sulle quali si fantastica, una probabilità del cinquanta per cento dopo una serata fortunata."

"Come facevi a sapere che era del cinquanta per cento?"

"Ti farò vedere domani. Incidentalmente, ne ho abbastanza di case da gioco. Mi spaventa tutta questa gente pallida, incapace di sorridere, nei loro immensi mausolei, tutti quanti nei guai."

"Non so che cos'altro farti vedere... Non vorrei esserti d'impaccio."

"Perché non vieni a cena con me domani sera; poi possiamo andare al cinema e dopo a prendere Larry e Marge a fine spettacolo. Cioè, se non hai altro da fare."

"Oh, no" disse Jean con amarezza. "Non ho altro da fare."

Lo spettacolo fu terribile; non osceno, nemmeno volgare, nonostante che le ballerine fossero molto poco vestite. Piuttosto, fu noioso. Larry non aveva un gran talento, fatto di cui Marge, da quella ragazzina sveglia che era, non avrebbe tardato a rendersi conto.

Las Vegas affascinava Hugh e gli ripugnava — pulsante, frenetica, vuota, piena di speranza e di disperazione, arcigna, giovane e antica. Insieme purgatorio e inferno, forse con un tantino di emozione paradisiaca.

Si congratularono con Larry e Marge per lo spettacolo. Hugh disse di essere stanco, promise che sarebbe uscito con loro la sera successiva dopo lo spettacolo e andò a cercarsi un taxi per tornare al motel.

"Quando farai rapporto a casa, dì loro che li amo e che resto qui" gli gridò dietro Marge.

Hugh si voltò e sorrise affabilmente. "Non preoccuparti, farò io il mio rapporto."

"Disgustato?" gli domandò Jean in taxi.

"Non esattamente. Più che altro annoiato. Non è un gran che. Intendo dire, anche se qui questi spettacoli vanno."

"No, non è un gran che. Comunque mi hanno promesso di assumermi come ballerina di fila appena si fa libero un posto, e ci andrò."

L'accompagnò a piedi dal taxi al suo misero alloggio proprio al limitare del deserto. Dal muro esterno si stava staccando l'intonaco, il marciapiede era pieno di crepe e un bidone delle immondizie era caduto un mezzo alla scala che conduceva al secondo piano. C'era un odore indistinto e sgradevole, come di un gabinetto intasato. Romantica Vegas.

"Niente piscina? Perché non venire a prenderti domani pomeriggio? Avrò una macchina. Possiamo andare a nuotare al motel e ti dimostrerò che ci so fare con un mazzo di carte."

"Mi piacerebbe." Jean stese la mano verso la porta del suo appartamento.

Hugh le prese la mano e la baciò sulla fronte, proprio come aveva baciato Marge. "Ci vediamo."

La ragazza cinese era in gamba. Teneva d'occhio sia il plateau che il resto del negozio. Aveva imparato le astuzie di chi commercia in una città portuale. Mai fidarsi di nessuno.

Tim finse di essere dubbioso fra due possibilità, un paio di orecchini da circa duecento dollari e un braccialetto che ne costava trecento. Ne avrebbe rimesso uno sul plateau e con lo stesso rapido movimento avrebbe nascosto il ciondolo coi draghi volanti nel cavo della mano.

"Non voglio sembrare come se il denaro fosse l'unica cosa, signora" disse strascicando pesantemente le parole con l'accento della Georgia. "Penso che a Cindy piacerebbero di più gli orecchini, ma mi fa vergogna spendere solo duecento dollari."

La ragazza sorrise amabilmente. "Sarà così contenta di veder tornare il suo marinaio dai capelli rossi che non baderà alla cifra."

La donna più anziana che sembrava la direttrice del negozio mormorò qualcosa in cinese con aria spazientita. La commessa rispose, anche lei spazientita, senza staccare gli occhi da Tim.

"Certo che voi cinesi notate subito i capelli rossi." Un errore aver detto quella frase, un grave errore. L'avrebbe aiutata a ricordare.

Di nuovo un mormorio d'impazienza della signora direttrice.

Esasperata, la commessa si voltò un attimo e rispose bruscamente alla sua superiora. La donna più anziana si chiuse in un silenzio risentito.

Tim rimise rapidamente a posto il braccialetto e prese il ciondolo. Ora era il momento della verità. "Seguirò il suo consiglio, signorina, e prenderò gli orecchini. Sono certamente carini." Infilò una mano nella tasca della giacca, lasciò cadere il ciondolo e tirò fuori il portafoglio.

Con aria solenne Tim porse tre biglietti da cinquanta dollari e cinque da dieci. La ricevuta venne compilata a nome del CPO Marshall T. Sims del cacciatorpediniere *Evans Carlson*.

Ringraziò la ragazza per l'aiuto, la elogiò per la sua cortesia, si inchinò educatamente alla signora direttrice, uscì dal negozio e attraversò la strada, col cuore che gli batteva per l'eccitazione repressa.

A metà dell'isolato verso la cattedrale ottocentesca di St. John che sorgeva sulla Albert Road si concesse il lusso di guardare indietro.

Sia la commessa che la direttrice erano alla porta del negozio, e guardavano attentamente nella sua direzione.

Un poliziotto di Hong Kong si faceva largo fra la folla diretto verso di loro.

Capitolo IX
1956

Nel buio di un pomeriggio d'inverno inoltrato Tom Donlon scese dall'autobus di Austin Boulevard in Lemoyne Avenue con deliberata cautela. La strada era scivolosa, con la poltiglia di neve che ricopriva lo strato di ghiaccio. Non era il momento di passare un mese all'ospedale con un'anca rotta.

Stava di nuovo facendo freddo; rabbrividendo percorse il breve isolato verso Mason Avenue e raggiunse l'immensa casa a un solo piano che Peggy aveva scelto poco prima della nascita di Tim. Non che l'avesse comprata lei stessa, come aveva fatto con la Packard, ma era chiaro che, pur considerando ottomila dollari una cifra enorme, Tom Donlon in realtà non aveva avuto scelta.

Molti ricordi felici in quella casa. E anche tristezza. Tim in qualche parte dell'Asia, che scriveva raramente. Marge ribelle, che viveva in una sala da gioco con un inglese (rabbrividì a questo pensiero), e Hugh... il patto forse poco saggio che aveva stretto con Dio.

Dick Daley, il nuovo sindaco, gli aveva detto recisamente che se nei prossimi dieci anni vi fosse stata un'amministrazione democratica lui, Tom Donlon, sarebbe andato alla Corte Suprema. "Era tempo che avessimo qualcuno di quella grande città che è Chicago."

Tom dubitava che avrebbe accettato la nomina. La casa di Mason Avenue era il suo posto. Una casa dove albergavano l'amore profondo e i dispiaceri più angosciosi...

Dov'era che avevano sbagliato?

Quante volte si era posto questa domanda?

Ma non appena fu entrato in casa facendo ben attenzione a non scivolare sui gradini della veranda anteriore, riuscì a pensare solo a sua moglie.

"Peggy...?"

L'acqua scorreva nella doccia.

Raggiunse rapidamente la camera da letto sul retro della casa.

Quando si trovava di fronte al pensiero della vecchiaia e della morte, Peg era tutto quanto gli rimaneva.

E Peggy rendeva la sua vita degna di essere vissuta.

"Non è una ragazza splendida?" domandò Marge parlando di Jean, nel tentativo di evitare col fratello un altro discorso del tipo è-una-tua-scelta.

"Una ragazza deliziosa..." Hugh non sembrava interessato. "Ti piace Vegas?"

Erano seduti nel soggiorno dell'appartamento di Marge. Hugh era debitamente colpito dal buon gusto che accompagnava le comodità. Marge aveva preparato la prima colazione per sé e il pranzo per Hugh: focaccine all'inglese, pompelmi freschi, bacon, caffè macinato in casa. Anch'io sono una brava cuoca, fratellone.

"Che cosa c'è che non va?" domandò lei sulla difensiva. Larry stava ancora dormendo. Era stato un errore non svegliarlo. Non voleva affrontare Hugh da sola. "Hai forse la sensazione di aver peccato?"

"Mi sento infelice. Dante ci si crogiolerebbe. L'infelicità non è il peggiore dei peccati? Nessuno sorride. Il gioco d'azzardo è più triste di una veglia funebre irlandese. La musica è deprimente, gli spettacoli frenetici, la gente si comporta come quelli che aspettano l'ultimo minuto per gli acquisti di Natale senza credere al Natale. Girano in tondo e non approdano a nulla."

"Un sacco di belle donne." Marge cercava di evitare il suo attacco contrattaccando.

"Vero" sospirò lui. "Ho visto più donne mezze nude nelle ultime ventiquattr'ore di quante non ne abbia viste in tutta la vita. Ma sai una cosa? Dopo la prima ora è una noia. All'inizio non riuscivo a capire come mai gli uomini non notavano nemmeno le cameriere che ti portano il cocktail. Poi ho cominciato anch'io a non farci caso. Che senso ha essere circondato da donne voluttuose se l'ambiente è così lugubre che puoi a malapena vederle? Las Vegas è un palazzo di ghiaccio."

"Scommetto che ti piacerebbe mettere Jean in posizione orizzontale" gli sparò Marge di rimando.

Hugh rise, si alzò e la baciò sulla guancia. "Sei meravigliosa, Marge" disse. "Ti amo."

Fuori c'era vento freddo e una poltiglia di neve ghiacciata. Dentro Tom Donlon era avvolto da un tepore senza tempo.

"Dovrei mettere su la cena" mormorò Peg.

"Può aspettare." Le accarezzò lentamente la schiena.

"Siamo anormali, Tom?"

"Se intendi dire se ci sono molti uomini della parrocchia di St. Ursula che arrivano a casa alle cinque, tirano fuori dalla doccia una moglie che protesta ipocritamente e fanno l'amore prima di cena, sì, la corte dovrebbe proprio dichiarare che non siamo tipici. Ma non anormali. Quegli altri uomini non hanno una moglie così carina da non riuscire a non metterle le mani addosso."

"Siamo passionali." Peg posò la testa sul suo petto. "Eppure davanti al mondo fingiamo di non esserlo. Anche i nostri figli lo sono, persino Hugh. Ricordi Maria?"

"A proposito di Maria, oggi in La Salle Street ho visto Mike Flaherty, il presidente della West End Bank. Mi ha detto che sono molto contenti di lei."

"Hugh era innamorato... e un pochino anche tu."

"Lo siamo stati tutti."

"E se Hugh fosse troppo... troppo passionale per essere prete e finisse per sposare una donna che non è nemmeno piacevole come Maria. L'abbiamo fatta fuori, sai. E se la volontà di Dio fosse stata che Hugh sposasse Maria invece di farsi prete?"

Un tipico scrupolo di Peggy, involuto come un parere della Corte Suprema e, come molti pareri della Corte Suprema, ben fondato.

"Non gli abbiamo mai detto che saremmo stati felici di averla come membro della famiglia" — Peggy insisteva nei suoi scrupoli — "pur essendo ancora più felici di vederlo prete. Tu avresti potuto restare celibe, Tom?"

"Che momento per fare una domanda simile, Margaret Mary Curtin Donlon... Sì, immagino che avrei potuto, se fossi stato contento come prete."

"Mi fa piacere saperlo" sospirò lei. "Se avresti potuto tu, allora può anche Hugh."

Jean si scrollò di dosso l'acqua della piscina del motel con lunghi, potenti scossoni — la valchiria nel ruolo di atleta. Di nuovo innamorato, come Xav Martin aveva previsto? Beh, non esattamente.

Lei uscì dalla piscina, si avvolse in un grosso asciugamano e sedette sulla sedia a sdraio accanto a Hugh, respirando pesantemente. "Più si invecchia e più facilmente si va fuori forma."

Nulla che non andasse riguardo alla sua forma, per quanto Hugh poteva vedere; nell'elegante bikini bianco era — nonostante l'evidente forza fisica — stranamente vulnerabile.

"Vuoi vedere un giochetto con le carte?"

"Muoio dalla voglia." Scosse via l'asciugamano e prese il mazzo di carte posato sul tavolino al bordo della piscina. "Che cosa devo fare?"

"Tira fuori ventisei carte. Fammele vedere una per una e poi rimettile a posto coperte."

"Non ci credo, e non so se ci crederei nemmeno se lo vedessi, ma o la va o la spacca."

"Puoi andare anche più svelta" disse Hugh mentre lei gli mostrava le carte. "Mi basta un'occhiata... Va bene; ora raccoglile e man mano che ti dico che carta è girale ad una ad una. La prima è un nove di fiori..."

Nominò ciascuna delle ventisei carte.

"Perbacco" disse Jean presa dalla soggezione.

"Ora ti dirò le carte che hai ancora da parte, ma non in ordine, spiacente."

Non ne tralasciò nemmeno una. Giunto alle ultime sei, previde che ciascuna sarebbe stata superiore al sei.

Jean si appoggiò allo schienale della sedia a sdraio con gli occhi spalancati. "Strabiliante, in un posto come questo potresti fare milioni. E hai intenzione di farti prete."

"Dove le probabilità di insuccesso in ogni caso sono astronomiche."

"Lo immagino." Si passò la lozione solare sulle lunghe gambe con aria distratta. Aveva al massimo un anno o due più di lui e, secondo l'andazzo di questo posto terribile, aveva già fatto il suo tempo. Egli le prese il tubo di mano e le passò la lozione sulla schiena. Solo quando un corpo diventava una persona con timori e speranze riusciva a imporsi alla sua immaginazione e a richiedergli solidarietà, affetto, e desiderio.

"Parlamene, Jean" disse con calma.

"Di che?" Lei aveva alzato gli occhi rapidamente, troppo rapidamente.

Hugh finì diligentemente di applicare la lozione. "Sei preoccupata da morire, hai trovato un quasi prete che è diverso dai parroci che conoscevi quando vivevi a casa tua, e a cui piace stare con te. Hai voglia di parlargliene, ma hai paura.» Le restituì il tubo. "Tira fuori tutto."

Per prime vennero fuori le lacrime, accompagnate da singhiozzi che le scuotevano le spalle, delle spalle così belle. Hugh resisté all'impulso di prenderla fra le braccia.

Poi la storia: studentessa brillante alle superiori, tre anni presso un severo college confessionale, espulsa perché beveva, un bicchiere e via a vomitare nei gabinetti; fuga a Las Vegas in preda all'umiliazione e alla rabbia, ripudiata dalla famiglia, una sfilza di amanti, con molti dei quali aveva avuto una relazione penosissima. Successo iniziale come ballerina di fila, facilitato dal fatto di trovarsi nel letto delle persone giuste. Poi si era resa conto di aver poco talento sia come ballerina che come cantante — Marge di lì a qualche anno — disoccupazione, solitudine, castità perché le avevano fatto del male a sufficienza. La prossima scelta, se voleva mangiare, era quella di fare la squillo o di tornare a casa e di accettare di essere bollata per il resto dei suoi anni.

Mio Dio, e io cosa posso aggiungere? Simulare fiducia. "È abbastanza per un pomeriggio, Jeanie. Rivestiti. Andremo a mangiare una bella bisteccona e a vedere *Sorrisi di una notte d'estate*, e domani ci incontreremo qui in parrocchia."

Ella si asciugò il naso con un fazzoletto di carta e sorrise d'un sorriso prettamente americano. "Ci può essere una parrocchia ovunque, vero?"

"Lo spero proprio."

Quella sera, quando la baciò di nuovo sulla fronte, Jean si protese verso di lui per una frazione di secondo, non tanto con l'aria di incoraggiarlo o di prometterli sesso, quanto di desiderare ardentemente il suo appoggio.

Dio mio, aiutami a trovare un'idea.

Mentre cercava di addormentarsi, Hugh si rese conto con rimorso che nelle ultime otto ore quasi non aveva pensato a sua sorella. Era venuto a Vegas al salvataggio di Marge, non per restar preso da una ballerina impaurita.

Tim Donlon era spaventato. Sarebbe dovuto rimanere sulla sua nave. Invece era sceso a terra per vendere il ciondolo, anche se non aveva bisogno del denaro. Lo offrì a una coppia di americani di mezza età al terminal dello Star Ferry. Erano stati sul punto di comprarlo per mille dollari, un affarone. L'uomo era pronto a pagare, ma la moglie si era domandata sospettosamente che cosa un "comune marinaio" potesse farsene di un pezzo tanto costoso.

Così era tornato a piedi verso Government House nella speranza di imbattersi in un'altra coppia del genere — abbiente, ma disposta a sorvolare su un tantino di disonestà.

Girellò intorno al negozio dove aveva sottratto il pezzo. Ordinariamente quella era una strada frequentata da americani ricchi. E lui, con l'uniforme di fatica, appariva molto diverso. Non correva un gran rischio di essere riconosciuto.

Poi vide la graziosa commessa dietro di sé, a meno di una trentina di metri, nella strada stretta e affollata.

Percorse rapidamente la Queen's Road, attraversò Procession Street e si infilò nel brulicante quartiere cinese. La sua ombra gli si mantenne ostinatamente alle calcagna, quasi correndo nonostante i tacchi a spillo. Tim attraversò di corsa la piazza del mercato centrale e si tuffò in uno dei vicoletti laterali.

Nella tasca posteriore teneva un coltello a scatto affilato come un rasoio, utile per minacciare i commilitoni di bassa estrazione quando stava per scoppiare una rissa. Solo due volte, nelle sue avventure, si era reso necessario aprire la lama, e solo una di quelle due volte aveva realmente ferito qualcuno, un Còrso che l'aveva seguito per una via di Napoli anche lui con un coltello in mano — un fulmineo fendente di Tim e il teppista, sorpreso, aveva lasciato cadere il coltello urlando di dolore.

La donna era soltanto a una decina di metri dietro di lui ora, e sgusciava fra la folla con l'agilità di un mediano. Da sola, la piccola stupida incosciente.

Cercò di liberarsene deviando bruscamente in un oscuro passaggio fra due edifici; pochi passi all'interno, e delle luci della strada non restava che un debole barlume. L'incosciente lo seguì.

Egli l'afferrò, le torse un braccio dietro la schiena e le puntò la lama alla gola. "Fa' rumore e t'ammazzo" le sibilò.

Se si fosse messa a gridare, sarebbe scappato a gambe levate per il passaggio, sperando che dall'altra parte ci fosse un'uscita.

"Come ti chiami?" Sentiva la ragazza tremare contro di sé. Il potere di vita e di morte che aveva su di lei era insopportabilmente dolce.

"Jane. Per favore, marinaio... non uccidermi."

Lui le lasciò il braccio e, continuando a tenerle il coltello contro la gola, l'accarezzò con dolcezza. "Perché ti sei messa a darmi la caccia da sola?"

"La direttrice ha dato la colpa a me, mi ha detto che mi avrebbe licenziata su due piedi. Non uccidermi... verrò a letto con te."

A Hong Kong ciascuno aveva un prezzo. Tim continuò ad accarezzarla, godendo del proprio potere assoluto. Poi gli venne in mente di essere crudele con lei, soltanto un pochino.

"Una gentile offerta, Jane, ma non l'accetterò. Se mi vieni dietro di nuovo, ti taglierò via dal corpo tanti piccoli pezzettini, per un paio di giorni, e a quel punto mi scongiurerai di lasciarti morire. Chiaro?"

Dovette sostenerla perché non crollasse a terra. "Non dirò nulla" balbettò lei.

Lui la baciò sulla nuca e le lasciò cadere la catena del ciondolo intorno al collo. "Inventati come spiegare alla dragonessa dove l'hai trovato. E se vuoi che ti faccia a fette hai solo da voltarti prima di essere arrivata in Queen's Road."

Nella sua cuccetta sulla portaerei, Tim doveva ancora assaporare il piacere più grande. Riportare in vita una donna. Molto più divertente che scoparla.

Forse era questo il modo in cui Dio si procurava i suoi piaceri. Ti porti via qualcosa, li terrorizzi a morte, e poi lo restituisci.

"Hai avuto. estati come quella?" domandò Jean a Hugh passandogli il tubo di crema solare.

Hugh mise da parte *Il tranquillo americano*, un libro che lo deprimeva profondamente, e si applicò al compito di spalmarle la crema.

"Intendi dire come in *Sorrisi di una notte d'estate*? Sì, una. E tu?"

"Parecchie. E per di più con lo stesso ragazzo ogni estate."

"È sposato?"

"No, dice che vuole sposare me." Riavvitò il tappo sul tubo. Sopra di loro, il cielo perfettamente sgombro di nuvole era implacabilmente azzurro.

"Si chiama Henry Kincaid, siamo stati compagni di scuola fin dalla prima. Stessa chiesa, stessa scuola domenicale, stesse superiori e stesso college. Eppure, mai nulla di più che abbracciarci e baciarci. Eravamo spaventosamente morali. Poi mi colsero nei gabinetti col fiato che sapeva di alcol e lui mi volò addosso come tutti gli altri."

"Era un protestante di stretta osservanza — lo eravamo tutti — ma quando cominciò a frequentare giurisprudenza a Stanford cambiò. Ora è un avvocato di successo e vive a Los Angeles. Continua a essere un fanatico dell'attività fisica — sci, surf, passeggiate col sacco in spalla e roba del genere. Ogni sei mesi viene a trovarmi e mi chiede educatamente di perdonarlo e di sposarlo."

"Con l'intenzione di redimere la donna traviata?" domandò Hugh.

"Oh, no, Henry l'ha finita con questi atteggiamenti ipocriti. Mi vuole perché pensa di amarmi. Naturalmente si sbaglia. Non sono più il tipo della moglie legittima."

"Fra vent'anni, in un litigio furioso, ti rinfaccerebbe Vegas?"

L'angolo del suo labbro si piegò all'insù in uno strano sorriso.

"È più probabile il contrario. Potrei essere io a dirgli che l'ho sposato per evitare di diventare del tutto una puttana.

"Perché non lo sposi, Jean?"

Ella sospirò e scostò i lunghi capelli che le coprivano il viso.

"Certe volte sono spaventosamente vicina a farlo. Non vorrei dover lavorare per il resto dei miei giorni. Potrei tornare a scuola, avere dei bambini. Quando attraversa le montagne per venire da me mi fa abbastanza piacere, quando se ne va mi dispiace un po', e poi non ci penso per altri sei mesi, a meno di non essere preoccupata per l'affitto."

"Nei prossimi due giorni pensa a una cosa. O immagina una cosa. Se lo sposi, come sarà fra cinque anni?"

La mascella di Jean si indurì in teutonica ostinazione. "Non lo sposo, Hugh..." Poi la tensione diminuì e tornò il sorriso. "Tuttavia, Padre, se posso farmi una nuotata nella sua piscina, intanto ci penserò su."

Hugh nuotò accanto a lei, interrogandosi sui disparati modi in cui gli esseri umani si donano gli uni agli altri. Poiché entro un anno lui sarebbe stato prete e poiché lei era spaventata e sola, gli aveva dato qualcosa di molto più intimo del proprio corpo. Gli aveva dato la propria fiducia.

E ora lui che cosa avrebbe dovuto farne?

Hugh stava centellinando un bicchiere di sherry, cosa che aveva imparato a fare a dispetto delle prevenzioni di Peggy contro il bere. Marge tracannava il secondo Scotch con acqua e Larry era a teatro a preoccuparsi per il suo spettacolo.

"Sono sorpresa che tu mi abbia trovato un posticino nel tuo carnet" sbottò lei irritata.

"Se ti fossi stato troppo intorno ti saresti lamentata ugualmente," rispose lui brusco. "Qualunque cosa io faccia è sbagliata. In questo modo cerco almeno di non privarti della tua libertà."

"Vuoi più bene a Jean che a me..."

Hugh scoppiò a ridere. Marge si unì alla risata.

"Dio, sono proprio una mocciosa viziata" ammise.

"Una mocciosa viziata e infelice... Vuoi proprio sapere cosa mi dà fastidio in te?"

A dire il vero, lei non voleva. "Suppongo di sì."

"Un giorno o l'altro tornerai a casa — per tua scelta, sei troppo ostinata per farlo in altro modo. Dopo un paio di mesi avrai riottenuto tutto ciò che ti eri lasciata dietro e non ammetterai mai che qualcosa è cambiato, e ancor meno che avevi torto."

"Dannato bastardo." Marge gli lanciò addosso lo Scotch, non il bicchiere perché non voleva fargli male, solo il prezioso liquido ambrato.

Ciononostante, quando lui se ne andò si baciarono affettuosamente.

Erano giuste le sue previsioni? No, naturalmente no. Lei non sarebbe mai tornata.

Almeno per un bel po'.

Quella notte Hugh si svegliò con imperiosi desideri sessuali. Tutti quei corpi mezzi nudi avevano finalmente fatto presa su di lui. La licenziosità di Las Vegas aveva invaso i suoi sogni riempiendoli di immagini di seni e di natiche, ed esigeva che egli sperimentasse cosa significava fare l'amore con una donna.

Si vestì rapidamente, aprì la porta della propria camera e guidando a cento all'ora attraversò la città diretto all'appartamento di Jean, non del tutto sicuro di non star ancora sognando.

Parcheggiò l'auto davanti alla sua porta e, quasi fuori di sé per il desiderio, si rese conto di essere sveglio.

Avviò l'auto, fece retromarcia per tornare indietro e si avviò lentamente verso il motel.

Quali demoni stavano in agguato nella deserta oscurità oltre il fascio di luce proiettato dai fari della sua auto? Quali meravigliose, sensuali, allettanti forze del male?

Come potevano essere così attraenti eppure così perverse?

Era probabile che avrebbe avuto spesso tentazioni simili quando fosse stato prete.

Ogni volta che una donna desiderabile gli si affidava?

Si passò la lingua sulle labbra con apprensione. Non troppe di quelle donne avrebbero abitato al limitare del deserto.

Il giorno successivo Jean gli mostrò il lago Meade e il bacino di Hoover. Non una parola sul suo uomo in California. Non si può costringere la gente ad accettare un aiuto indesiderato.

Tornati in piscina lei cominciò con molta cautela.

"Ho fatto funzionare l'immaginazione, come ti avevo promesso." Oggi indossava un costume bianco intero e sedeva ai suoi piedi pateticamente accasciata sull'asciugamano.

"E...?"

"Henry e io avremmo due, forse tre bambini ben educati. Io prenderei lezioni di dizione o qualcosa del genere. Saremmo soci di un circolo sportivo. Non litigheremmo molto, nessuno dei due tradirebbe l'altro, ed entrambi saremmo istupiditi dalla noia."

"Questo non lo sai."

"Non c'è mai stato un rapporto elettrizzante fra noi, e non ci sarà mai. Lui mi chiede di tornare in California con lo stesso tono con cui mi chiederebbe di uscire a bere una Cocacola."

"Dammi le mani, Jean." Formazione d'attacco sotto porta.

"Entrambe. Ora pretenderò molto da un'amicizia così recente. Tu sei ancora un'innocente ragazza di campagna, con un terribile senso di colpa per aver perso la grazia. La tua punizione non sarà completa fino a quando non ti sarai degradata tanto che nessuno ti vorrà più." Con le mani in quelle di lui, Jean sembrava un vassallo medievale inginocchiato davanti al feudatario, un vassallo che sapeva di olio solare. "Tu non vuoi essere perdonata, Jean. Questo è il motivo per cui non ti perdonerai mai."

Furibonda, Jean tirò via le mani con uno strattone. "Lasciami stare." Corse nella stanza di Hugh, ne emerse dopo qualche minuto completamente vestita con gonna e camicetta, saltò su un taxi alla porta del motel e in un attimo era scomparsa.

Azione respinta.

Lezione per il futuro. Non dire alla gente delle verità che non sia preparata ad ascoltare.

Il mattino successivo Hugh chiamò suo padre. "Non è ricco, Papà, e non lo sarà mai. È un tipo a posto. Le paga uno stipendio, probabilmente più di quanto lei valga. È un uomo gentile, probabilmente più di quanto lei meriti."

Vago grugnito. "E Marge, che aspetto ha?"

"Buono, ogni giorno rassomiglia di più alla Mamma, forse un po' più alta e più sottile e con i tuoi capelli, eppure..."

"Lo so, Hugh, lo so. E il tempo?"

"Monotono, nient'altro che sole e cielo azzurro senza una nuvola."

Suo padre ridacchiò, ma era evidente che il suo cuore era altrove.

Dopo aver riagganciato, Hugh si soffermò a riflettere sul telefono. Uno strumento pericoloso, potenzialmente mortale. Stava per immischiarsi in una faccenda in cui non aveva nessun diritto di immischiarsi. Faceva parte dell'essere prete. Seguire i propri istinti viscerali.

Chiamò l'ufficio informazioni, e poi compose il numero che gli era stato dato. "Sono Hugh Donlon, lei non mi hai mai sentito nominare, ma sarebbe meglio che ascoltasse cosa ho da dirle."

La persona all'altro capo ascoltò. Prima sbalordimento; poi, in rapida successione, sgomento, ira, risentimento. Alla fine, un'aria vagamente divertita.

Con la coscienza più o meno sgombra Hugh si tuffò nella piscina. Ora tutto era nelle mani di Dio.

Il giudice Donlon si versò una tazza di caffè e spinse da parte la noiosa difesa giudiziaria che stava esaminando. Ogni anno che passava gli avvocati diventavano sempre più pedanti e oscuri. Hugh appariva certamente padrone di sé. Molto responsabile. Quasi ventiquattro anni, l'età di Giovanni d'Austria a Lepanto e di Buckingham a Culloden Moor.

Peggy aveva ragione, anche se non comprendeva appieno il significato del suo istinto. Nell'attuale cattolicesimo non vi era posto per nessuno dei giovani Donlon. Essi erano dei passionali amanti dell'azione che non volevano e non potevano celare la propria vera natura come Peg aveva fatto. La Chiesa aveva trovato posto per lui e per sua moglie perché avevano accuratamente dissimulato la violenza del loro amore sotto un'apparenza devota e convenzionale che aveva ingannato tutti ma non i loro tre figli.

L'apparenza, l'atteggiamento di celestiale immunità alle passioni — questo aveva mandato Tim in Marina e Marge a Las Vegas.

Che cosa avrebbe fatto a Hugh?

Poteva esserci posto nel sacerdozio — il monotono, arido sacerdozio — per un giovane così tormentato? Come avrebbe potuto nascondere l'inesauribile energia e le implacabili ambizioni di cui non si era reso conto nemmeno egli stesso?

Il giudice sorseggiò il caffè, nero e senza zucchero. Avevano avuto troppa fretta di escludere la magica Maria. Avrebbero potuto ricuperarla? Lui e Peggy avrebbero trovato il coraggio di parlarne a Hugh?

Quella domenica mattina Hugh si accingeva a tornare a Chicago su un United DC-6. Aveva lasciato la Chevrolet noleggiata alla Hertz al deposito in città, dove Marge era andata a prenderlo in auto. Per prima cosa si sarebbero fermati alla casa da gioco per salutare Larry e poi all'appartamento di Jean. Jean aveva telefonato a Marge proprio mentre stava per uscire, chiedendole che si fermassero per un minuto soltanto.

Hugh aveva alzato le spalle con indifferenza. "Abbiamo un mucchio di tempo."

A casa di Jean si imbatterono in una scena inattesa. C'era Hank Kincaid, non incerto e agitato com'era di solito, ma ben determinato. Jean stava mettendo i vestiti in due valigie malconce.

Hank aveva l'aria di un contadino — alto e scarno, il tipo del sostenete-il-vostro-sceriffo-locale, sguardo miope, occhiali cerchiati d'oro, voce stridula.

Ma oggi i suoi occhi brillavano. Sicuro di sé baciò Marge —

non l'aveva mai fatto prima — e diede a Hugh una vigorosa stretta di mano.

"Felice di conoscerla, Padre."

"Non merito ancora questo titolo" rispose Hugh con modestia.

"Che diavolo sta succedendo?" domandò Marge appena poté bloccare Jean in cucina.

"Questa volta non si è limitato a chiedere. Ha insistito. Io..." Lacrime di felicità le rigavano le guance. "Ora voglio veramente andare con lui... abbiamo fatto l'amore... Non ho mai... Marge." Abbracciò l'amica. "È stato meraviglioso."

Marge si intenerì — temporaneamente — e si congratulò con lei. Jean era felice e bisognava partecipare alla sua felicità, per quanto breve sarebbe stata, probabilmente.

Per strada verso l'aeroporto, Marge sfogò la sua furia su Hugh. "Chi ti ha dato il diritto di agire come fossi Dio?"

"Eh?" L'innocenza di Hugh non era convincente.

"Ti rendi conto a che razza d'inferno li hai condannati? Capisci quanto soffriranno fra dieci anni?"

"Non sono responsabile di ciò che faranno della loro chance." La sua sicurezza era stata scossa dall'attacco di Marge. "Sei furiosa perché Jean torna al suo passato, come sai che farai tu stessa un giorno o l'altro."

"Io non mi venderò mai" gli strillò Marge. "L'hai trattata proprio come hai trattato Maria. Prima le stuzzichi e poi scappi. Questo è mio fratello Hugh."

Sbandò verso la banchina e poi riprese il controllo dell'auto.

"Non ammazziamoci, sciocchina."

"Guido meglio di te."

"Non è vero."

Litigarono come bambini, pieni di rancore, ma quando giunsero all'aeroporto l'umore di Marge era già cambiato.

Diede un buffetto affettuoso sulla guancia di Hugh. "Non sei poi così male, Hughie." Formulò in termini ben diversi ciò che avevano visto nell'appartamento di Jean senza il minimo senso di colpa per il cambiamento improvviso. "Non hai visto che felicità nei loro occhi? Hai dato loro la spinta di cui avevano bisogno."

"Non so..."

"Chiamano il tuo volo... Hughie, promettimi una cosa. Promettimi che non dimenticherai mai come si fa a ridere di sé."

"Cercherò..."

Ancora un abbraccio e Hugh era scomparso.

Il DC-6 procedeva a fatica verso Chicago. La prima parte del volo non aveva presentato difficoltà, ma superate le Rockies erano incappati in un'imponente perturbazione atmosferica. Una delle assistenti di bordo stava male.

Hugh mise da parte l'inquietante libro di Edmund Wilson sui Rotoli del Mar Morto. Wilson avversava sia il cattolicesimo che il cristianesimo, ma le scoperte effettuate all'Uadi Qumran sollevavano problemi che turbavano Hugh. Aveva prestato pochissima attenzione alle nuove correnti teologiche che avevano spazzato l'America provenienti dall'Europa, e nessuna attenzione ai nuovi studi sulle sacre Scritture. A Mundelein le ore di lezione sulle Scritture erano quelle in cui si rammendavano i calzini e si sbrigava la corrispondenza.

La sua inesauribile fantasia tornò a ciò che aveva visto nell'appartamento di Jean.

Era facile immaginare cos'era accaduto. Hank aveva insistito affinché lei tornasse in California. Lei aveva di nuovo detto di no. Lui aveva affermato che, se fosse stato costretto, ce l'avrebbe portata con la forza. Sorpresa e probabilmente non del tutto dispiaciuta da questa manifestazione di esuberanza, lei gli aveva detto che non avrebbe osato. Così lui aveva osato. Pover'uomo, tutti questi anni di attesa.

Non c'era forse la felicità nei loro occhi? Marge aveva ragione, non aveva gettato lo scompiglio nella loro vita.

Pregò che ciò che aveva fatto fosse giusto e poi tornò alle proprie fantasie.

All'inizio Jean aveva resistito ai sentimenti di lui, poi la passione e l'amore avevano spezzato le barriere del timore e del risentimento e del dolore e della disperazione.

Proprio come Dio aveva voluto intendere che passione e amore cooperassero.

E lui, voleva veramente rinunciare a una simile gioia?

Avrebbe potuto?

Pensò alla hostess del volo di andata, e poi di nuovo a Jean.

Come avrebbe potuto voltare le spalle a simili delizie per il resto della vita?

Maria.

Erano le undici quando, stanco e depresso, Hugh arrivò a Mason e Lemoyne. Giunto a casa riferì ai genitori che alla fine si sarebbero visti piombare in casa Marge, la quale avrebbe finto che l'episodio di Las Vegas non fosse mai accaduto.

"Non c'è il rischio che prima si autodistrugga?" Il giudice appariva più vecchio dei suoi quarantanove anni.

Troppo penetrante. Hugh alzò le braccia in un gesto di impotenza.

"Dove avremo sbagliato, Hugh?" domandò tristemente la madre.

"Dove ha sbagliato Dio." Era irritabile e troppo stanco per preoccuparsi degli altri. "Egli ha creato gli esseri umani e ha dato loro la libertà. Voi avete avuto figli, un affare rischioso sia per voi che per Dio."

Per un attimo parve che i suoi genitori volessero cambiare argomento. Attese con impazienza.

"Sono stanco morto."

"Naturalmente" disse suo padre con evidente sollievo. "Hai bisogno di dormire."

"Povero caro." Sua madre lo abbracciò e gli diede un buffetto sulla guancia.

A letto Hugh si domandò di che cosa i suoi genitori avevano avuto ritegno a parlare.

Il giorno successivo Hugh sedeva nella vecchia stanca Buick parcheggiata in Madison Street sul marciapiede opposto a quello della West End Bank. Sebbene fosse solo l'una e mezza le nuvole e la neve che cadeva creavano l'impressione che fosse già l'imbrunire. La luce che usciva dalle finestre della banca brillava a intermittenza attraverso i fiocchi di neve e gli ricordava le decorazioni natalizie dei negozi di State Street, calde, attraenti, ma artificiosamente gaie.

Lanciò un'occhiata al *Sunday Times* posato sul sedile accanto. Israele rifiutava di ritirarsi dalla striscia di Gaza. Una tempesta di neve era prevista per la notte. Las Vegas era distante anni luce. I grossi, dolci fiocchi di neve si scioglievano non appena toccavano la strada. Presto, tuttavia, la neve avrebbe ricominciato ad accumularsi.

Di nuovo la sua scusa era di chiedere consiglio a Maria riguardo a Marge. I pensieri insensati che aveva avuto sull'aereo erano ormai respinti. Aveva sofferto il mal d'aria, ed era tutto.

Aveva acquistato un nuovo paio di pattini da ghiaccio al centro commerciale di Harlem and Lake. Stava andando a casa. Aveva posteggiato l'auto per concedersi un momento di pausa, un esercizio pericoloso.

Nessun futuro, nessuno scopo, nessun senso, nessuna ragione.

Accese il motore, fece lentamente marcia indietro, cambiò marcia, esitò. Che cosa aveva detto Maria? Che lui non avrebbe potuto vivere senza una donna. Alcuni potevano, ma non lui.

Innestò la prima, portò l'auto un po' avanti e spense il motore. La banca era illuminata ed efficiente; c'era una sola donna agli sportelli di cassa. Non molto lavoro in un pomeriggio di febbraio. Lo sguardo di Hugh vagò per le scrivanie in cerca di una bionda. Gli parve di vederla. La ragazza si voltò, come se avesse percepito i suoi pensieri, carina, ma non era Maria.

"Posso fare qualcosa per lei, signore?" gli domandò cortesemente la guardia.

"C'è Maria oggi?"

Il viso burbero e rugoso del vecchio si distese in un allegro sorriso. "Maria è a scuola questo pomeriggio, signore. Sarà qui domattina."

"Capisco." L'indomani mattina non sarebbe mai venuto, non fino alla fine dei tempi. "No, nessun messaggio."

La guardia assunse un atteggiamento ancor più disteso. "Suppongo che lei la conosca, signore, così saprà cosa intendo se dico che quando Maria non è qui la banca è molto meno interessante."

Fuori l'aria era densa di grossi fiocchi di neve danzanti, che ora cominciavano a fermarsi sul marciapiede di Madison Street.

Libro II

"Padre, perdona loro, perché non sanno quello che fanno."

Capitolo X

1964

"Padre, posso farle una domanda personale?"
La voce di una donna colta, non di Chicago, non di Boston, e nemmeno di New York. Forse di Filadelfia o Baltimora. Il tono di rispetto intellettuale era quello che ci si sarebbe potuti aspettare da una laureata di un college cattolico femminile — le Figlie del Sacro Cuore, forse Manhattanville.
"Certamente." Era intrappolato in un confessionale afoso e soffocante in un caldo sabato d'estate, proprio come era intrappolato nella parrocchia di St. Jarlath e nel sacerdozio il quale, nonostante le gioie del giorno dell'ordinazione, non gli aveva portato la felicità tanto attesa.
Da sette anni era in conflitto con un parroco psicotico. Nel migliore dei casi potevano considerarsi pari. Nel frattempo, mentre lui restava impantanato nelle acque stagnanti, la Chiesa era passata attraverso il più radicale mutamento della propria storia.
In un certo modo, ben gli stava. Era stato lui a scegliere le acque stagnanti. Dopo il viaggio a Las Vegas avevo declinato l'offerta del cardinale di frequentare il corso di amministrazione aziendale. Ora era dimenticato da tutti.
"È una questione un po' delicata... ho esitato... lei è un confessore così comprensivo..."
"Cercherò di essere d'aiuto."
"Mio marito e io pratichiamo il rapporto orale in certe occasioni. Lui dice che non è peccato — è un cattolico devoto, Padre — e io non so cosa pensare. Le suore e i preti della mia università lo consideravano un terribile peccato di perversione."
"Lo trova ripugnante?" La domanda posta dalla donna ricorreva con frequenza sempre maggiore in confessionale. La rivoluzione sessuale stava raggiungendo anche le cattoliche benestanti e istruite.
"No, Padre; all'inizio ero rimasta... un po' scossa ma poi, francamente, l'ho trovato piacevolissimo."

97

"La Chiesa ha sempre insegnato che, per favorire il loro amore, marito e moglie possono fare qualsiasi cosa non ripugni a nessuno dei due, a patto che l'atto coniugale sia portato a termine correttamente. È una forma di contraccezione per lei e per suo marito?" Il vero peccato, l'unico peccato che contasse.

"Oh, no, Padre, abbiamo due figli e ne vogliamo altri."

"Tuttavia il seme viene versato quando fate l'amore in questo modo?" Ricorso alle parole bibliche; erano salvi.

"In queste faccende, Padre, certamente lei capisce, le emozioni sono complesse. Può accadere che una voglia amare il marito con particolare intensità per farsi perdonare una frase crudele. Non vi sono riflessioni consce su qualcos'altro."

"Lei pensa che Dio possa adirarsi perché vuole amare suo marito e far rimarginare le ferite che ha causato?"

"No, naturalmente no. Lei è stato di grande aiuto, Padre."

La donna cercava il "sì" o il "no" con cui il libro di testo di Morale in uso presso il college troncava di netto le questioni etiche. Ciò che lui non poteva darle. Solo lei e il marito avrebbero potuto prendere una decisione etica su una questione del genere; tuttavia era stato insegnato loro che in confessione il prete poteva — anzi, doveva — fare questo genere di scelte morali per conto altrui.

Le diede l'assoluzione e la mandò a casa dal marito, il quale probabilmente non si rendeva conto della propria fortuna.

Tutto stava cambiando, le domande della gente e le risposte dei sacerdoti, alcuni dei quali, durante le confessioni, stavano già incominciando a far capire alla maggioranza dei fedeli che un cambiamento sulla questione del controllo delle nascite andava preparandosi. Il suo amico Jack Howard diceva chiaramente ai suoi parrocchiani che la decisione spettava a loro.

Hugh non vedeva come avrebbe potuto verificarsi un cambiamento al riguardo. Eppure tirava aria di novità. Alcuni preti ritenevano che prima della fine del decennio il celibato sarebbe stato facoltativo. Hugh non riusciva a immaginare nemmeno questo, come non avrebbe immaginato che sarebbe stato cambiato l'orientamento dell'altare, in modo da officiare di fronte ai fedeli, o che la Messa sarebbe stata cantata in inglese. Dove si sarebbe andati a finire?

Tuttavia, aveva aiutato la donna, ed era questo il motivo per cui uno si faceva prete...

Questo pensiero gli riportò alla mente una delle sporadiche esperienze felici che gli rendevano degna la vita sacerdotale. Negli ultimi tempi non erano state molto frequenti, non come all'inizio.

Il primo Natale a St. Jarlath era stato un periodo di felicità esaltante. Sullivan era in Arizona a casua della sua "salute". Kilbride era in ospedale. E Hugh aveva assunto il compito di parroco, a tutti gli effetti di carattere pratico. Parroco, fin dal primo anno di sacerdozio. Aveva organizzato la Messa di mezzanotte con canti natalizi, fiori e campane che avevano fatto udire i loro rintocchi attraverso la neve, e aveva gioito del calore della partecipazione dei suoi fedeli riuniti per i saluti in fondo alla chiesa.

Quello era il genere di gioia della quale la felicità dell'ordinazione doveva rappresentare una promessa.

E di quale felicità estatica aveva goduto anche in quell'occasione, la meta agognata che pareva impossibile raggiungere e che era finalmente un'abbagliante realtà.

Era stata una giornata perfettamente serena, ricca di promesse per il futuro. Quando, dopo aver ricevuto l'ordinazione dal vecchio cardinale, Hugh aveva impartito la sua prima benedizione, Peggy e il giudice si erano inginocchiati con le lacrime agli occhi nella luce radiosa del sole di fronte alla cappella principale di mattoni rossi, in stile coloniale. Lo stesso Tim gli aveva baciato la mano con vivacità. Solo Marge era assente — viveva in Inghilterra, e non aveva nemmeno mandato un biglietto.

Tre giorni dopo una cartolina che raffigurava il Vesuvio gli riportò una voce dal passato.

I vulcani inattivi mi ricordano te. Il matrimonio è un'utile istituzione. Primogenito e ufficiale di Marina, come il padre. Ogni mattina, prima di colazione, mi saluta con un bacio. Una vita un po' folle, ma sono felice. Sii un buon prete. (E non accantonare la barca a vela.)
Che Dio ti benedica,

Maria

"Beneditemi, Padre, perché ho peccato." La vocina confusa di un ragazzino che non poteva avere più di sette anni interruppe il flusso dei suoi ricordi. "Non ho fatto le preghiere del mattino, ho disobbedito sedici volte e ho commesso adulterio tre volte."

"Non sarebbe tuo dovere dire buon mattino a Dio quando ti svegli?"

"Sì, Padre."

"E aver disobbedito sedici volte è proprio tanto, vero?"

"La mia sorellina minore disobbedisce molto di più."

"Beh... E com'è che hai commesso adulterio?"

"Ho detto stronza a mia madre dietro le spalle."

"Non è stato molto bello."

"È stato terribile, Padre. Io voglio bene alla mamma, e non voglio andare all'inferno."

"Dio ti ama troppo per lasciarti andare all'inferno. È una brutta parola, specialmente contro la mamma; ma Lui non resterà arrabbiato con te."

"Mia mamma diventerebbe matta se sapesse che le ho detto stronza."

Sua madre sarebbe morta dal ridere se lo avesse sentito. Rimani quel comico angelo che sei, ragazzino.

"Bene, allora non le racconteremo nulla e non le diremo più quella parola, d'accordo?"

"Sì, Padre."

Di cose simili è fatto il Regno dei Cieli? Beh, qualche volta.

"Padre, ho un problema coniugale." Una voce maschile questa volta, la voce di un uomo maturo, arrivato, abituato a dare ordini. Chi poteva capitargli ancora a St. Jarlath?

"'Cercherò di essere d'aiuto."

"Mia moglie e io contraemmo un matrimonio non religioso diciotto anni or sono. Da allora non abbiamo più ricevuto i sacramenti. Abbiamo tentato di ottenere l'annullamento del suo primo matrimonio perché suo marito, a quel tempo, era malato di mente. Non abbiamo potuto provarlo pienamente, suppongo, quantunque quell'uomo sia stato in manicomio per vent'anni. Ora il confessore di mia moglie le dice che, se lei è veramente convinta che il suo primo matrimonio non fosse valido in quanto il marito aveva già quel problema, allora possiamo di nuovo ricevere i sacramenti." Una breve risata. "Mi tengo piuttosto al corrente sui cambiamenti della Chiesa, Padre; ma questo deve proprio essermi sfuggito. È una novità?"

"No, non è una novità. Va sotto il nome di Tribunale della Coscienza, cui si è ricorso sempre più spesso negli ultimi tempi. In un caso di annullamento la Chiesa non si limita che a decidere se le prove sono sufficientemente solide per sostenere ufficialmente la non validità del primo matrimonio. Spesso le prove sono troppo esigue ma gli interessati sono assolutamente convinti in buona fede di essere liberi di risposarsi perché il primo matrimonio non era valido. La Chiesa non può emettere un parere ufficiale, ma un confessore o un padre spirituale possono dire, alla persona interessata, che la sua buona fede appare sincera."

"Ciò significa che mia moglie e io siamo stati sposati per tutto questo tempo?"

"Non dinanzi alla Chiesa ufficialmente e pubblicamente, sì dinanzi alla Chiesa privatamente e non ufficialmente e, com'è ovvio, dinanzi a Dio."

"Che io sia dannato..."

"No, questo non succederà, almeno fino a quando sarete entrambi convinti in buona fede che eravate liberi di sposarvi."

"Padre, si rende conto che abbiamo cinque figli, tutti in scuole cattoliche, e che domani — per la prima volta — sarò in grado di ricevere la Comunione assieme a loro?"

"Congratulazioni a tutti" rispose Hugh.

Alcuni matrimoni funzionavano, altri no. Nove volte su dieci un sacerdote avrebbe potuto dire il giorno stesso delle nozze come sarebbero andate le cose. Era la decima volta quella che ti metteva al tappeto.

Maria aveva scelto bene.

In una radiosa domenica mattina di primavera, un anno e mezzo prima, dopo la Messa delle nove e mezza un ufficiale di Marina lo aveva avvicinato in fondo alla chiesa tendendogli la mano. "Capitano di corvetta Steve McLain, Padre. Sono ospite dell'Ammiraglio per il fine settimana."

Hugh riconobbe un tenue accento del sud, forse della costa atlantica. "Benvenuto a bordo, Comandante" rispose stringendogli la mano.

McLain era alto, più o meno quanto Hugh, ma più sottile, con un bel viso aperto, capelli castani corti, sguardo perspicace. A giudicare dai gradi e dai nastrini, doveva essere un esperto aviatore. "Ho detto a mia moglie che sarei venuto a Messa qui oggi. Lei è ancora a Washington, e io sono assegnato a una base a terra in Estremo Oriente. Mi sono fermato qui solo per far visita al mio Comandante che ora è in pensione. Maria dubita che lei la ricordi, ma comunque mi ha incaricato di porgerle i suoi migliori auguri."

"Da quanto siete sposati, Comandante?" domandò Hugh sorridendo.

"Da sei anni, signore" rispose lui con aria compiaciuta.

"Se è sposato con quella donna da sei anni, ritiene possibile che chiunque potrebbe mai dimenticarla?"

L'aviatore era raggiante. "Effettivamente no, Padre."

"Mi racconti qualcosa di più."

"Abbiamo due maschietti, di cinque e quattro anni; abbiamo avuto due periodi di servizio in mare, di cui uno su una portaerei al largo della costa vietnamita, e un periodo al Pentagono che sta appunto per scadere. Maria è vissuta a Napoli, San Diego, Tokyo, Honolulu e Arlington, in Virginia, ed ha seguito un buon numero di corsi di amministrazione aziendale in tutto il mondo."

"E ora?"

Il bel viso si oscurò. "Sono destinato al servizio a terra a Camrahn Bay. Lei andrà a vivere coi suoi genitori. La banca per cui aveva lavorato le ha offerto un buon posto. Maria, come sono certo che lei sa, Padre, è più che in grado di prendersi cura di sé — e dei bambini. E starà molto meglio coi suoi genitori che in un porto. O con i miei a Charleston."

"Comandante." Hugh strinse la mano al giovane ufficiale. "Chiunque abbia sposato Maria doveva aver gusto. Quando le telefonerà le dica che mi associo a entrambi nel ritenerlo reciproco."

Il comandante sorrise, enormemente compiaciuto per il complimento. "Preghi per noi, Padre."

"Non mancherò."

Per un paio di volte dopo quell'incontro Hugh aveva fantasticato sull'idea di chiamare Maria. Immagini dal casotto dei lamponi gli danzavano nella memoria. Ma decise di non farlo. Non c'era motivo di corteggiare il pericolo, e inoltre provava una sincera simpatia per il suo uomo.

Hugh si agitò a disagio nel confessionale. In chiesa, voci infantili cantavano salmi di Gelineau di una dolcezza ossessiva, la musica adatta a una chiesa vuota in un'afosa giornata estiva. Sbirciò furtivamente dalla tenda. Non c'era nessun altro in attesa.

Monsignor Sullivan, il parroco di St. Jarlath, rifiutava di credere che si stesse avvicinando il momento in cui i fedeli avrebbero compartecipato alla Messa, e tanto meno che questa si sarebbe officiata in inglese. Quando quel momento arrivò disse a Hugh: "Sarai tu a curare i preparativi, a istruire la gente e a occuparti di questo genere di cose".

Dopo la prima domenica Sullivan si ritirò completamente. "Trova un prete di San Vincenzo o un Gesuita che sia disposto a dire Messa per conto mio a tempo indeterminato. Io avrò bisogno di leggere molto su queste cose."

Monsignor Sullivan non leggeva un libro da trent'anni. Da allora in poi avrebbe detto Messa privatamente, in latino. "Lo raccomanda il mio medico per motivi di salute" aveva spiegato ai fedeli.

E così Hugh aveva dovuto sovrintendere al cambiamento di formule liturgiche che esistevano da millecinquecento anni. Lloyd Kilbride, l'altro coadiutore, era un ubriacone, e non si poteva nemmeno essere certi che sapesse ritrovare la chiesa. L'unica della parrocchia che poteva aiutare Hugh era Suor Elizabeth Ann, una giovane monaca innocente e zelante che da qualche anno aveva completato gli studi superiori ed era una liturgista — vale a dire che aveva frequentato due corsi di liturgia presso l'Istituto Estivo. Due corsi in Culto Cristiano che Hugh non poteva vantare.

"Sono meravigliose, Sorella" le disse, in piedi in fondo alla cappelletta dov'era entrato per incoraggiarla negli ultimi preparativi liturgici. "Le ragazze di sesta imparano molto più rapidamente di ogni altro al mondo."

"Grazie, Padre." Suor Elizabeth, sinceramente compiaciuta, era benedetta da un paio di lunghe ciglia scure, grandi occhi marrone e un dolce viso aperto che in occasioni come questa poteva farsi molto bello. "Stanno finendo proprio adesso... Molto bene, ragazze; non mancate di essere puntuali domani. Vogliamo insegnare ai vostri genitori a cantare con voi."

Le ragazze scomparvero rapidamente; dopo tutto era un opprimente pomeriggio di agosto, e il parroco non avrebbe permesso che si mettesse in funzione l'aria condizionata solo per le confessioni e per le prove del coro.

"Non dovrebbe essere in vacanza?" Negli occhi di Suor Elizabeth c'era un lusinghiero interesse per Hugh.

"Padre Kilbride è un po' sbronzo. La salute del parroco gli impedisce di ascoltare le confessioni. E nemmeno i Gesuiti potevano farlo." Sorrise. "Qualcuno doveva pur restare qui."

"Così è tornato dalle vacanze."

Hugh annuì. Doveva stare in guardia. Capitava spesso che una suora giovane prendesse una cotta per un prete. "Com'era l'Istituto Estivo?" domandò cambiando argomento.

"Meraviglioso." Ella abbassò lo sguardo. "Abbiamo studiato l'influenza di Karl Rahner sulla musica sacra."

Il grande teologo tedesco sarebbe rimasto inorridito se gli avessero detto che in qualche modo aveva influenzato la musica sacra. "Magari potremmo utilizzarlo per dirigere il nostro coro."

Suor Elizabeth Ann era nata in una famiglia contadina dello Iowa, aveva un corpo da indossatrice e l'ingenuità di una quattordicenne. Ma era dotata di un'intelligenza di prim'ordine, ed aveva seguito la maggior parte dei corsi richiesti per la laurea in teologia. Nonostante la sua giovane età era stata una delle delegate per il Capitolo che doveva riformare il loro Ordine. Secondo le altre monache di St. Jarlath Suor Elizabeth era stata fra le delegate che in quell'occasione avevano esercitato l'influenza maggiore.

"Quella diventerà Superiora, un giorno o l'altro," aveva commentato una delle vecchie monache del Convento di St. Jarlath "o in qualunque altro modo verrà chiamata allora."

D'altro canto Jack Howard, che aveva frequentato l'Istituto Estivo assieme a Suor Elizabeth Ann, non riusciva a digerire né lei né le altre giovani suore che le somigliavano.

"Hanno bisogno di un Ordine rigido e autoritario, di una Superiora da amare e odiare al contempo. Ora sono tutte affaccendate a distruggere la loro Superiora. Non gli rimarrà nulla da amare o da odiare e lasceranno il velo il giorno dopo aver vinto l'ultima battaglia contro di lei. Dopo di che troveranno qualche altro oggetto d'amore/odio — magari qualche povero stupido prete affamato di sesso."

"Non Elizabeth Ann" protestò Hugh.

"Dolce, graziosa e diffidente, eh, Hugh? Osserva bene l'atteggiamento di quella mascella e stalle alla larga."

Hugh non gli aveva creduto, ma poteva darsi che Jack non si sbagliasse. Se opportunamente incoraggiata sarebbe potuta diventare una dura. Già aveva fatto fuori Augustus Ambrose Aquinas Sullivan. Gli aveva tenuto testa con la propria intelligenza fredda e sicura e lo aveva battuto.

Tutto era cominciato quando le monache avevano smesso di portare la tonaca — l'abito del loro Ordine da più di un secolo — per indossare gonna blu, camicetta bianca e un minuscolo velo blu. Alcune delle più vecchie stavano molto meno bene, mentre alcune delle più giovani erano risultate davvero molto attraenti.

"Quella Elizabeth ha un gran bel paio di tette" disse Lloyd Kilbride a cena. "Ai maschioni dell'ottava piacerà molto di più andare a scuola, adesso."

Da sobrio Lloyd era volgare; da ubriaco era osceno. Quella sera era a metà fra l'uno e l'altro.

"Non si può permettere che una cosa simile vada avanti" biascicò confusamente Monsignor Sullivan; anche lui era parecchio sbronzo, un'abitudine molto più recente di quella di Kilbride che invece beveva fin dal giorno dell'ordinazione.

Il parroco non aveva la minima idea di chi fosse Suor Elizabeth Ann; anzi, non aveva idea di chi fosse nessuna delle monache, poiché le evitava come evitava gli scolaretti. Il sesso, tuttavia, era uno dei pensieri che lo assillavano di più, ed era ben determinato a bandirlo dalla sua parrocchia, nello stesso modo in cui San Patrizio aveva cacciato i serpenti dall'Irlanda. Nessun gruppo tipo Famiglia Cristiana e nessuna Conferenza di Cana sarebbero stati tollerati a St. Jarlath. La gente doveva far qualcosa di meglio che sedere intorno a un tavolo a parlare di sesso.

Hugh aveva dato per scontato che Sullivan avrebbe dimenticato Suor Elizabeth Ann, così come dimenticava la maggior parte delle altre cose che riguardavano la parrocchia.

Ma la settimana successiva il vecchio parroco era capitato casualmente nella sua classe proprio mentre lei esaltava la moralità della giustizia verso le altre razze e il coraggio di Martin Luther King.

Il parroco era uscito dall'aula come una furia, aveva telefonato alla Superiora e le aveva ingiunto di ritirare dalla sua parrocchia l' "amante dei negri."

Un anno o due prima l'eretica sarebbe stata caricata sul primo treno per il Milwaukee e rispedita alla Casa Madre.

Gus Sullivan era abituato a vincere le sue battaglie contro le suore, che considerava una forma di vita sostanzialmente inferiore al suo grosso can pastore tedesco (il quale rispondeva all'appropriato nome di Adolph, abbreviato in Dolphie). E l'avrebbe spuntata anche questa volta se la monaca fosse stata meno astuta e se Hugh non fosse intervenuto.

Suor Elizabeth Ann era scoppiata in un pianto isterico nell'ufficio di Hugh, il quale alla fine aveva ceduto. Dopo tutto, erano dalla stessa parte.

"Che cosa devo fare?" aveva chiesto lei fra i singhiozzi.

"Dar battaglia a quel bastardo. Lei ha maggiori possibilità di colpirlo di me, è membro del Capitolo del suo Ordine. Chiami la Superiora e le chieda di appoggiarla. Minacci di rendere pubblica la vicenda se non lo farà. Passi la storia al *National Catholic Reporter*."

Suor Elizabeth Ann si asciugò le lacrime, appallottolò il fazzoletto di carta e lanciò a Hugh un'occhiata implorante. "Lei si schiererà con me?"

Hugh esitò. "Parlerò con la Superiora, se vuole"

Il mattino successivo Suor Baldwina, la Superiora, era al telefono. Non dava l'impressione della vecchia monaca bigotta e diffidente.

"Sembra che abbiamo un problema, Padre."

"Non ne abbiamo tutti quanti, Sorella?"

"Quell'uomo è completamente pazzo?"

"Cerca di far del male. Tuttavia, è uno che rispetta il potere."

"Ah... è un tipo di quel genere. Li conosco bene. E lei cosa consiglierebbe?"

"Gli dica che Elizabeth Ann sta qui per tutto l'anno scolastico o lei la prossima settimana ritirerà tutte le suore. Questo lo farà crollare."

"E alla fine dell'anno scolastico?"

"Probabilmente se ne sarà dimenticato. Solitamente è così. In caso contrario rinnovi la minaccia."

"Ammirevole, Padre, ammirevole... nutriamo grandi speranze per Suor Elizabeth... le nuove leve che ci sosterranno in questi anni tormentati. Eppure è così giovane e così fragile. Spero che riusciremo a proteggerla finché non sia maturata un po' di più."

"Da uomini come Monsignor Sullivan? Sotto questo aspetto potrei essere d'aiuto. Tuttavia è probabile che Monsignor Sullivan non sia il suo problema più grave."

"Possibilissimo" disse la Superiora, forse comprendendo più di quanto Hugh avesse inteso dire.

Suor Elizabeth Ann ascoltò attentamente l'omelia di Padre Donlon, quantunque non così attentamente da dimenticare la sua sesta. Se avesse distolto gli occhi per un attimo le ragazze avrebbero cominciato ad agitarsi e a ridacchiare e avrebbero potuto irritare i parrocchiani contrari ai cambiamenti nella liturgia.

Padre Donlon era un buon predicatore, vigoroso, efficace e molto ben voluto. Ma teologicamente era parecchio arretrato, e socialmente piuttosto conservatore. Aveva bisogno di un bel po' di "aggiornamento" — anche se non c'era nulla da ridire sull'omelia di questa mattina.

"Dobbiamo ricordare," conclude "che non ci guadagnamo il perdono di Dio col pentimento o con la riparazione. L'amore di Dio è un dato. È sempre lì ad attenderci pazientemente. Per riceverlo non abbiamo che da rivolgerci a Lui. Egli si compiace dei nostri sforzi ma si compiace ancor di più di noi. È il motivo per cui ci ha creati. Non possiamo guadagnarci l'amore di Dio perché Egli ce lo ha già dato a priori. Non diversamente da ogni altro amore. L'amore è sempre dato prima dello sforzo per ottenerlo, o non lo si otterrà mai."

I fedeli si agitarono a disagio mentre egli tornava all'altare. Padre Donlon, stavano pensando, faceva tutto troppo facile. E predicava nuove strane dottrine. Vi sarebbero state altre telefonate di protesta.

La suora sospirò fra sé mentre preparava il coro per il salmo dell'offertorio. Padre Donlon non era un uomo felice. Pensava che Dio lo amasse?

Probabilmente no.

Aveva bisogno di aiuto, povero, solitario, confuso prete.

E lei voleva aiutarlo.

Hugh ricevette solo tre telefonate di protesta contro il suo sermone, due anonime e una da parte del Professor Hines, che insegnava ottica a Loyola e si reputava un intellettuale. Il punto essenziale delle tre telefonate era lo stesso — Hugh era un Protestante. Ci si poteva guadagnare anche l'amore di Dio. Come osava insegnare una falsa dottrina e far pensare alla gente che la via del paradiso fosse facile?

Hines promise che il giorno dopo avrebbe scritto una lettera di protesta alla cancelleria, una promessa che Hugh si sentiva fare almeno due domeniche pomeriggio ogni mese.

"Riferisca loro che io predico che la Grazia originale è un dono gratuito" disse Hugh pungente.

"Lo farò certamente" rispose il professore.

"E poi legga gli atti del Concilio di Orange." Hugh mise giù il telefono.

L'anno precedente la cancelleria aveva svolto un'inchiesta su di lui per ordine del Nunzio Apostolico, perché qualcuno aveva scritto al Papa lamentando che egli predicava una falsa dottrina.

Era risultato che il suo reato era quello di leggere il Vangelo da una traduzione della nuova Confraternita per la Dottrina cristiana — una traduzione approvata dai Vescovi americani, che faceva riferimento all' "uomo Gesù".

"È una dottrina proposta dal Concilio di Efeso, Padre" aveva detto al funzionario della cancelleria incaricato delle indagini.

"Dobbiamo fare attenzione a non traumatizzare chi non è addentro" lo aveva ammonito lo squallido burocrate.

"Mi sta ordinando di fare marcia indietro e dir loro che Gesù non aveva natura umana?" domandò. "E di respingere la traduzione ufficiale della gerarchia americana?"

Il canonista batté rapidamente in ritirata. E Xav Martin, che nel frattempo era divenuto il nuovo rettore di Mundelein, ingaggiò una lunga discussione in suo favore. Il vecchio cardinale malfermo accantonò l'inchiesta partita da Roma.

Il telefono suonò di nuovo. "St. Jarlath" rispose Hugh con voce brusca. "Padre Donlon."

"Hugh, ci sarà un matrimonio nella nostra famiglia. Tuo padre è a Butterfield e adesso non posso rintracciarlo. Sei il primo a saperlo."

"Tim?" Non penserà di sposare quella spudorata della Maguire.

"Marge. Desidera che sia tu a celebrare il matrimonio, ovviamente."

"Chi è lo sposo?" domandò Hugh guardingo, conscio che il cuore gli batteva forte. Dio buono, proteggi Marge, è sempre la mia adorata sorellina.

"Un nobiluomo inglese." Sua madre sembrava non riuscire a credere alle proprie parole.

"Oh, mio Dio" rispose Hugh. "Cosa dirà Papà?"

Capitolo XI

1964

La telefonata della madre raggiunse Tim Donlon nel suo appartamento di scapolo in Old Town mentre si apprestava a far l'amore con Estelle Maguire.

A Estelle l'indugio non piacque, e mise il broncio. "Quella donna non può lasciarti stare?" si lamentò.

"Non capita tutti i giorni che tua sorella annunci il proprio fidanzamento con un Lord inglese" disse lui in tono conciliante.

"È ora che anche tu ti sposi" rispose Estelle, che già si vedeva nell'atto di incedere lungo la navata centrale della chiesa. Tim, dal canto suo, non era contrario. A quasi trent'anni ne aveva abbastanza della vita di scapolo.

Estelle, inoltre, non era una preda disprezzabile dal suo punto di vista — sconvolgente a letto, divertente alle feste, buona bevitrice di birra. Ma Tim aveva cominciato a interessarsi a lei essenzialmente per via del denaro di suo padre. Ricco proprietario di immobili che operava ai margini dell'Organizzazione, Larry Maguire era stato condannato da una corte federale per reati di truffa a mezzo corrispondenza, condanna riguardo alla quale in appello erano stati espressi due sì e un no, e il giudizio del padre di Tim era stato decisivo. Maguire scontò sei mesi, poi venne rilasciato sulla parola e se ne tornò a casa con una bella abbronzatura.

Entrambi i genitori di Tim aborrivano i Maguire, che consideravano chiassosi, volgari e corrotti. Ma erano anche ricchi. Estelle era architetto, aveva il proprio studio e una clientela, e quantunque i suoi progetti ricordassero i sinistri castelli infestati dai fantasmi delle vignette di Charles Addams, il denaro e il successo del padre procuravano un flusso continuo di denaro anche a lei.

Non che Tim ne avesse bisogno, in realtà. Recentemente congedato dalla Marina, si era comprato un posto alla Borsa Merci con venticinquemila dollari guadagnati al poker e col contrabbando. In breve tempo si era affermato nel commercio, nonostante qualche difficoltà sorta con alcuni matusa della Borsa.

Tim amava ogni secondo trascorso in Borsa. Se ti coglievano una volta o due, faceva parte del gioco. Era come lavorare tutto il giorno in un casinò.

Non aveva più a che fare coi ragazzi delle parrocchie del centro, come aveva tentato appena lasciato il servizio. In quelle parrocchie i bianchi erano ormai indesiderati, ed egli era ben lontano dal rammaricarsene. Così rivolse la sua attenzione agli ospedali, e prese a inviare ogni quattro mesi grossi assegni all'Oak Park, dov'era nato, al St. Anne, che era vicino alla parrocchia dove aveva abitato con la famiglia e al Mother Cabrini perché, beh, perché era lì che Maria era venuta al mondo.

Non comprendeva che cosa lo spingesse alla beneficenza proprio come non compredeva cosa lo spingesse al gioco d'azzardo. Maria aveva affermato che in lui coesistevano due persone diverse. Bene, sarà stato anche vero. Ma non poteva farci nulla.

Estelle era solo la più recente e duratura delle sue donne. Aveva pensato spesso che avrebbe dovuto star dietro seriamente a Maria quando Hugh si era ritirato. Perché non aveva mai provato?

Dannazione a Hugh, comunque. Ogni volta che si incontravano faceva pressioni perché lui riprendesse la terapia. Non si vedeva che non era il tipo a cui le cure avrebbero potuto giovare?

E così, alla fine, sarebbe stata Estelle. Estelle che cercava di restare incinta perché lui si trovasse costretto a sposarla. Ma non ne aveva bisogno. Lui era comunque intenzionato a sposarla. Ma se era così che lei voleva, era ben lieto di farla contenta.

"Immagino che andrai al matrimonio" disse quando lui tornò a letto.

"Se mi invitano." La rigirò e le diede una pacca sul sedere prosperoso.

Estelle rise con lascivia.

La colpì di nuovo. Più forte.

Per un brevissimo attimo Tim Donlon si rese conto di quanto era solo.

E lo sarebbe stato sempre.

All'una del mattino, ora britannica, quando finalmente il giudice riuscì a farsi strada nel labirinto della rete telefonica d'oltre Atlantico, Marge fu più che divertita nell'apprendere che egli credeva inglese il futuro sposo.

Aspetta che lo conoscano, si disse al termine della telefonata. E ridendo tra sé tornò a dormire.

Marge si era trasferita a Londra cinque anni prima, e si era trovata un lavoro al Playboy Club in Park Lane. Di lì era passata a un tavolo di roulette nell'elegante Clermont Club in Berkeley Square, di proprietà di Hugh Hefner. Infine, nell'affollato casinò arredato in cremisi del secondo piano, il suo ampio décolleté aveva attratto l'attenzione dei clienti quasi quanto le enormi somme di denaro che correvano ad ogni giro della ruota.

Ma aveva anche constatato che il tempo volava, e finalmente si rendeva conto di quanto miserabile Jean Kincaid si fosse sentita. Dopo una certa età non vali un granché per l'impero di Playboy, e l'Est End è pieno di incantevoli donnine sotto i trenta.

Una sera comparve un omone che pareva un orso; era giovane, aveva biondi capelli lunghi e un forte accento irlandese, e continuò a girare intorno al suo tavolo con l'aria di interessarsi più a lei che alle considerevoli somme che stava vincendo.

In seguito una delle ragazze più giovani disse a Marge che quello era Lord Kerry, un Pari angloirlandese che aveva ereditato una fortuna in immobili a Dublino e se n'era fatta da sé una ancor maggiore con un'impresa di costruzioni in Nigeria.

Marge ne rimase sorpresa, perché si era fatta l'idea che fosse di un paio d'anni più giovane di lei e del tutto sprovveduto.

Quando uscì lo trovò ad aspettarla alla porta. Gli disse chiaro e tondo che lei non era in vendita, e se ne tornò all'alloggetto dove abitava da sola.

La sera successiva lui ricomparve. "Solo cena, nient'altro, impegno solenne."

E così fu: cena e al termine una stretta di mano nell'entrata dell'alloggio di Marge, al secondo piano di una casa senza ascensore dove ristagnava l'odor di cavolo e per avere il riscaldamento bisognava infilare la monetina nel contatore. Lui si esprimeva con brontolii cupi che Marge stentava a capire: "Angloirlandese. Chiesa d'Irlanda, naturalmente. Madre cattolica, tuttavia. Cattolico anch'io. Brutto affare. Danno per tutti. Doppia emarginazione. Mancanza totale di radici". Il tutto seguito da un'enorme risata e da un gigantesco sorriso irlandese colmo di affettuosità.

Altra cena e altra stretta di mano. Marge decise che era proprio un tipo attraente e forse l'uomo più in gamba che avesse mai conosciuto.

Dopo la terza cena lo baciò. Lui era tutto confuso e totalmente inesperto.

"Così non va affatto bene" protestò lei. "Qua, lascia che ti insegni come si fa."

Dopo le lezioni lui fu molto più bravo, e lei glielo disse.

"Imparo alla svelta." Era immensamente compiaciuto di sé.

La sera successiva le chiese di sposarlo. "Brava ragazza cattolica. Buona moglie. Mi ci vuole. Ora di sistemarsi. Spero sarai d'accordo."

Marge ne fu estremamente meravigliata e stranamente commossa. Lui era un adorabile, giovane uomo irretito da una parlantina sciolta e da un corpo provocante.

"Non funzionerà, Liam" disse sulla soglia del proprio alloggetto. "Ormai è un'eternità che non faccio più la brava ragazzina. Non che io sia proprio una prostituta, bada bene, ma nemmeno la dolce americanina di origine irlandese come tu sembri pensare."

Liam Wentworth, Lord Kerry, si impossessò di Marge con un abbraccio da orso e dimostrò di saper parlare un inglese grammaticalmente perfetto, quando era necessario.

"Mia cara signorina, io so esattamente chi e che cosa sei, e ho persino un'idea abbastanza precisa dei motivi per cui hai lasciato i tuoi genitori e per parecchi anni ti sei comportata così stupidamente. Ciononostante vorrei che tu fossi mia moglie. So benissimo che sei migliore di come agisci. È chiaro?"

Egli aumentò l'intensità del suo abbraccio, sollevandola dal pavimento mentre le sue labbra cercavano quelle di lei con vigorosa determinazione.

Marge vide il salvagente che le era stato gettato. Era comodo, attraente, comprensivo, un salvagente per cui non si sarebbe potuto fare a meno di provar simpatia. Istintivamente lo afferrò. E nell'atto di afferrarlo, la simpatia si trasformò in amore.

Hugh si trovava nella sagrestia del grigio edificio ottocentesco in stile gotico che era la Cattedrale di Sua Eccellenza il Vescovo di Kerry mentre una violenta pioggia irlandese batteva contro i vetri colorati delle finestre.

Un matrimonio dopo due settimane di fidanzamento. Il suo strano, affascinante cognato non perdeva tempo.

Dopo aver persuaso Peggy che Kerry era in Irlanda, rammentandole le danze di Kerry (già, come ho fatto a non pensarci?) e dopo che il marito le ebbe assicurato che Liam stava per l'irlandese-normanno Guillaume ("Bill, mia cara, nulla di più"), lei fu disposta a concedere al futuro genero il beneficio del dubbio ("se sei certo che è cattolico"). Liam la conquistò senza riserve al primo incontro.

"Ora so perché la ragazza è così bella. Non è da meno della madre. Seccata se ti bacio?"

Peggy non ne fu affatto seccata.

La trasformazione avvenuta in Marge era strabiliante. Senza la minima ammissione di essere mai stata in vita sua qualcosa di diverso da una pia e devota cattolica, per la cerimonia che doveva svolgersi nella cattedrale di Killarney aveva acquistato un abito bianco del valore di un migliaio di dollari.

Era ovvio che avrebbe officiato Hugh. "Inaccettabile in ogni altro modo. Cognato. Bravo americano. Il Cardinale può starsene in sagrestia."

Gus Sullivan aveva detto a Hugh che non poteva assentarsi per il matrimonio e lui gli aveva risposto che se voleva protestare presso l'amministratore, ora che il cardinale era morto, non aveva che da andare avanti e farlo.

Il Cardinale Primate di tutta l'Irlanda (da non confondere con l'Arcivescovo di Dublino, non cardinale e solamente Primate d'Irlanda, ma non di tutta) e due vescovi in visita, oltre al vescovo di Kerry, attendevano in sagrestia con Hugh, il quale era arrivato solo la sera prima del matrimonio e non aveva incontrato che un paio degli invitati all'enorme ricevimento nuziale.

La damigella d'onore era la sorella di Liam, una diciottenne dall'aria sognante definita "la poetessa", che pareva una tragica eroina di un film di Abbey Players e beveva John Jameson come un camionista.

Fra le amiche che assistevano la sposa la prima ad affacciarsi alla navata — splendida in un leggero vestito verde, capelli biondi lunghi — non era una poetessa. Era piuttosto una contessa in incognito.

"Maria!" esclamò Hugh mentre lei si inchinava all'altare e poi, con aria vagamente beffarda, a lui.

"Già partiti in ritardo" bisbigliò lei sorridendo.

Le mani di Hugh tremarono durante la cerimonia, e non perché l'evidente nervosismo di Liam e di Marge lo avesse contagiato.

Durante il sermone si sforzò di non guardare Maria.

"Il perdono è l'essenza dell'amore. Amare è perdonare, perdonare è amare. Liam e Margaret dovranno spesso perdonarsi l'un l'altro negli anni che trascorreranno assieme. Ogni volta che lo faranno il loro amore crescerà, e la loro consapevolezza dell'amore compassionevole di Dio si farà più profonda. Essi si insegneranno a vicenda quanto Dio ci ama. Essi rappresenteranno l'uno per l'altro il sacramento dell'amore di Dio."

"Ottimo!" bofonchiò Liam.

E più tardi aggiunse: "È stata una bella omelia, Hugh; ci vorrebbe qualcuno come te per il sermone televisivo".

Nessuno, in famiglia, riusciva a capire lo schema linguistico di Liam, il quale si esprimeva talvolta a monosillabi e talvolta con frasi complete. In risposta alla domanda di Hugh, Marge assicurò che per lei non faceva alcuna differenza.

Durante il banchetto che si svolse al Great Southern Hotel di Killarney Hugh sedette alla tavola degli sposi accanto a Maria, domandandosi scioccamente se rinfrescare la loro conoscenza non sarebbe stato imbarazzante.

Il matrimonio, la maternità, gli spostamenti per il mondo e i corsi di amministrazione non avevano cambiato Maria, che continuava a essere talvolta contessa, talvolta cameriera.

Dopo cinque secondi chiacchieravano come se negli ultimi dieci anni si fossero visti regolarmente ogni sabato.

"E così eravamo a Londra diretti verso la nuova destinazione di Steve — l'hai trovato simpatico, Hugh? Non è tanto caro? — e mi son detta devo andare a vedere la mia amica Marge, che probabilmente starà morendo di fame in una soffitta. La troviamo con questa specie di enorme vichingo, alabarda e tutto, e lei dice che si sposa fra due giorni e mi invita al matrimonio. Bene, questo vichingo ordina ai suoi folletti di tessermi un abito — non ti pare che il colore si accordi bene coi miei occhi, Hugh? — ed eccomi qui."

"E siete diretti in Spagna?"

"Esatto. La banca mi ha concesso una licenza e mi troverò qualche altro posto in cui frequentare l'ultimo corso di contabilità. Hai mai studiato contabilità? I preti dovrebbero. Ti interessa sapere come ho incontrato Steven?"

"Non ho scelta ma, sì, m'interessa."

In un certo senso i Donlon erano stati responsabili di Steven. Se non avesse discusso con loro l'idea del college, non si sarebbe iscritta alla scuola serale e di conseguenza non le avrebbero offerto un appuntamento alla cieca per un ballo estivo a Lake Forest.

A Loyola aveva l'abitudine di andare a prendere il caffè con una ragazza di Manhattanville che si chiamava Joan Cardin. Joan aveva insistito perché partecipasse a un ballo del circolo sportivo con un "simpatico ragazzo cattolico che è in Marina, tranquillo ma in gamba".

Bene, il ragazzo era in gamba e aveva begli occhi e non molto da dire, il che le era andato benissimo perché, in soggezione com'era in un circolo sportivo, si sentiva di chiacchierare ancora più del solito.

In giardino lui l'aveva baciata, cosa che lei riteneva facesse parte della routine del circolo. Era un giovane maschio pieno di salute che aveva bisogno di una donna. Sorpresa, Maria scoprì di essere una giovane femmina piena di salute che aveva bisogno di un uomo.

Per gran parte del resto della serata avevano riso. Poi Maria l'aveva allontanato dai suoi pensieri. Ragazzo simpatico, baciava bene, ma niente di più.

Da allora la bottega di calzolaio aveva cominciato a essere sommersa da lettere e interurbane da Norfolk, in Virginia, e Maria fu virtualmente costretta ad andare a Charleston a conoscere mamma, nonna e torme di sorelle, fratelli, cugini, zii e zie, tutti quanti un po' fuori del comune.

I McLain, risultò, erano d'origine irlandese, scozzese, francese e, in parte, indiana (fatto di cui erano insolitamente orgogliosi) nonché ferventi cattolici. Con lei erano stati educati e gentili, e avevano fatto del loro meglio per dissimulare lo scetticismo. Lei aveva tenuto testa raccontando loro strane storie sui suoi parenti mafiosi. Dopo due giorni si erano resi conto che li stava prendendo in giro e l'avevano entusiasticamente accettata come membro della famiglia.

Era tornata a casa con la certezza assoluta che avrebbe rimandato ogni decisione di almeno un anno.

Sei settimane dopo si sposavano a St. Ursula. Il celebrante, Monsignor "Muggsy" Brannigan.

"E questo è tutto." Maria sorrise a Hugh attraverso la coppa di champagne. "Ti fa effetto?"

"Sono contento che tu sia felice, Maria" disse lui.

"Bella omelia, oggi" osservò lei ignorando la sua risposta stereotipata.

"Grazie." Hugh arrossì violentemente.

"E tu non credi una parola di ciò che hai detto."

"Prego?"

Gli occhi di Maria erano freddi e calcolatori. "Tu ritieni che Dio perdoni tutti ad eccezione dei Donlon. Per voi c'è un diverso insieme di regole. Beh, forse potrà perdonare Marge e il povero Tim. Ma non può perdonare Hugh Donlon; lui, l'amore di Dio deve guadagnarselo."

Si voltò verso il vescovo di Kerry, che sedeva accanto a lei dall'altra parte, e ignorò Hugh per il resto del pranzo.

"Sei arrabbiata con me, non è vero?" lui le domandò dopo che il fratello più giovane di Liam, Brendan, ebbe proposto un brindisi in gaelico.

"Esasperata." Gli toccò la mano. "Hugh Thomas Donlon, in te c'è tanta bontà, forza e amore quant'acqua nella Baia di Dingle... beh, non ho ancora visto la Baia di Dingle... tutto l'amore e la fede in Dio di cui hai parlato in quella bellissima omelia." I suoi occhi alla Rembrandt erano pieni di lacrime. "E li hai sepolti sotto una montagna di regole..."

"Dovrei contravvenire alle regole?" domandò lui irritato.

"Dio ci assista se mai lo facessi. Tu sai bene cosa intendo, e ciò non ha niente a che fare con le regole.

"No, non lo so" insisté lui.

"Continui a far vela sulla *Pegeen*?" Di nuovo gli sfiorò rapidamente la mano, questa volta in segno di speranza.

Lui si affrettò a richiudere la porta.

"Era troppo costosa. L'ho venduta e ho comprato una nuova serie di mazze da golf."

Tipico dei Donlon.

Distolse lo sguardo da lui proprio come aveva fatto sul prato dopo avergli detto quanto lo trovava bello.

Dopo che gli sposi se ne furono andati Maria si assunse il compito di animare la festa: imparò i balli tradizionali dei cugini irlandesi, cantò col vescovo un'interminabile ballata in cui si supplicava una certa Paddy Reilly di tornare a Ballyjamesduff, versò champagne a chiunque ne volesse e addirittura danzò sotto la pioggia che si era rovesciata su Killarney per tutto il giorno.

Steve McLain, chiaramente in adorazione, disse a Hugh: "Ci credi che il vescovo le ha domandato da quale contea d'Irlanda proviene la sua famiglia, e lei gli ha risposto Contea di Palermo, e lui ha pensato che lei stesse scherzando?".

"Anche a me, come a te, Steve, Maria riuscirebbe a far credere qualsiasi cosa."

Il giudice li raggiunse qualche minuto dopo. "Hugh," si mise a parlare in tono espansivo "non hai la sensazione che siamo arrivati al lieto fine?"

"Te l'avevo detto che tutto si sarebbe risolto."

"Sì, l'avevi proprio detto. Ma non avevi promesso che ci sarebbe stata lei in persona a divertirci."

"Lei in persona", coi biondi capelli incollati alla testa e il vestito incollato al corpo, andandosene baciò Hugh sulla guancia. "Vieni a trovarci in Spagna."

"Vieni davvero" incalzò Steven.

"Verrò" mentì Hugh.

Sull'Aer Lingus 707 di ritorno a Chicago, Tim confidò a Hugh che quanto prima vi sarebbe stato un altro matrimonio. Infatti estelle era incinta.

Capitolo XII

1965

Nell'anno successivo ai due matrimoni Suor Elizabeth Ann espanse il proprio impero fino a includere gli adolescenti della parrocchia, un esperimento rischioso che la esponeva ancor maggiormente alla collera dello psicopatico Gus Sullivan. Una sera d'estate Hugh comparve al ballo del circolo studentesco allestito nel salone, animato da una mezza speranza di poter evitare qualche guaio che il responsabile dell'organizzazione avrebbe potuto riferire al Monsignore in vacanza.

La suora era al centro dell'attenzione. Non si ballava, naturalmente. Il "circolo" era in realtà un punto d'incontro all'interno della parrocchia. Lakeridge, il quartiere di St. Jarlath, non vedeva di buon occhio i ritrovi per adolescenti, e così i ragazzi troppo giovani per avere un'auto gravitavano intorno alla chiesa — beninteso, quando Monsignore non era in città.

Poiché al "ballo" non potevano ballare, Elizabeth Ann aveva deciso che avrebbero dovuto cantare. All'inizio la "suora con la chitarra" aveva attratto solo le ragazze, e fra queste soltanto le più giovani. Ma il suo canto era così puro e la sua risata così attraente che ora le sciamavano attorno appena metteva piede nel salone. E comparivano anche i ragazzi più grandi — forse, supponeva Hugh, perché anche loro, come Lloyd Kilbride, ne apprezzavano le attrattive.

Hugh, che amava gli adolescenti e riusciva a stabilire un buon rapporto con loro, era un po' rattristato dal fatto che lo avessero abbandonato per una donna graziosa con la voce musicale. Ma osservandola dirigere il coro dei giovani in "Cumbayah" rimase inchiodato dal fascino dei movimenti ritimici del suo corpo, ancor più irresistibili in quanto lei ne era del tutto inconsapevole.

Era bene che non ci fosse in giro Monsignor Sullivan. Hugh si riteneva un uomo pressoché incapace di odiare altri esseri umani. Tuttavia gli era facile odiare Augustine Ambrose Aquinas Sullivan — Triplo A per il resto della diocesi.

Gus Sullivan era stato assegnato a St. Jarlath quando la parrocchia consisteva in una manciata di grandi case che si affacciavano sul lago lungo Sheridan Road e in alcuni isolati di alloggi per le persone di servizio che si estendevano verso l'entroterra dell'Illinois settentrionale. Dopo la guerra Lakeridge si era rapidamente esteso; ai molto ricchi di Sheridan Road si era aggiunti i benestanti che abitavano le strade curve e alberate fra le linee ferroviarie dirette verso Nordovest e la veloce autostrada di Eden: in chiesa, ai presidenti di società si aggiunsero agenti di cambio, medici, avvocati, vicepresidenti e commercianti.

In pochi anni le offerte in denaro a St. Jarlath si erano quintuplicate e Gus Sullivan vantava questo successo come segno del suo acume finanziario, giudizio che la Chiesa aveva avvalorato conferendogli la porpora di Monsignore. Infaticabile pianificatore anche dopo aver ricevuto la porpora, egli aveva ampliato la propria rete di amicizie personali fino a includere i più abbienti del vicinato, e lasciando il resto della parrocchia ai coadiutori.

Diversamente dai suoi predecessori, che si tenevano accuratamente informati sulle attività dei loro giovani assistenti, Sullivan si disinteressava completamente dell'operato di Hugh il quale, per quanto gli importava, avrebbe potuto avere accanto a sé anche cinque amanti, a patto che la pace del parroco non fosse turbata.

Monsignor Sullivan affrontava il mondo provvisto di un certo numero di sicurezze.

Il denaro era importante. Le entrate costanti della chiesa dimostravano che egli era un buon parroco. Inoltre, i parrocchiani più abbienti erano i più vicini a Dio. Di conseguenza, il parroco doveva essere più vicino a loro.

L'autorità era importante. Egli possedeva un'autorità che condivideva col Papa e col cardinale. Di conseguenza aveva sempre ragione, poiché poteva contare sull'appoggio di entrambi.

Il sesso era importante — essendo il peggiore di tutti i peccati e la peggiore di tutte le minacce alla salvezza della sua gente, specialmente per quelli che non erano ricchi quanto i suoi amici. Di conseguenza, si doveva fare di tutto per impedire ogni discussione al riguardo in parrocchia. "Se ne parlano meno, Padre," assicurò una volta a Hugh, "lo faranno meno."

Infine, la sua pace era importante. I parroci dovevano essere protetti per quei momenti critici in cui operano le scelte decisive che imprimono una fisionomia al futuro, come la costruzione di una nuova scuola parrocchiale di dodici locali. Quella decisione era stata presa nel 1947. A quanto Hugh poteva vedere, per Sullivan era stata l'ultima, e aveva comportato un rischio più o meno pari all'acquisto di un dozzina di arance. Tuttavia, la sua pace e la sua salute dovevano essere protette ad ogni costo affinché non si trovasse impreparato nel caso in cui si presentasse un'altra crisi del genere.

Da quest'ultima premessa scaturivano due conclusioni: primo, il parroco prende più vacanze che può per amministrare bene le proprie risorse — Palm Springs per i due mesi invernali (ordinariamente durante il fastidioso periodo della Quaresima) e Eagle River per i due mesi estivi (coi suoi ricchi amici che provvedevano ai conti); e, secondo, i coadiutori fanno tutto il lavoro. Ciò appagava il suo senso della correttezza. Lui si occupava di pensare e gli altri si occupavano del lavoro.

Kilbride non era di alcuna utilità, anzi peggiorava le cose perché Hugh doveva fare in modo di nascondere le sue ubriacature, uno sforzo di cui sentiva l'inutilità, ma che tuttavia era richiesto per lealtà verso il sacerdozio.

Così era Hugh a fare tutto il lavoro.

Non che lavorare gli desse fastidio. Egli amava il lavoro in parrocchia e lo faceva bene. Chiamate al capezzale dei malati al mattino presto, i vecchi visi affaticati che gli sorridevano quando entrava nella stanza; visite alle scuole medie, per ridere e scherzare coi ragazzini svegli dagli occhi vivaci; chiamate dall'ospedale, per portare un po' di luce agli ansiosi e ai depressi; informazioni alle giovani coppie prima del matrimonio, condividendo la loro gioia di scoprire che la Chiesa poteva influire tutt'altro che negativamente; opera di riconciliazione di amanti più anziani, stanchi e stufi ma ancora innamorati, pur senza saperlo; tifo alle partite di calcio e pallavolo delle scuole medie, e l'impegno di dimostrare a dinoccolati, taciturni adolescenti che nella pallacanestro lui era sempre più bravo di loro; aggiornamento degli adulti sulla nuova Chiesa postconciliare, adulti ansiosi di capire e di mettere in pratica; aiuto a uomini d'affari e professionisti perché venissero a capo degli ardui problemi etici che dovevano affrontare nel loro lavoro. Messa, sermoni, estreme unzioni, veglie funebri, funerali — Hugh amava tutto questo.

Ma l'attività e i riconoscimenti non erano sufficienti a soddisfarlo. Era inquieto, insoddisfatto, spesso solo. E questo non avrebbe dovuto verificarsi. Lavorava troppo, non pregava abbastanza, non controllava né le proprie fantasticherie né i propri occhi vergognosamente inclini al voyeurismo. Le donne della parrocchia erano prevalentemente più vecchie di lui, ma egli le trovava furiosamente attraenti così riservate, ben curate, artificiosamente giovanili, sicure di sé com'erano.

Tuttavia non considerava più il celibato un grave problema della propria vita. A cose dette e fatte, il problema più penoso non era sapere dove finivano le sue colpe e dove cominciavano quelle di Sullivan. E poi, il problema era proprio Sullivan o ce n'era un altro più profondo, dentro di lui?

Sarebbe stato prete per tutta la vita, e ora la risposta non consisteva in un incarico da qualche altra parte, ma in quello che già aveva a St. Jarlath, dove era lui a occuparsi di tutto e ad assumersi tutte le responsabilità senza avere la minima autorità per farvi fronte.

Ciò dava origine a continui problemi. Secondo la tipica routine di St. Jarlath, il parroco gli ordinava di intraprendere una nuova attività, come ad esempio un programma di incontri sportivi fra scuole medie — ordinariamente perché uno dei suoi ricchi amici intimi si era lamentato che "i preti giovani non stanno facendo nulla per i ragazzi" — dopo di che lui riusciva a fare quanto gli avevano richiesto perché le risorse organizzative ed economiche della parrocchia assicuravano quasi sempre il successo di questi programmi; a questo punto, certo com'era certo che ogni mattina il sole si sarebbe levato sul lago Michigan, al confine orientale di St. Jarlath, il parroco avrebbe scoperto che una delle sue precondizioni fondamentali era stata violata — il progetto sarebbe costato troppo, o si sarebbe potuto trasformare in una minaccia all'autorità, o avrebbe avuto qualche implicazione sessuale, o avrebbe disturbato la sua pace.

Era compito di Hugh portare a conoscenza dei parrocchiani questi giudizi definitivi e arbitrari, difendendo come meglio poteva le idee balzane del suo irragionevole parroco. E non gli sfuggiva l'espressione di disprezzo che ribolliva negli occhi dei parrocchiani. Tuttavia il principio di lealtà verso il suo superiore, "il rappresentante di Dio presso di te", appreso in seminario gli imponeva di non criticare Gus con i membri della parrocchia.

Tutto quanto poteva dire era che forse l'anno successivo o quello dopo ancora il programma avrebbe potuto essere riesumato.

"Quando i miei ragazzi avranno già finito le medie" disse in una di queste occasioni il presidente del Circolo Sportivo Studentesco di St. Jarlath. "Lei non ha palle, Padre; lei è un mezzemaniche, un fantoccio attraverso il quale Monsignore fa sentire la sua voce. Un uomo come lei non concluderebbe un accidenti nel mio mondo."

"Tutti abbiamo un capo, signor Ryan" rispose lui stringendo i pugni.

"Non io" lo schernì Ryan.

Ryan aveva ragione e Hugh lo sapeva; sapeva di essere un impiegatuccio, un galoppino, un tirapiedi, un uomo cui non era permesso avere ormoni in una comunità in cui gli ormoni contavano moltissimo. Non avere una donna era forse comprensibile, ma non essere padrone di sé era imperdonabile.

Sullivan, inoltre, non si limitava ad essere dispotico e imprevedibile; era anche insensibile e crudele. Quando un ufficiale dell'esercito appartenente alla parrocchia venne ucciso in Vietnam, la moglie e i genitori chiesero che la Messa fosse officiata da un compagno di scuola che insegnava al Boston College, e Triplo A negò il permesso. Era una sua ferrea regola che solo i preti della parrocchia officiassero a matrimoni, funerali e battesimi. I Gesuiti potevano tornare utili come aiuto domenicale, ma non si poteva essere certi che in occasione di un funerale avrebbero detto ciò che andava detto. Hugh fu incaricato di recare la decisione del parroco alla giovane vedova. "Sarà Padre Kilbride a dire la Messa."

E Padre Kilbride la disse. Il suo sermone fu un balbettio indistinto e l'idiota non aveva nemmeno presente la guerra giusta.

"Non metterò mai più piede in una chiesa cattolica" fu la risposta della vedova alle scuse formulate da Hugh accanto alla tomba.

Un altro dei decreti emanati da Sullivan fu che non si sarebbero più celebrati matrimoni misti — specialmente con ebrei. Hugh si trovò costretto a dire a giovani che erano sempre vissuti entro St. Jarlath di andare altrove, a meno che non facessero parte della cricca del parroco, nel qual caso il matrimonio veniva celebrato senza discutere indipendentemente da quanto problematico potesse presentarsi.

Gus Sullivan era un insensibile perché ogni altro approccio al mondo lo avrebbe rivelato per quello stupido incompetente che era, e a un certo livello della sua personalità incline alla politica dello struzzo egli ne era consapevole. Questo fu il motivo per cui finì per perseguitare Suor Elizabeth Ann, perché temeva che se non fosse riuscito a metterla in difficoltà, lei avrebbe messo in difficoltà lui.

La maggior parte dei parrocchiani con cui Hugh parlava si lamentava aspramente di Gus. Alcuni giunsero a scrivere lettere di protesta alla cancelleria. Ma il rispetto per la guida spirituale era così profondamente radicato nei cattolici che non era ancora stata condotta contro di lui nessuna campagna organizzata, né richiesto un confronto diretto.

Inoltre, molti erano soddisfattissimi del vecchio Gus. Monsignore, avrebbero devotamente affermato, aveva fatto un così buon lavoro a St. Jarlath come se un orango non avesse potuto fare altrettanto.

"Se mai ci fosse un referendum," aveva detto Lloyd Kilbride in uno dei rari momenti in cui era completamente sobrio "quel bastardo vincerebbe senza colpo ferire." Vi erano alcuni parrocchiani che appoggiavano Hugh con lealtà, benché questi fosse ancor meno disposto di loro a dar battaglia. L'appoggio maggiore gli veniva da Benedict Fowler, un commerciante milionario che non aveva penetrato la cerchia dei più intimi amici del parroco, anche solo perché questi non si era tenuto aggiornato sulla distribuzione della ricchezza nella sua parrocchia. Intorno ai quarantacinque, Fowler pareva lo stereotipo del calzolaio irlandese del quartiere — ovvero ciò che era stato suo padre. Grosso e burbero, ma provvisto di un largo sorriso simpatico, di parlantina sciolta e di un sigaro costantemente stretto fra i denti, aveva una capacità di manovrare la folla pari a quella di Dick Daley. Quando si muoveva ridendo fra un gruppo di persone anche quelli ridevano, a meno che non capitasse loro di notare che i suoi duri occhi marrone non ridevano mai.

Ben si era sposato un po' tardi. Helen Fowler era di almeno dieci anni più giovane di lui e, per consenso pressoché unanime, era la più bella donna della parrocchia. "Quel culo è un autentico capolavoro". Padre Kilbride aveva commentato con ammirazione. Un tantino più bassa della media, coi soffici capelli biondo-miele, la delicata carnagione chiara e il corpo di un'odalisca dell'Ottocento, Helen era davvero spettacolare.

Ogni volta che compariva a una riunione, con o senza il marito, gli uomini si facevano attenti e le donne inquiete. Disgraziatamente, "penso che i giovani meritino il nostro appoggio" era il massimo contributo intellettuale che sembrava in grado di produrre alle riunioni del comitato parrocchiale. L'impassibile viso misterioso che lasciava immaginare segrete capacità interiori, in realtà non aveva proprio nulla da nascondere. Per quanto Ben sembrasse avere una certa considerazione e un certo garbo verso di lei, spesso agiva come se ne ignorasse completamente l'esistenza. E sua figlia Linda, una ragazzina piena di rancori, ma prematuramente sexy e precocemente intelligente che frequentava l'ultimo anno delle medie, era palesemente seccata dall'interesse di sua madre per la St. Jarlath School.

La primavera successiva a quando Helen aveva incominciato a interessarsi della scuola, una domenica pomeriggio, Hugh venne invitato a casa Fowler a un gigantesco garden party che si sarebbe concluso con una cena da seduti — baldacchini allestiti in giardino per riparare i cinquecento ospiti, due orchestre, cibi preparati da uno dei migliori ristoranti francesi di Chicago. Gli argenti brillavano, le stoffe rilucevano, il vino scorreva a fiumi. Le signore in abito scollato chiacchieravano senza sosta mentre i loro uomini, prevalentemente grassocci, lanciavano qua e là sguardi ammirati.

"Con ciò che ha guadagnato in settimana sui semi di soia," osservò un invitato "non si accorgerà nemmeno della stangata di oggi."

Al roast beef Ben si rivolse a Hugh a quattr'occhi sporgendosi attraverso la tavola, col suo sorriso simpatico e l'Avana puzzolente che sfidava l'aria fresca della giornata.

"Come va, Padre? Sono contento che tu sia venuto. Non ho invitato il vecchio — non voglio quel tipo qui intorno. Come te la cavi con lui?"

"È il parroco, Ben."

"Sempre fedele, eh? È quello che ammiro in te. Autentica disciplina irlandese." Tossì violentemente e si asciugò la bocca col fazzoletto. "Guarda, per le otto sarà tutto finito. Qualcuno tornerà verso le nove per una nuotata. Perché non vai a prenderti i calzoncini da bagno e poi ci raggiungi? A più tardi, Padre."

Solitamente Hugh evitava le riunioni fra intimi. Ma per due settimane di seguito era mancato all'appuntamento sul campo di golf con Jack Howard e Pat Cleary, e aveva bisogno almeno della nuotata.

Così tornò e trovò un gruppo di quattro coppie in accappatoio ai bordi della piscina.

Solo Helen Fowler era in acqua, e scivolava silenziosa con lente, accurate bracciate. In acqua non appariva minimamente a disagio. Hugh lasciò cadere l'asciugamano su una sedia e si tuffò con entusiasmo accanto a lei.

"Buona sera, Padre" disse lei con voce sommessa.

"Buona sera, Helen."

L'argomento di conversazione al bordo della piscina era, come Hugh aveva temuto, Monsignor Augustine Ambrose Aquinas Sullivan. Al Downs, un penalista con studio al Loop che all'occasione sparava a zero, stava appunto terminando l'arringa dell'accusa.

"Che ne dici, Padre?" Al si appoggiò allo schienale della sedia a sdraio con aria compiaciuta. "Lo condanniamo?"

Helen uscì dalla piscina seguita da Hugh, in subbuglio per la vicinanza della sua bellezza statuaria. "Io non sono la giuria, Al," rispose lui sedendosi "e la Chiesa non processa i parroci."

"Come fa a sopportarlo, Padre?" domandò una donna dai capelli rossi prossima alla quarantina, moglie di un medico in vista, la quale — per quanto Hugh poteva ricordare — non diceva mai una parola.

"Se va avanti ancora un po'" — Al si avvicinava sempre più a una condanna a morte — "dovremo inviare una protesta formale al nuovo cardinale. Sarai dalla nostra parte?"

"Non penso che gioverà" disse Hugh evasivo. Helen si protese verso di lui con un enorme bicchiere di rum e acqua tonica. Il suo profumo continuò ad aleggiare attorno a Hugh solleticandolo deliziosamente con la sua sensualità.

"Non pensi che il cardinale costringerà i parroci a ritirarsi a settant'anni?" Ben agitò il sigaro. "L'hanno sentito alcuni dei ragazzi giù alla Borsa."

Hugh si sentiva sempre più a disagio. Riuscì a dire: "Spero che tu acquisti e venda i tuoi semi di soia in base a informazioni migliori di questa".

Vi fu una risata generale; persino Helen abbozzò un sorriso attraverso l'alone di fumo di sigaretta.

Hugh si alzò. "Ed ora, se volete scusarmi, penso che dovrei tornare al sermone di domani." Si voltò verso Helen e la ringraziò.

"Devi tornare, Padre" gli disse Ben Fowler mentre si congedava. "La piscina è qui e sarebbe bene che qualcun altro, oltre a noi, la usasse."

Quando Hugh tornò al salone della scuola il "trattenimento danzante" era alla fine e Suor Elizabeth Ann e i suoi beniamini stavano spazzando via i resti e raccogliendo le bottiglie di Coca.

"All'Istituto è venuto fuori un problema di cui vorrei discutere con lei" cominciò improvvisamente la suora, tenendo gli occhi bassi con modestia. "Alcune delle Sorelle ritengono un'ingiustizia che non ci sia permesso di dare del tu ai preti. Lei è d'accordo?"

"In teoria, potrei anche essere d'accordo, Sorella. Ma in questa parrocchia abbiamo abbastanza guai così come stanno le cose, senza provocare il parroco e i conservatori su questioni relativamente poco importanti."

"In privato?" domandò lei.

"Correndo il rischio di lasciarselo sfuggire in pubblico?"

"Ha ragione, naturalmente" disse lei sorridendo con calore.

"Grazie, Sorella." Lui si mise a ridere e anche lei rise.

Poi lui si avviò verso la canonica e lei attraversò il prato diretta al convento.

In camera sua Hugh spense il condizionatore e aprì la finestra, poiché detestava la sensazione di essere al chiuso. Era intrappolato, sprofondato nelle sabbie mobili di St. Jarlath nello stesso modo in cui l'America sembrava sprofondare nelle sabbie mobili del Vietnam.

Accese la radio e poi la spense. "A Hard Day's Night" su tutte le stazioni. Non c'era televisione nella sua camera, e non aveva voglia di percorrere il corridoio dell'edificio vuoto per raggiungere la stanza della televisione. Come aveva detto, avrebbe dovuto lavorare al sermone dell'indomani, che era ancora solo a metà.

Prese *The Green Berets* di Robin Moore, ne lesse alcune pagine e lo gettò da parte. Nessuna idea per il sermone in quel libro.

Compose le prime cifre del numero telefonico dei Fowler e poi riagganciò.

Doveva parlare con qualcuno o sarebbe impazzito.

Chiamò il convento e chiese di Suor Elizabeth Ann.

"Sì, Padre" rispose la voce discreta, quantunque Hugh non avesse detto il proprio nome.

"Ho bisogno di parlarle riguardo alla liturgia, Sorella."

Suor Elizabeth venne all'apparecchio.

"Ciao, Liz, sono Hugh. Mi dispiace di essere stato così pedante su quella faccenda di darsi del tu."

La risata cordiale e felice di lei lenì la sua angoscia.

"Sei impossibile" gli rispose in tono affettuoso.

Capitolo XIII

1965

Hugh e Suor Elizabeth Am consumarono un abbondante pasto che avrebbe fatto da prima e seconda colazione dopo la Messa delle dieci, durante la quale le allieve di sesta avevano cantato "La mia anima agogna al Signore" con tale trasporto che la congregazione dei fedeli si era spontaneamente unita a loro. Alla porta della chiesa molti parrocchiani si complimentarono con Hugh; sfortunatamente, era chiaro che altri e più "importanti" si sarebbero lamentati presso il parroco perché egli non si era fatto vedere a Eagle River.

Era una ferrea legge della riforma cattolica: chi approvava parlava ai coadiutori; chi disapprovava si lamentava col parroco.

Tuttavia tutti i trionfi, anche quelli modesti ed effimeri, erano fatti per essere assaporati. E così lui e Liz stavano assaporando il loro nella cucina della canonica.

Erano completamente soli. La cuoca e la governante erano al servizio personale di Monsignor Sullivan e quando lui andava in vacanza loro avevano un congedo pagato. Lloyd Kilbride era tornato alla Guest House, un centro di ricupero per preti alcolizzati. Quanto a Hugh, si riteneva che dovesse arrangiarsi da sé.

Liz preparò uova al bacon e fece scongelare un dolce al caffè tolto dal freezer. Hugh involò una bottiglia del miglior *sauternes* dalla cantina privata del parroco, della quale aveva fatto una copia della chiave qualche anno prima. Ovviamente, il vino veniva acquistato col denaro della parrocchia, per cui sembrava semplicemente giusto, opinò Hugh, che fosse goduto anche dai coadiutori, oltre che dal parroco e dai suoi amici.

"A Gelineau e alle coriste della sesta" brindò Hugh.

"E che possano tener duro per un altro anno" brindò Liz in risposta.

Era una donna estremamente carina, lui si rese conto; niente trucco, gonna e camicetta molto semplici, sorriso semplice, bellezza semplice. Dolce, fragile, deliziosa.

"Continuo a dirmi che questo posto rappresenta un'eccellente occasione per liberare anime del purgatorio" intervenne lui con aria truce.

Liz arrossì leggermente. "Oh, Padre... voglio dire Hugh..." Ancora più rossa e ancora più carina. "Detesto disingannarti. Le anime del purgatorio sono *superate*."

"Davvero? È un inconveniente. Che diciamo ai bambini seduti sulla poltrona del dentista quando il trapano comincia a lavorare... o alla gente che muore di cancro?"

Hugh risentiva la perdita delle anime del purgatorio. Erano utili per le prediche e per gli insegnamenti sulla sofferenza.

"Si dirà agli uni e agli altri" — sorrise lei al disopra della tazza di caffè — "che spiritualizzando le proprie sofferenze essi fanno ciò che fece Gesù morendo sulla croce; si purificano e fanno propria la sofferenza altrui. Questa è una verità psicologica di valore assoluto, sai, e li libera dal fardello di narrazioni mitiche su luoghi immaginari come il purgatorio."

"Uh uh, e che mi dici del paradiso?"

Per un attimo Liz si agitò sulla sedia, e in quel mentre i suoi seni premettero contro la camicetta stirata di fresco. In quell'istante di rivelazione, più disastroso per Hugh che se la camicetta non ci fosse stata nemmeno, egli sentì che fede e virtù lo abbandonavano.

Liz agitò una mano e rise. "Si vive dopo la morte, forse immersi nello spirito divino. Non ha importanza. Ciò che importa è che cerchiamo di fare del nostro meglio per realizzare il regno di Dio sulla terra operando per la giustizia sociale."

Hugh trangugiò il vino delicatamente dolce sperando che lo avrebbe distratto.

"Immerso nello spirito divino, continuerò a essere me stesso?" Malgrado l'adorabile Liz e il delizioso vino bianco Hugh era sgomento; gli stavano togliendo la sua religione.

E il vino, contrariamente a quanto aveva sperato, lo aveva reso ancora più conscio della delicata dolcezza di lei.

Liz sorrise deliziosamente e gli riempì di nuovo il bicchiere. "Non pensi, *Padre* Donlon, che questa sia una preoccupazione egoistica? Sei disposto a lasciare che Dio provveda alla tua vita eterna?"

"Penso di no" disse lui cupamente. "Voglio essere me stesso."

È così che si sente un violentatore prima di aggredire una donna? Vuotò rapidamente il bicchiere e se ne versò un altro.

"Io voglio essere ciò che Dio vuole" affermò lei con la stessa reverenza con cui Suor Cunnegunda avrebbe lodato la devozione all'Addolorata. La sostanza del concetto di devozione sarebbe forse potuta cambiare, ma non lo stile — idee semplici, formulate con frasi incisive e predicate con intensa convinzione. Tuttavia non c'era dubbio che lei conosceva il pensiero odierno della Chiesa molto meglio di lui.

Più tardi, nella sua stanza, Hugh decise che avrebbe dovuto interpellare Monsignor Martin, il nuovo rettore del seminario, sulla religione di Suor Elizabeth Ann. Ciò che lei aveva detto lo aveva realmente messo sottosopra, quantunque il pensiero di Xav Martin avesse pietosamente esorcizzato la sua tentazione.

Xav avrebbe detto, "tipica teologia semplicistica da corso estivo. Ti darò un elenco di libri da leggere, Hugh, così potrai immunizzarti dalle ciance di questo genere".

Sfortunatamente, a St. Jarlath non c'era tempo per la lettura.

Hugh volse l'attenzione alla posta che da due mesi si accumulava sulla sua scrivania.

La posta era come un esame retrospettivo del suo sacerdozio. Innanzitutto, richieste di certificati della Prima Comunione: alcuni dannati stupidi dell'Est erano così ossessivi che non avrebbero celebrato il matrimonio di giovani parrocchiani senza la certezza che avessero fatto la Prima Comunione, una pretesa che andava ben oltre il codice di diritto canonico. Secondo, matrimoni da riportare sui registri dei battesimi. Terzo, registrazione degli assegni offerti per le Messe e, quarto, aggiornamento del bollettino dei contributi finanziari dei privati spedito annualmente dalla parrocchia. Era tutto lavoro di segreteria che avrebbe dovuto ultimare un po' prima dell'inizio dell'anno scolastico. Il segretario di Monsignore era troppo occupato per poter seguire queste faccende.

Di tanto in tanto c'era una sorpresa: la pubblicità di una collana di opere sulle anomalie psicologiche nell'adolescente, una nuova raccolta di schemi per sermoni, due nuove serie di messali per la funzione domenicale con le più recenti innovazioni liturgiche, un innario riveduto contenente gli inni del Concilio Vaticano.

Spinse da parte la fila di lettere. Non ce n'era una che valesse un accidente. E lui era un fallimento. Quanti sermoni, lezioni, conferenze, istruzioni, programmi, visite, conversazioni, convegni, riunioni, telefonate... e che cosa aveva in mano per dimostrare ciò che aveva fatto? Marge stava per mettere al mondo un bambino. Lui, invece, non aveva assolutamente nulla di concreto, eccetto che due mesi di registrazioni parrocchiali.

Batté una manata sul minuscolo scrittoio e rimase a osservare la pila della corrispondenza che franava.

Stancamente, raccolse fogli e buste e li dispose di nuovo in una pila ordinata.

C'era una busta che non aveva notato prima. Dai "Kincaid" di Manhattan Beach, California. Avevano traslocato.

Caro Hugh,
da tempo avevo intenzione di scriverti. Le fotografie del matrimonio di Marge pubblicate dai giornali mi hanno costretta a rinnovare le mie buone intenzioni. Come immaginerai, apprendere che Marge è tornata alla rispettabilità mi ha divertita e mi ha fatta felice. Devo ammettere che tu lo avevi previsto da un mucchio di tempo.

Alla fine sono andata in canonica e ho chiesto il tuo indirizzo a Padre Mihail, il nostro sacerdote. Era curioso di sapere come mai volessi scriverti, così gli ho accennato a quanto hai fatto per noi. Mi ha detto che i preti ricevono così pochi riconoscimenti effettivi per ciò che di buono hanno fatto che avrei davvero dovuto ringraziarti.

Ne sono rimasta sorpresa. Gli ho detto che ritenevo che i preti non avessero motivo di sentirsi scoraggiati.

Lui si è messo a ridere e mi ha detto che avevo ancora un mucchio di cose da imparare sul cattolicessimo, "e su lei stessa, pur con tutto il suo zelo di convertita".

Quando arrivò Laura decisi che doveva essere battezzata. Per noi la nostra eredità luterana aveva un valore, ma non sembrava che ci fosse modo di tornare indietro. Ci recammo da Padre Mihail e gli spiegammo che mai prima d'allora eravamo stati in una canonica né avevamo parlato proprio con un prete.

Lui prese Laura in braccio — è una biondina molto sveglia, e parecchio più bellina di sua madre — e disse che non l'avrebbe lasciata andare, e che se la rivolevamo indietro dovevamo farci cattolici anche noi e, certo, una conversione di questi tempi significava che saremmo stati cattolici e luterani insieme.

Così siamo diventati cattolici e ci consideriamo appartenenti a entrambe le confessioni. Abbiamo incominciato a pensarla così anche prima di Papa Giovanni, che somiglia molto a Padre Mihail. Ora Laura ha un fratellino e ce n'è un altro in viaggio, così puoi ben vedere che buoni cattolici siamo diventati.

Tutto questo è un modo per riuscire a portare il discorso su di te, Padre Hugh. Non mi ci volle molto a capire come mai Hank aveva riattraversato le montagne per portarmi via come una principessa prigioniera. Per una decina di secondi mi sentii furibonda contro di te, e poi mi accorsi che ti avrei voluto bene per il resto

129

della vita. Era l'ultima occasione per entrambi, e non avremmo mai corso il rischio se tu non ci avessi costretti.

Mi sbagliavo su tutto. Hank e io discutiamo moltissimo, ed erano sbagliate anche tutte le altre mie previsioni. Beh, non proprio tutte. Ora ho effettivamente la mia laurea dell'UCLA e sto frequentando un corso postuniversitario.

Ci credi che Laura, povera piccola, è nata nove mesi dopo il giorno in cui Hank è arrivato per trascinarmi via?

Il nostro amore non è sempre facile. Non deve esserlo necessariamente. Ma nessuno di noi due nutre alcun dubbio al riguardo. Né dubitiamo del fatto di dovere tutto a te.

Sono certa che hai da fare di meglio che rispondere a lettere come questa. Ma, per favore, mettici nella lista delle cartoline di Natale.

Con affetto,

Jean

"Ehi, tesoro, avevo dimenticato. Padre Hugh viene a fare una nuotata da noi fra un paio d'ore. Preparagli un panino e offrigli una birra, d'accordo, cara?"

"Certamente."

Ella fremette per l'eccitazione. Considerava Padre Donlon il più bell'uomo che avesse mai visto, ed era perfettamente conscia che lui non riusciva a staccarle gli occhi di dosso. Sarebbe stato bello averlo per sé per un paio d'ore in un assolato pomeriggio domenicale.

Helen era il prodotto di un matrimonio ch'era fallito quando lei aveva tre anni. Per la durata delle medie e delle superiori era vissuta a Maryville e poi si era impiegata come dattilografa in uno studio legale del Loop, dove aveva lavorato per cinque interessanti anni diventando una segretaria capace e competente. Si era attenuta alla regola di evitare gli approcci degli uomini che intendevano servirsi di lei, non desiderando che di trovare un uomo da sposare. Disgraziatamente, gli uomini che riteneva interessati al matrimonio dopo il primo appuntamento la trovavano insignificante.

Lei non pensava di essere insignificante, ma solo penosamente timida.

Negli ultimi tempi aveva spesso pensato con tenerezza alla relativa povertà degli anni in cui aveva lavorato. Sapeva di esser stata capace nel proprio lavoro. Quando i soci dello studio avevano deciso di aumentarle lo stipendio ogni sei mesi dicendole che era la miglior segretaria di La Salle Street, si era sentita avvampare di felicità. Negli anni trascorsi a Maryville aveva ricevuto ben pochi complimenti, e nessun elogio per le sue capacità oltre che per il suo bell'aspetto.

Poi in ufficio era comparso Ben e le aveva subito chiesto un appuntamento. La considerava intelligente perché lo ascoltava senza interromperlo. Quando le chiese di sposarlo lei si domandò perché non avrebbe dovuto.

Helen era affezionata a suo marito, generoso e gentile anche se non sempre premuroso. Le necessità sessuali di lui erano minime, il che le andava benone. Teneva in ordine la casa, ascoltava i suoi monologhi, gli aveva dato una figlia che mostrava una feroce aversione per sua madre, e godeva le prerogative e i privilegi derivanti dalla ricchezza di lui.

Era annoiata ed estremamente desiderosa di affetto. La sua lealtà verso il marito e il suo stesso scarso interesse per il sesso le avevano reso facile rifiutare le inevitabili avances. Per una che sembrava un'ex indossatrice o la ricca figlia di famiglia che aveva frequentato la scuola di belle maniere le proposte, ordinariamente piuttosto grossolane, facevano parte della vita quotidiana tanto quanto le albe e i tramonti.

Quando Padre Hugh arrivò, Helen lo stava aspettando sul bordo della piscina in un nuovo bikini nero che gran parte delle donne della sua età non avrebbero osato indossare nemmeno nell'intimità della camera da letto. La rapidità con cui gli occhi di Hugh si spalancarono le procurò un gran piacere.

"Ben è dovuto andare all'aeroporto per una riunione improvvisa e Linda è con gli amici. Ho avuto istruzioni di offrirti da bere e un panino."

Hugh nuotò mezzo miglio, quasi senza badarle mentre lei lo aspettava pazientemente sul bordo, con le gambe ripiegate sotto il corpo.

Poi mangiò il panino al roast beef e bevve una bottiglia di Pepsi. Mentre lui mangiava, Helen fumò parecchie sigarette osservandolo attentamente attraverso gli occhiali da sole. Era indubbiamente splendido. Cosa si provava a baciare un uomo così?

Che c'era di male a cercare di scoprirlo?

"Una riunione sul mercato della soia?" domandò lui mangiando il panino.

Helen alzò le spalle. "Penso di sì. Non sono molto addentro ai suoi affari."

Continuarono a parlare di cose di poco conto e alla fine lui annunciò che doveva andare. Aveva quasi l'aria di uno che voleva scappar via. Lei schiacciò il mozzicone di sigaretta e si spruzzò la bocca con un vaporizzatore tolto dalla borsetta. Mentre attraversavano l'ampio soggiorno col pavimento abbassato diretti verso l'auto di Hugh, lo baciò sulle labbra.

Fu un bacio lungo e dolcissimo, più lungo e più dolce di quanto s'era aspettata.

"Arrivederci, Padre." Helen si voltò rapidamente perché Hugh non potesse vederla in viso.

Era tutto ciò che voleva. Era stato sufficiente.

Hugh aveva accettato l'invito di Ben perché era rimasto terribilmente abbattuto dopo il primo entusiasmo suscitato dalla lettera di Jean. In agosto tornò alla piscina un'altra mezza dozzina di volte, e in tre occasioni Helen era sola. Alla fine non aspettava di essere invitato, ma telefonava dicendole che stava arrivando.

Ogni volta che erano soli si baciavano, e i baci si fecero più appassionati a ogni visita. L'ultima volta il bacio si trasformò in un abbraccio senza parole sui cuscini azzurro scuro del divano sotto un collage di Motherwell. Rimasero stretti per lunghi minuti, un'esperienza delirante, fuori del tempo, come sprofondare in un mare di miele.

Sembrava che lei non volesse nient'altro che affetto. Nulla lasciava pensare che intendesse andare oltre, anzi, tutto lasciava pensare l'opposto. Quando, quasi automaticamente, le mani di Hugh avevano iniziato a esplorarla, lei era scivolata via con grazia. Ciononostante — quando lasciando la casa si imbatté in Linda Flower appena un attimo dopo aver finito di togliersi dal viso il rossetto di sua madre e aver nascosto il fazzoletto rivelatore nella tasca del Windbreaker — rimase violentemente scosso. La ragazzina gli aveva rivolto un sorrisetto sciocco. Era rimasta a osservarli? Sapeva?

Probabilmente no. Linda sorrideva sempre a quel modo.

Capitolo XIV

1965

La *Pegeen* fendeva rapidamente l'acqua, prendendo velocità presto giunse a sfiorare solo la sommità delle onde, come il vecchio *Yankee Clipper* quando lasciò Flushing Bay.

Poi presero il volo, girando vorticosamente fra le nuvole in un'esaltante danza frenetica. Il vento gli sferzava il viso e il petto nudo, sollevandogli i lunghi capelli, e lui cantava a squarciagola. Il suo cuore volava ancor più alto della barca che girava turbinosamente trasformata in aeroplano.

Maria era al fiocco, e rideva e cantava con lui.

No, non Maria. Helen.

La baciò e incominciò a strapparle i vestiti. La gioia di volare nello spazio si trasformò in terrore. Cercò di staccarsi da lei ma non poté.

La barca iniziò a cadere a piombo verso le cupe acque sottostanti. Lui riuscì a penetrarla un attimo prima dell'impatto con le onde rabbiose.

Si svegliò madido di sudore. La mattina dopo non sarebbe riuscito a ricordare il sogno. Non riusciva mai. Ma non era la prima volta che il sogno si trasformava in incubo.

Ancora intontito udì le parole pronunciate da Maria a Killarney.

Se infrangi una regola, le infrangi tutte.

Baciare appassionatamente la moglie di un altro. Perché lo faceva? Non aveva senso.

Hugh trascorse l'ultimo weekend dell'estate al lago in compagnia dei genitori, e tornò alla parrocchia fermamente determinato a fare quindici minuti al giorno di meditazione, a dedicarsi a letture edificanti per dieci minuti e ad altre letture serie per quindici, e infine a recitare il rosario e parte dell'ufficio divino ogni notte prima di andare a letto.

E di tenersi alla larga da casa Fowler.

Si vergognava profondamente del suo flirt, si era confessato con umiltà ed era ben deciso a fare in modo che nulla del genere accadesse mai più.

In canonica la segretaria gli disse che il parroco avva trascorso il weekend a casa ma la domenica sera era stato costretto a ripartire per San Diego per un affare urgente. Aveva lasciato scritto che Hugh avrebbe dovuto far riparare lo scaldabagno prima dell'inizio dell'anno scolastico e raccogliere offerte per rifare la pavimentazione del parcheggio.

Hugh gettò l'appunto nel cestino della cartastraccia davanti agli occhi della segretaria, punendo lei perché non poteva punire Monsignor Sullivan e salì al piano superiore per disfare le valigie.

Poi andò al convento di pietra bianca per informarsi da Suor Elizabeth Ann sulla funzione della domenica.

La Madre superiora era assente. Venne ad aprire la vecchia suora addetta alla cucina.

"Oh, Padre, Suor Elizabeth Ann non è più con noi. Monsignore è rimasto molto turbato dagli inni della Messa delle dieci di ieri. Ha chiamato Madre Baldwina. Ma lei non era in convento, cosicché Suor Gertrudis, la nostra vicaria generale... ehm, vicepresidente, le ha detto di tornare alla casa madre e di rimanere lì fino al ritorno della Superiora. Suor Elizabeth Ann era molto dispiaciuta, ma è una brava persona obbediente e religiosa, anche se un po' moderna, e così ieri sera è andata alla casa madre. La Superiora non sarà qui prima di domani."

Hugh rimise la sacca delle mazze da golf nel bagagliaio della sua auto e chiamò Jack Howard chiedendogli di trovarsi al campo. Al Bobolink Country Club scaricò la sua ira e batté Jack di tre colpi.

"Dirò un cosa e una cosa sola" commentò Jack con aria cupa. "Anche se non sono fra gli ammiratori di quella giovane donna, sono contento per lei che sia scampata a quel posto d'inferno. No, aggiungerò un'altra cosa. Te ne tiri fuori anche tu, e al più presto. Per te non c'è una premurosa Madre superiora che ti salvi."

"Non posso piantare in asso la gente."

"Loro ti pianterebbero in asso all'istante. La maggior parte pensa che Sullivan sia non solo sano di mente, ma anche una cara persona. La tua immagine ti dice che Hugh Donlon può sconfiggere chiunque nello stesso modo in cui sconfisse la Austin High School. La differenza è che adesso hai a che fare con un pazzo."

"Lo sconfiggerò" insisté Hugh.

"Ti distruggerà, credimi. Non puoi avere la meglio su uno psicopatico."

"È così che dobbiamo definirlo?"

Fu esattamente così che Madre Baldwina definì Monsignore il mattino seguente.

"Anche se ci fossi stata io, caro Padre, avrei preso la stessa decisione della mia vicepresidente. Non posso permettere che quella suora soffra ancora per mano di uno psicopatico. Si rende conto che ha ordinato agli inservienti di trascinarla con la forza via dal coro dove stava dirigendo gli inni? Non è che le abbia chiesto di andarsene. È entrato, l'ha vista dirigere la musica, e senza dirle una parola ha dato ordine agli inservienti di trascinarla via a forza. Suor Elizabeth Ann era sull'orlo di una crisi isterica quando finalmente è arrivata alla casa madre."

"È così importante per la parrocchia, Madre" disse Hugh umilmente.

"Me ne rendo conto, caro Padre, ed è importante anche per noi. Non permetterò che venga umiliata di nuovo. Quella povera bambina è troppo fragile per subire un trattamento simile. Sono spiacente per St. Jarlath ma il mio primo dovere è quello di proteggerla."

"Certamente." Cercava di apparire cortese e distaccato. Come poteva spiegarle che Suor Elizabeth Ann gli sarebbe mancata terribilmente?

"Sto anche preparando una lettera dettagliata per il cardinale, in cui descrivo l'accaduto e lo avviso che se qualcosa del genere si ripeterà tutte le nostre suore prenderanno il primo treno per il nordovest."

"Non farà nessuna differenza."

"Spero che lei si sbagli, Padre. In ogni caso la questione non è più né nelle sue mani né nelle mie, ormai, ma è affidata al Cardinale McCarthy."

"Sì, Madre."

"Non mi ha domandato quale sarà il prossimo incarico di Suor Elizabeth Ann."

"No, Madre."

"Desidera saperlo?"

Beh, cosa diavolo pensava che avrebbe potuto farsene?

"Non mi metterò a correrle dietro, Madre Baldwin, se è questo che pensa. Non era quel tipo di rapporto."

"Lei l'ammira moltissimo."

"Bontà sua, Madre; ma le ripeto, non era quel tipo di rapporto. Capisco il suo interesse, ma io non sono l'uomo giusto per questo genere di cose."

Il telefono era bagnato del sudore della sua mano. Lo passò nell'altra.

Un sospiro. "Le mie scuse, Padre. Di questi tempi non si sa... In ogni caso, ritengo sia meglio rimandarla all'università a tempo pieno, così potrà finire di prepararsi per la laurea. Ha bisogno di un voto di fiducia da parte del suo Ordine."

"Sono lieto che la Chiesa possa ancora contare su prudenti capi religiosi".

"Lei è un giovane davvero in gamba con le parole."

Così l'anno scolastico cominciò senza Suor Elizabeth Ann. Hugh tentò di mandare avanti da solo l'intero programma liturgico. I suoi buoni proposti di lettura e preghiera svanirono rapidamente. Presto fu di nuovo stanchissimo, né il ritorno di Lloyd Kilbride contribuì a tirargli su il morale.

"Dov'è la suora con le tettone?" furono le prime parole che rivolse a Hugh mentre cenavano la sera stessa del suo ritorno. "Ho sentito che l'hanno licenziata."

"Il parroco l'ha aggredita," sbottò Hugh.

Dopo cena gli fu riferito che Ben Fowler lo aveva cercato al telefono.

Hugh richiamò.

"Padre, Al Downs ha organizzato una riunione per questa sera sul suo tema preferito. A casa sua. Ha voluto che ti domandassi se sei interessato a venire. Nessun obbligo."

"Tu ci vai, Ben?"

Una pausa. "Ritengo di dovere."

"Ci sarò anch'io."

Fu un consiglio di guerra. Venti persone, quindici più di quante Hugh si aspettasse.

"Questa faccenda deve finire" iniziò Downs. "Se ci rimane ancora un po' di dignità, dobbiamo far qualcosa riguardo a quell'uomo. Suppongo che siamo tutti d'accordo sul fatto che trascinare via dall'altare quella povera suorina è stata l'estrema manifestazione di pazzia."

Era già stato preparato un promemoria in cui venivano dettagliatamente elencate le crudeltà e le stupidaggini commesse da Monsignor Sullivan nel corso di molti anni: vedove e orfani insultati alle cerimonie funebri, giovani scacciati dalla chiesa, parrocchiani umiliati, studenti sbrigativamente espulsi dalla scuola perché il parroco non riteneva che fossero vestiti con sufficiente modestia — in particolare, allieve il cui sviluppo fisico era incominciato precocemente — programmi arbitrariamente troncati, incapacità di venire incontro alle necessità dei parrocchiani, frequenti e lunghe assenze dalla parrocchia e, di recente, segni di smoderatezza nel bere.

"Che ne pensi, Padre?" domandò Bon Fowler col sigaro fuori della bocca e il dito puntato sul foglio di carta.

"Parecchie di queste cose non supereranno nemmeno un primo esame." Helen non era presente. Come mai? "Per quanto concerne le vacanze può benissimo non essere andato oltre i suoi diritti. Non dovreste formulare accuse di alcolismo senza prove più solide. È anche il parroco, e può bloccare un programma quando gli pare. Se si dovessero rimuovere i parroci perché non si prendono cura dei parrocchiani o perché scacciano i giovani dalla chiesa per autoritarismo, si dovrebbero far fuori metà dei parroci dell'arcidiocesi. Al vostro posto punterei sulle crudeltà, specialmente ai funerali. E anche sulla persecuzione delle ragazzine delle medie perché più sviluppate di altre. E potreste tirar fuori parecchio anche dal comportamento in pubblico. Se vuole, può troncare un ciclo di conferenze, ma insultare pubblicamente un membro del corpo accademico del seminario in visita alla parrocchia è piuttosto scandaloso. E, ovviamente, anche trascinar via la suora dall'altare è stato molto mal fatto, anche se la regolamentazione delle questioni liturgiche della parrocchia rientra nell'ambito della sua autorità."

"Qualcos'altro, Padre?" Downs si inarcò in avanti come un gatto pronto a balzare sul canarino.

"Beh, è difficile prevedere la reazione del cardinale a un problema di questo genere. È stato via parecchio per il Concilio e non ha ancora dato alla diocesi un nuovo assetto rispondente al suo pensiero. Corre voce che sotto alcuni aspetti si discosti parecchio dalla tradizione. Tuttavia sarei molto cauto al vostro posto. Protestate il vostro rispetto per l'autorità. Elogiate le molte opere compiute da Monsignor Sullivan — sono certo che qualche cosa vi verrà in mente — e puntate sul danno terribile che vien fatto alle anime."

"E spediamo la lettera per posta?" domandò Downs.

Hugh ci pensò su un attimo. "No. Telefonate a Monsignor Cronin, il vice cancelliere per il personale, e chiedete un appuntamento. Ditegli di cosa si tratta e chi si presenterà. Sembra che il Cardinale Eammon McCarthy non rifiuti un appuntamento a chiunque lo chieda. Siate cortesi e rispettosi. Ma non lasciate dubbi sul fatto che siete profondamente preoccupati."

"Qualcos'altro?" domandò la donna dai capelli rossi di cui non riusciva mai a ricordare il nome.

"Sì. È di estrema importanza mantenere la segretezza sul progetto. Se Monsignor Sullivan viene a saperlo, sarà lui a sollevare la questione nei vostri confronti, e non il contrario. Lui sa fare un ottimo uso del potere per proteggersi."

"Grazie, Padre." Ben era raggiante di soddisfazione. "Lieti di averti a bordo."

Gli altri gli si accalcarono intorno pr stringergli la mano.

Poveretti. Persino l'appoggio di un prete pusillanime era meglio dell'essere soli.

"Se non c'è nient'altro penso che dovrei tornare in canonica. Non c'è nessuno per le chiamate dei malati."

Mistificatore. Il ragazzo addetto alla porta e al telefono, pagato con le offerte dei parrocchiani, era in grado di rintracciarlo in pochi istanti con una telefonata.

Hugh temeva di essersi spinto troppo vicino al tradimento.

Helen era in piedi accanto alla porta della sua Mercedes. "Sono venuta a prendere Ben."

D'impulso Hugh le accarezzò le labbra con le sue.

Lei si tirò indietro bruscamente. "Penso che Linda ci stia spiando. Ben ha dei sospetti."

Mentre si allontanava in auto gli sembrò di vedere Benedict sulla soglia. Poteva aver visto il bacio?

Capitolo XV

1965

Per il bene della propria anima Hugh decise di trascorrere qualche giorno in ritiro a Mundelein. Si sarebbe consultato con Xav Martin, che nei momenti critici sembrava aver sempre la risposta giusta. Hugh aveva evitato Monsignor Martin perché sapeva che lo avrebbe spinto a prendere la decisione difficile, cosa che il confessore del monastero non avrebbe fatto.

La domenica, dopo la Messa, chiuse a chiave la cassaforte, controllò l'orario delle Messe per la settimana successiva per accertarsi che un Gesuita o un prete di San Vincenzo fosse sempre disponibile per fare ciò che i preti della parrocchia non avrebbero fatto, chiuse a chiave tutte le porte della chiesa, preparò la sua valigetta e si sedette per consumare quello che sperava sarebbe stato un pacifico spuntino — un panino di prosciutto e una Cocacola — il primo pasto della giornata dopo la tazza di caffè che aveva costituito la sua colazione.

Ma non sarebbe stato un pacifico spuntino. Suor Mariana, la nuova preside della scuola, lo chiamò e insisté perché andasse al convento per una questione "della massima urgenza".

Suor Mariana era una donna piccola e sottile con occhi duri e una voce ancor più dura. Intorno ai quarantacinque, propugnava la divisione "collegiale" del potere ecclesiastico, ma dirigeva la sua scuola col permissivismo di un capitano di un sottomarino tedesco in azione di guerra.

St. Jarlath non le piaceva. La gente aveva troppi soldi e i ragazzi erano viziati. E non le piaceva nemmeno Hugh, che come rappresentante del parroco avrebbe potuto annullare le sue decisioni, una prerogativa che lui esercitava ben di rado e che tuttavia le bruciava.

"Fra cinque minuti parto per un breve ritiro." Mentre varcava la porta posteriore del convento Hugh diede un'occhiata all'orologio. "Qual è il problema?"

Si fermò nel corridoio fra la cucina e il parlatorio, sotto i brutti ritratti di San Pio X e Santa Maria Goretti, perché fosse chiaro che non era venuto con l'intenzione di dilungarsi.

"Altri guai coi cari ragazzi di questa meravigliosa parrocchia di cattolici pieni di soldi. Guai seri."

"Di che genere?"

"Sesso." Lei pronunciò la parola proibita con malcelata soddisfazione.

Hugh non ne fu impressionato. "Che genere di sesso?"

"Sesso nell'ottava. Ieri sera c'è stata una festa dai Minton. Chiaramente, andavano tutti dietro alla figlia dei Fowler. La signora Kennedy mi ha telefonato questa mattina e mi ha chiesto di prendere posizione contro di lei e contro il figlio dei Minton."

"Hanno avuto rapporti sessuali, sorella?"

Suor Mariana rimase scossa e offesa. "Sono certa di no. Tuttavia, si sono spinti parecchio in là. La Fowler era praticamente nuda, a quanto riferito dalla signora Kennedy."

Poker con lo spogliarello o qualche variante del genere. Nulla di nuovo sotto il sole. "Ne ha parlato con qualcun altro?"

"Con tutti ma non con i Fowler. La figlia è veramente un tipo difficile." Suor Mariana esitò, forse rendendosi conto che rischiava di spingersi troppo oltre.

"Sorella, io sono di partenza per Mundelein. Tornerò mercoledì sera. Può darsi che nel frattempo lei voglia discutere la questione col parroco, se torna, oppure con Padre Kilbride. La mia opinione è che non è nostro compito vegliare sulla moralità dei giovani della comunità fuori dell'area della parrocchia. Se la signora Kennedy ha da lamentarsi contro Linda Fowler dovrebbe rivolgersi alla signora Fowler e non a noi. Noi non possiamo espellere i ragazzi per il loro comportamento in una casa privata, e non lo faremo. Farò due chiacchiere con Linda e i suoi genitori la prossima settimana. È chiaro?"

"Sì, Padre." L'odio negli occhi di lei sarebbe stato sufficiente ad annientarlo, se avesse potuto.

"Bene, e preghi per me quando sarò in ritiro."

Bella fortuna.

Xav Martin, i cui capelli cominciavano a inargentarsi mentre gli occhi scuri apparivano sempre più preoccupati per le tensioni che accompagnavano la trasformazione del seminario, ascoltò con pazienza e partecipazione lo sfogo di Hugh.

Quando questi finì rimase silenzioso.

"Direi che vengo a trovarla solo quando sono nei guai." Il suo silenzio aveva messo Hugh in agitazione.

"No, va bene così." Xav incrociò le gambe e si passò una mano sulle guance. "Sono qui per aiutarti ogni volta che hai bisogno di me... Non posso fare a meno di domandarmi, Hugh" — esitò di nuovo — "perché devi fare tutto tu. Dio non potrebbe prendersi cura di una piccola parte del lavoro?"

"Ci si aspetta che lavoriamo come se tutto dipendesse da noi" rispose Hugh citando un precetto che gli era stato insegnato in seminario.

"Certo." Xav scacciò la citazione con un gesto della mano. "Ma non puoi assumerti la responsabilità totale per la gente di St. Jarlath. Il problema non è la donna, sono certo che te ne rendi conto. Il problema è che sei troppo ostinato o troppo idealista per abbandonare una causa persa. Tirati fuori da St. Jarlath prima che ti distrugga."

"E Gus?"

"In ogni caso il nuovo capo lo metterà in pensione nel giro di qualche mese."

"E qualcosa che non mi pare..."

"Virile?" Gli occhi scuri di Xav lampeggiarono.

"Forse dovrei prendere un appuntamento con Sean Cronin."

"Dannazione, certo che dovresti!"

Più tardi, nella quiete della brutta cappella del ritiro, ripensò a ciò che si erano detti.

Durante gli ultimi anni di seminario e per tutto il tempo dall'ordinazione aveva tenuto le proprie passioni sotto rigido controllo, praticando l'ascetismo che gli era stato insegnato in seminario. Era giunto a credere che il sesso con costituisse più un problema nella sua vita. Gli era parso di esser riuscito a costruire un'enorme diga di terra capace di arginare il torrente del desiderio sessuale. Poi il tocco delle labbra di Helen aveva provocato una leggera scossa, un piccolo terremoto che aveva aperto una crepa sulla superficie esterna della diga. Prima che si rendesse conto di cos'era accaduto la massiccia muraglia era crollata e, contro la propria volontà ma impotente a opporsi, era stato spazzato via dalla fiumana. Ora la diga doveva esser ricostruita fin dalle fondamenta.

A St. Jarlath sarebbe stato impossibile.

Aveva bisogno di una parrocchia dove non vi fosse troppo lavoro, di più tempo per leggere e pregare e di mantenere una bella distanza da Lakeridge e i Fowler.

Dio buono, pregò stancamente, grazie per avermi aiutato a capire cosa devo fare per continuare a servirTi come prete. Perdona il mio orgoglio. Aiutami a imparare l'umiltà da quei meravigliosi esempi di virtù che mi hai dato nei miei genitori. Voglio essere prete. Aiutami a perseverare. Dammi il coraggio di comprendere che il mio rifiuto di accettare la sconfitta è debolezza, non forza. È la debolezza dello spirito che mi ha trattenuto a St. Jarlath e mi ha reso incline alla debolezza della carne.

Tutto sembrava così chiaro e ben definito.

La sera in cui Hugh tornò a Chicago, Ben Fowler lo chiamò al telefono. "Posso venire da te domani sera con mia moglie riguardo a quella faccenda di Linda?"

La voce di Ben suonava stanca e scoraggiata. Qual era il costo di essere un commerciante milionario? Per la prima volta Hugh ebbe l'impressione che potesse essere molto alto.

"E se facessimo dopodomani? Domani ho un impegno." Suor Elizabeth aveva insistito perché andassero alla conferenza di un giovane teologo svizzero. "D'accordo, sarò libero alle nove e mezza." Diede una scorsa all'agenda... altri sei appuntamenti.

"Ti pare che sia grave, Padre?"

"Non penso che l'incidente in sé sia stato così grave, Ben. È comunque un segnale d'allarme che Linda avrà bisogno di maggiore sorveglianza."

"Penso che tu abbia ragione. Le donne attraenti hanno sempre bisogno di sorveglianza, non ti pare?"

Il mattino successivo Hugh buttò giù una breve lettera indirizzata a Monsignor Cronin con cui chiedeva un colloquio circa un nuovo incarico. La firmò, la mise in una busta intestata della parrocchia e appose il sigillo.

Ora, quando impostarla? Prima o dopo la lettera dei parrocchiani?

Aspetta fino a dopo. Lascia loro il primo tiro. Il suo colloquio avrebbe potuto offrire al cancelliere l'opportunità di domandargli che cosa pensava della situazione.

Sto procrastinando? Schiocchezze, la lettera è qui, sulla mia scrivania, firmata e sigillata. Ho preso la decisione di impostarla a una settimana da lunedì.

Capitolo XVI

1965

Hugh ponderò accuratamente se indossare abiti sportivi o da sacerdote per la cena con Liz. La seconda soluzione sarebbe stata più sicura e appropriata. D'altra parte, l'abito tradizionale sarebbe stato fuori luogo a una conferenza del famoso teologo liberale svizzero Hans Küng.

Quando Liz lo abbracciò e lo baciò con un fervore parecchio maggiore di quanto sarebbe stato consigliabile fu ben lieto di aver optato per l'abbigliamento sportivo. E, mentre la conduceva verso il tavolo, fu anche lieto di aver scelto il ristorante ungherese di Wabash Avenue per incontrarsi, un posto molto più discreto dei club frequentati da suo padre. Un prete baciato al Chicago Club sarebbe stato responsabile dello scandalo del secolo.

"Raccontami tutto di St. Jarlath" lo pregò lei quando furono seduti.

Indossava gonna, camicetta e maglione sportivo, niente velo — in pratica, nessun segno della sua condizione di religiosa. Il suo viso era leggermente colorito di piacere. Una serata fuori e per di più intellettualmente stimolante. L'eccitazione dei suoi occhi vivaci fece sentire Hugh un uomo di mezza età.

"Comincerò prima di tutto dallo scandalo." E le raccontò dei ragazzi dell'ottava.

"La trovi attraente, la madre, intendo? Suppongo di sì per la maggior parte degli uomini." La sua mano si fermò mentre imburrava il pane francese fresco.

"Qui il goulash è grandioso, non perdertelo... intendi Helen? Certamente, non è priva di attrattive. Non sono sicuro che sia molto intelligente..."

"È socialmente inutile." Bandì Helen con un gesto del coltello. "Come impiega il suo tempo? Ha una sola figlia e aiuto domestico. È una parassita, una puttana; perciò quella poveretta di sua figlia è così confusa."

Stasera Suor Liz era sgradevolmente spigolosa.

"Quasi mi spiacerebbe per lei se fosse vero... Ci sono anche altre novità. C'è una lettera in partenza questa settimana. È indirizzata al cardinale e riguarda il parroco. I parrocchiani, o per lo meno alcuni, sono finalmente decisi a far cambiare le cose."

"Pensi che servirà?"

"Non la prima volta, forse. La Chiesa non è mai abbastanza sollecita nel prendere provvedimenti contro la corruzione o la pazzia. Ma d'altronde è raro che aspetti finché le cose si concludono malamente. La cancelleria farà qualcosa riguardo a St. Jarlath giusto in tempo per permettere che venga offeso il massimo numero di persone."

Lei rise allegramente e si buttò sul goulash. "Oh... com'è buono... sei un terribile cinico, Hugh."

"E ora dimmi del tuo corso universitario."

Era tutto ciò che aveva sperato ed anche di più, disse lei — insegnanti che ti mettono realmente alla prova, compagni di corso stimolanti, tempo per leggere e per scrivere, possibilità di crescita e di appagamento.

"Su cosa farai la tesi?"

"Impiego il mio tempo a imparare e a progredire, non in quella roba da topo di biblioteca."

"Pensavo che scrivere una tesi fosse un buon esercizio di autodisciplina e capacità."

Lei respinse bruscamente il concetto. "Sentirsi contenti di sé è ciò che conta oggi, non l'autodisciplina, Hugh, lo sai." Appariva leggermente delusa da lui. "Chiunque può acquisire determinate capacità... E ora dimmi di te."

"Mica molto da dire. Beh, non è del tutto vero. Ho una lettera qui, nel portafoglio." Batté un colpetto sulla giacca. "Alla cancelleria, con la richiesta di trasferirmi da St. Jarlath. La settimana scorsa, dai Trappisti, ho preso la decisione che se voglio sopravvivere devo andarmene. Le mie emozioni sono miste... colpa e sollievo."

Una smorfia di dolore sul suo viso e una mano che si posava rapidamente sulla sua." So quanto penoso debba essere per te, Hugh. Ma è giusto; sono certa che è giusto. Ne uscirai purificato e spiritualmente migliore."

"Ci vorrà ben più di questo per purificarmi" rise lui, senza saper bene se il suo interesse gli era veramente gradito.

Suor Elizabeth prestò ben poca attenzione alla conferenza di Hans Küng. Applaudì il giovane svizzero carismatico seguendo gli altri e rise e approvò quando sembrava appropriato. Questa sera sarebbe stata importante ed elettrizzante, ne era certa. Negli anni futuri avrebbe potuto dire di esser stata presente a un evento storico così decisivo. Ma per lei Hugh Donlon contava più di Hans Küng. Come la maggior parte degli uomini Hugh mancava di sensibilità e di intuito. Riteneva che sarebbe occorso molto tempo per cambiarlo sotto quell'aspetto. La sua famiglia aveva certamente esercitato una cattiva influenza su di lui. Ed era anche incorreggibilmente tutto d'un pezzo. Alla fine della serata non le avrebbe nemmeno dato il bacio della buonanotte.

Sotto l'aspetto teologico era terribilmente antiquato. Credeva che parrocchie come St. Jarlath fossero importanti. Non si rendeva conto che con l'avvento della Nuova Chiesa le parrocchie locali sarebbero scomparse per atrofia.

Sospirò e, alzandosi in piedi, si unì all'ovazione tributata a Küng nel vasto edificio disadorno di McCormack Place.

La franchezza nella Chiesa era stato il tema della conferenza. Hugh Donlon aveva parecchio bisogno di franchezza, pensò lei. Aveva bisogno che gli dicessero che non era il cavaliere dall'armatura scintillante che credeva di essere. Aveva bisogno di prendere contatto con la propria vera natura, la propria fondamentale umanità, com'era accaduto a lei frequentando il suo corso.

Aveva più che mai bisogno di essere aiutato.

Mentre lasciavano la sala delle conferenze lo presentò ai suoi amici della Comune Cristiana. Hugh era a disagio; non aveva piacere di essere presentato a nessuno in un'occasione che poteva apparire come un "appuntamento" con una suora.

Tuttavia, ella era orgogliosa di lui. Col tempo lo avrebbe raddrizzato.

E se ne sarebbe presa cura.

Helen Fowler era terrorizzata. Non aveva mai visto Ben tanto fuori di sé. Per parecchi giorni non aveva detto una parola sulla disavventura di Linda e poi, senza preavviso, una sera a cena era esploso. Era colpa più sua che di Linda. Aveva una sola figlia e tutto il denaro che le occorreva. Non riusciva proprio ad azzeccarne una?

Helen era senza parole. "Cerco, Ben..." balbettò.

"Beh, non ti sforzi abbastanza, deficiente."

Non tentò di difendersi. Aveva paura che lui la picchiasse.

"E tu, sgualdrinella, se rifai una cosa del genere ti ammazzo, mi senti, ti ammazzo!"

Anche Linda era terrorizzata. "No, Papà, non lo farò più. Lo giuro."

Lui le diede due schiaffi e Linda scoppiò in singhiozzi isterici.
"Mamma fa l'amore con Padre Donlon, ma lei non la picchi."
Ben colpì Helen in viso col pugno chiuso, mandandola lunga distesa contro uno dei mobiletti di lacca cinese del salotto.
"Puttana!" le urlò con rabbia.
"Non ho fatto nulla di male" implorò lei cercando di trattenere i singhiozzi.
"Sì? Bene, così sei avvertita per il futuro."
"Assolutamente nulla di male" implorò lei.
"Vedremo." La rabbia gli era sbollita ed era quasi propenso a crederle.

Per Hans Küng era facile parlare di franchezza. Lui non doveva affrontare Ben e Helen Fowler con la tormentosa consapevolezza di aver avuto troppa familiarità con lei. La conversazione sarebbe stata un'esercitazione di ipocrisia fin dalla prima battuta.
Gli sforzi compiuti da Hugh quel pomeriggio erano falliti completamente. Linda, una ragazza che per la sua età era alta e prometteva di diventare una bionda ancor più elegante della madre, aveva optato per un atteggiamento scostante più che intelligente. Lo scandalo intorno alla festa dei Kennedy era solo una gran noia. Che c'era da agitarsi tanto? Joannie Kennedy avrebbe dovuto tener chiusa la sua boccona. Non avevano fatto nulla di veramente grave. Altri facevano ben di peggio.
A Hugh parve che si divertisse alle sue spalle. Li aveva davvero spiati?
Poi, sulla soglia dell'ufficio della canonica, lei si voltò verso Hugh, di nuovo una ragazzina spaventata. "È stato un peccato terribile, Padre Donlon?" domandò incerta. "Andrò all'inferno?"
"No, Linda." Cercò di sorriderle con dolcezza. "Dio ti ama troppo perché questo accada. Gli adulti si preoccupano del fatto che i giovani possano farsi del male da sé senza rendersene conto."
"Sì, Padre" disse lei con aria docile, come se avesse capito, l che evidentemente non era.
Dopo che Linda ebbe lasciato la canonica Hugh rimase depresso. Quella ragazza aveva ereditato la bellezza della madre e la scaltrezza del padre. Ciò avrebbe dovuto essere sufficiente per assicurarle la sopravvivenza. Sfortunatamente, aveva avuto anche l'intelligenza da qualche gene recessivo, e probabilmente questo dono l'avrebbe spinta verso la tragedia.
Non solo avrebbe sofferto, come accade necessariamente alle giovani belle e prive di esperienza e di valori, ma sarebbe stata

consapevole della propria sofferenza. E non c'era nulla che lui potesse fare per aiutarla.

Il cuore gli si riempì di amore per lei, lo stesso genere di ardente amore religioso provato per il ragazzino che aveva detto le parolacce alla mamma. Se solo avesse potuto proteggerli tutti dalle tragedie della vita.

Sospirando, si avviò faticosamente su per la scala ornata di mosaici che portava alla sua camera. L'amore religioso, come ogni altro amore, non poteva proteggere i giovani da esperienze dolorose. Eppure, un prete doveva essere in grado di far qualcosa per aiutare una bambina come Linda.

"Stando ai fatti," disse quella sera ai genitori di Linda "sembra che un certo numero di ragazze, lei compresa, abbia fatto un po' di petting, e forse si saranno anche tolte la camicetta. Niente di più niente di meno. Non è la prima volta che capita alla loro età, per noia, per curiosità, o per bisogno di affetto."

"Santiddio, Padre!" Il sigaro di Ben gli pendeva fra le dita. "Helen dice che la piccola sa bene come stanno le cose. Ma io non riesco a credere che sia stata istruita a sufficienza..."

Le mani di Hugh, bagnate di sudore, tremavano. C'era stata una telefonata di due sole parole con Helen prima che arrivassero: "Lo sa".

Doveva tenere Ben sulla difensiva. "È molto più probabile che una ragazza ascolti ciò che suo padre dice degli uomini, piuttosto che ascoltare la madre, specialmente alla sua età."

"Io?" Ben era sbalordito. "Ehi, Padre, quando torno a casa dalla Borsa Merci sono veramente a terra. Ci sei mai stato? Hai idea di com'è? Non posso occuparmi di questo genere di cose. È compito della moglie."

Non sarebbe servito a nulla, ma Hugh provò ugualmente. "Ci sono due cose che contano per una ragazza come Linda — cosa le dice suo padre e il rapporto che c'è fra suo padre e sua madre. Se il padre le è vicino e si interessa a lei, e se il rapporto sessuale fra i suoi è affettuoso ed ugualitario, impara molto di più che da tutte le esplicite istruzioni sul sesso che potremmo darle."

"Bene, Padre, apprezziamo molto l'aiuto." Ben era in piedi, ansioso di sfuggire a una situazione che non poteva controllare.

"Verrai alla riunione di domani sera dai Downs?"

"Penso di sì."

"Ottimo."

"Bene, tesoro" — Ben restò indietro per permettere a Helen di uscire dalla porta della canonica — "dobbiamo prendere sul serio ciò che dice il Padre. Andiamo a farcene un'altra, eh?"

Le diete una zampata sulle natiche. Le stava deliberatamente facendo del male in presenza di Hugh e la stava minacciando di fargliene ancor di più.

Helen avvampò, non tanto d'ira quanto di vergogna.

In altri tempi, pensò Hugh mentre si avviava verso la propria camera, lo avrei ammazzato all'istante.

Tornando a casa, Ben non disse nulla a Helen. Lei si rendeva conto che era furibondo. Doveva aver percepito l'alchimia esistente fra lei e Hugh. Si rassegnò all'idea che l'avrebbe picchiata selvaggiamente. Forse se lo meritava persino.

Appena arrivati a casa lui la trascinò in camera da letto e la picchiò senza pietà. La sua rabbia era fredda e controllata. Non la colpì in viso, ma le inflisse percosse che le avrebbero fatto male per parecchi giorni. Lei pianse ma non urlò.

Quando fu stanco di picchiarla la gettò sul letto. "La prossima volta ti rovino la faccia e ti taglio via i capezzoli" le disse. Respirava pesantemente, tossendo per la rabbia e per il catarro provocato da quei sigari spaventosi.

Più tardi tornò, la picchiò di nuovo e la violentò.

"Lo sistemo io quel bastardo di Donlon" disse quando ne ebbe abbastanza.

L'ultima riunione del comitato di protesta, Hugh apprese da Al Downs il venerdì mattina, era stata tempestosa. Alcuni avevano perso la calma. Due coppie se n'erano andate, continuando a sostenere che non si poteva protestare contro un povero vecchio in cattive condizioni di salute. Altre tre esigevano una lettera ancor più dura, che includesse l'accusa di aver simulato cattiva salute.

"Io sono diventato un moderato, ci crederebbe?" Al telefono, la risata di Al gli ricordava il verso delle iene nei western. "Alla fine abbiamo deciso di attenerci alla lettera originale. La imposteremo lunedì."

Hugh era allarmato. "Se quelle coppie che hanno lasciato la riunione vanno dal Sullivan, siete finiti."

"Non lo faranno. Ben Fowler gli ha messo addosso una fifa del diavolo. Siamo a posto; sa, Padre, è proprio una maniera schifosa di mandare avanti una chiesa."

"Siamo così lontani dalla Galilea, Al. Penso che non ci sia modo di evitare queste situazioni finché la Chiesa è fatta di esseri umani. Passiamo un mucchio di tempo a farci la guerra l'un l'altro."

"Prima di metter giù un'altra lettera a un cardinale preferirei patrocinare un imputato di assassinio, glielo dico io."

"Beh, ora è fatta, Al, nel bene o nel male."

"Tanto non potrebbe andar peggio, vero, Padre?"

"Suppongo di no" rispose Hugh.

Ma si sbagliava, poteva andare molto peggio.

La domenica mattina, mentre Hugh stava terminando la Messa delle dieci, Monsignor Sullivan, provvisto di tutte le insegne, rocchetto, mozzetta e ogni altra cosa, comparve nella cappella come un Angelo Vendicatore dell'Apocalisse.

Lo sa, pensò Hugh con la sensazione di un gran vuoto allo stomaco.

"Guardate quel giovane prete" tuonò il Monsignore. "Guardatelo bene, perché non lo rivedrete mai più sull'altare di questa chiesa. È Giuda fatto prete, un traditore del vostro parroco e della vostra parrocchia che lo ha ospitato negli ultimi quattro anni..."

Ne sono passati tre, pensò Hugh, asciugando con calma il calice.

"In compagnia di uno sparuto gruppo di scontenti ha organizzato una cospirazione per soppiantare proprio me, il vostro beneamato parroco che vi ha serviti con generosità e disinteresse per più di un quarto di secolo. Ascoltate la lettera che hanno intenzione di spedire domani al cardinale."

Aveva la lettera, il testo completo. La lesse con gran gusto, inframmezzandola con osservazioni proprie. "Si impegnano a continuare a cooperare, vero? Bene, noi non abbiamo bisogno della loro cooperazione, non più di quanto abbiamo bisogno di questo prete traditore, è vero, miei amati parrocchiani? Ci disferemo di loro, proprio come mi disferò di questo giovane pezzente..."

Hugh terminò la Messa e si avviò con calma verso la sagrestia. Mentre si toglieva i paramenti udì il colpo finale di Sullivan. "Il signor Guinan ha la copia di una petizione preparata da un gruppo di fedeli in difesa del loro parroco amato e pio. Chiunque voglia firmarla può farlo. Nessun obbligo, naturalmente. Io sarò in fondo alla chiesa ad accogliere la vostra cooperazione. Uniamoci tutti contro i Giuda in mezzo a noi."

Hugh attese nella sagrestia fredda e asettica, in cui le pallide vetrate istoriate proiettavano la luce che ci si sarebbe potuti aspettare piuttosto in una cappella di ospedale.

"Ti ho accolto in questa parrocchia e ho diviso il mio gregge con te" lo apostrofò rabbiosamente il parroco appena entrato. "Tu non sei nulla. Tu non hai altri diritti che quelli che ti concedo io.

E osi sfidarmi coi miei parrocchiani. Sei un ingrato e una canaglia, Padre Donlon; la mia gente mi ama e mi sosterrà. Ti butteranno fuori da questa parrocchia e distruggeranno la tua reputazione, ovunque verrai assegnato. Faresti bene a lasciare il sacerdozio ora, perché ti prometto che da prete non avrai mai più un giorno felice."

"Come osi avere la presunzione di criticare e di cospirare contro un uomo che dinanzi a te è il rappresentante designato di Dio? Rispondi, giovanotto. Non restartene lì con quel sorriso compiaciuto sulla faccia...

"Non sto sorridendo" disse Hugh reprimendo la rabbia. Gus Sullivan era proprio il rappresentante di Dio debitamente designato. Ma Dio poteva designare un antisociale a reggere una parrocchia?

Uscì a grandi passi dalla sagrestia e andò in camera sua; raccolse qualche abito, mise il tutto in una valigia, strappò la lettera alla cancelleria, prese la propria auto e si diresse verso casa, in Mason Avenue. La sua partenza da St. Jarlath avrebbe richiesto qualche spiegazione per i suoi genitori.

Ripensandoci, non avrebbe avuto bisogno di dare nessuna spiegazione. Sarebbero stati felicissimi di saperlo fuori da quel posto.

Il martedì Sean Cronin telefonò dalla cancelleria. "Ho pensato che dovevi essere a casa, Hugh. Il capo vorrebbe vederti."

"Lo immagino. Quando?"

Quello stesso pomeriggio, sul tardi, Hugh sedeva nell'ufficio di Cronin nell'antiquato edificio grigio della cancelleria, coi suoi soffitti alti, i lugubri tappeti marrone rossastro e i grotteschi ritratti di papi vestiti di bianco e prelati vestiti di rosso.

Il vicecancelliere era nervoso. Giocherellava con un fermacarte che riproduceva la basilica di San Pietro.

"Un'operazione mal condotta, Hugh. Non avresti mai dovuto organizzare nulla del genere con così poca sicurezza. Ora Sullivan è sulla difensiva nei tuoi confronti."

"Non l'ho organizzata io. Mi hanno chiesto come scrivere al cardinale e gliel'ho detto. Io credo in ciò che ci è stato insegnato al seminario sulla lealtà e l'obbedienza."

Cronin si passò una mano fra i folti capelli biondi. "Davvero? Non pensavo che roba simile facesse ancora presa su qualcuno. Non l'hai organizzata tu? Bene, sono lieto di sentirtelo dire. Lo sapevo che se avessi voluto complottare saresti stato molto più bravo. Tuttavia, avresti dovuto avere il buon senso di non fidarti di quel Fowler. Ho sentito che parecchi degli altri lo vorrebbero morto nell'olio bollente."

"Può aspettare."

Un giorno schiaccerò quell'insetto.

Poi furono chiamati nell'ufficio del cardinale. Hugh percepì quella vaga sensazione di disagio che ogni prete prova davanti a un alto prelato. Al disagio subentrò l'ira contro quell'ometto dai capelli rossastri, l'espressione mite e le lenti spesse.

"Incomincerò io, se Sua Eminenza permette..."

Un rapido sorrisetto e un esitante cenno della mano.

"So che nella Chiesa coloro che hanno autorità non possono fare nulla di sbagliato e coloro che non l'hanno non possono fare nulla di giusto. Quindi sono pienamente preparato a fare da capro espiatorio. Mi trasferisca come crede e mantenga Monsignor Sullivan al suo posto se crede. Ma mi risparmi l'ipocrisia. Lei sa che le accuse formulate nella lettera sono lievi rispetto a quanto si è accumulato negli archivi nel corso degli anni. Sa che quell'uomo avrebbe dovuto esser sollevato dall'incarico molti anni fa. Non mi tenga prediche sull'importanza della lealtà, o dell'autorità o del rispetto per un vecchio malato."

Il cardinale giocherellava con una penna a sfera. "Sono pienamente d'accordo con lei, Padre, che lo si sarebbe dovuto sostituire molto tempo fa. Fra un paio di mesi annunceremo nuove disposizioni sul pensionamento che lo riguarderanno, che gli piaccia o no. Sono qui da poco, come lei sa, e c'è così tanto..." Accantonò i suoi problemi con un movimento della penna appena percettibile. "Io non considero lei un coadiutore disonorato e Monsignore un parroco tradito..."

"Tuttavia lui è il vincitore e io il perdente."

"Qualcuno potrà pensarla così, Padre. È una valutazione ingiusta. Tuttavia, il mondo stesso è ingiusto. Cionostante, lei è un uomo di grandi promesse e grande abilità, Padre Donlon, e io vorrei concordare con lei un incarico che le facesse onore, sia perché non voglio che vengano formulati giudizi ingiusti circa il suo nuovo incarico, sia perché ho bisogno delle sue capacità..."

Fece una pausa, come in attesa di una risposta. "Ho bisogno di consiglieri provvisti di titoli universitari, in particolare nei settori importanti per la Chiesa. Mi domando se prenderebbe in considerazione di frequentare l'università e conseguire una laurea in demografia... i problemi demografici che la Chiesa si trova ad affrontare richiedono degli esperti."

"Lo farò se mi sarà ordinato di farlo. Solamente se mi verrà ordinato."

Il cardinale si tolse gli occhiali e si diede a pulirli. "Forse quando sarà meno in collera."

"No!"

Il cardinale sospirò. "Benissimo. Speravo che avremmo potuto sistemare la questione cordialmente. Lei è... lei ha ragione di essere così arrabbiato, suppongo... Monsignor Cronin, sarebbe così gentile da prendere gli accordi necessari?"

"Accetto l'ordine, Eminenza." Hugh si fermò sulla soglia. "Non ho scelta. Tuttavia, considero l'intera faccenda come una violazione della giustizia, e le prometto che non lo dimenticherò."

"Non avremo pace a questo mondo, Padre" — il cardinale si risistemò gli occhiali — "finché rifiuteremo di dimenticare le violazioni della giustizia."

"Non è la pace che sto cercando" rispose Hugh; poi girò sui tacchi e uscì dall'ufficio del cardinale.

Libro III

"Oggi sarai con me in Paradiso."

Capitolo XVII

1968

"C'è in giro il capo?" Il professor Duncan Leo, un giovane smilzo e lindo con baffi biondi e limpidi occhi azzurri sbirciò nell'angolino privato di Hugh presso il Center for Research in Uniform Demography (CRUD). Essendo l'unico che avesse ottenuto il diritto di permanenza in carica nei periodi in cui il professor Talcott Kingsley Homans era fuori del paese, era particolarmente malvisto al CRUD. Homans non amava che gli si ricordasse come vent'anni prima l'Istituto di Demografia aveva fatto slittare la sua promozione estiva.

"È partito per l'Indonesia stamattina, e mi ha lasciato un bel po' di elaborati da correggere." Hugh alzò gli occhi dal suo calcolatore.

"E così, che altro c'è di nuovo?" Duncan sedette sul bordo della dura sedia di legno che rappresentava l'unica concessione al lusso nello spazio privato che il CRUD aveva fornito a Hugh. "Buone notizie da Michigan; hanno visto la bozza della tua tesi e il tuo articolo sulla strutturazione in villaggi e produttività agricola. Ti offriranno una nomina per il prossimo autunno, posto assicurato, qualifica di assistente e diciassettemilacinquecento dollari — più di quel che prendo io — nessuna clausola che la tesi venga accettata. Sanno che Talcott ti ci farà sudar sangue, se potrà."

"È sicuramente un'offerta attraente." Hugh esitò. "Dovrò valutarla; ritengo di dovere alla Chiesa di Chicago..."

"...nulla. Ti sei pagato le tasse faticando a risolvere quesiti su quel computer per conto di TKH e correggendo i temi d'esame dei suoi allievi. Seriamente, pensi che non ti lasceranno andare?"

"Il cardinale ha detto che dipende da me."

"Questo aggiusta tutto. Michigan non scappa via. Fammi sapere qualcosa dopo Natale e daremo l'avvio a un'offerta ufficiale."

Duncan Leo balzò via dalla tana di Hugh pieno di entusiasmo.

Hugh spinse una pila di esami di propedeutica demografica sotto un'altra pila di tabulati listati di verde. Era un buon demografo, senza dubbio, con un'attraente, ricca offerta dell'Università di Michigan. Lo avrebbero voluto già diciassette anni prima come "regista" della squadra di football e ora lo volevano di nuovo sotto una veste più importante.

Un demografo di primo piano — e tuttavia un prete. Poteva avere un qualsiasi senso? E lui, era davvero un prete? Tutti ritenevano che lo fosse — la sua famiglia, Liz, il cardinale, i sacerdoti di St. Medard — dove viveva — gli studenti e il corpo accademico dell'istituto. L'unico che avesse qualche dubbio era lui.

Dubbi che non aveva condiviso con nessuno, nemmeno con Liz, che ora era la sua amica più intima.

Diceva la Messa ogni mattina a St. Medard, teneva l'omelia delle due Messe della domenica, vestiva da sacerdote eccetto che quando era materialmente presente nell'area dell'università (e lì indossava pantaloni neri), partecipava alla riunione annuale dei compagni di seminario e qualche giovedì d'estate faceva persino un'occasionale partita di golf con Pat Cleary e Jack Howard, coi quali avrebbe trascorso anche le vacanze estive, se mai avesse trovato il tempo.

Non era il prete radicale degli anni Sessanta. Non faceva picchettaggio, non firmava petizioni. E per tutta la lunga settimana d'estate in cui Liz e gli altri membri della Comune Cristiana avevano affrontato la polizia di Chicago davanti al Conrad Hilton Hotel durante la Convenzione Democratica, lui era rimasto nel suo angolino.

Liz non poteva digerire il suo conservatorismo. Lui le aveva risposto — ridendo nel vederla ancor più carina quand'era arrabbiata — che lei non sarebbe mai riuscita a risvegliare la sua coscienza politica.

Quantunque il loro rapporto fosse molto stretto, Hugh aveva mantenuto una certa distanza della Comune Cristiana e dal suo gruppo assortito di preti, ex preti, suore ed ex suore, alcuni dei quali erano sposati, altri convivevano e altri ancora si davano appuntamento — uno sconcertante esempio di farneticante interpretazione della riforma ecclesiastica, a suo giudizio. Era scettico riguardo alle coppie in cerca di una "terza via", rapporti amorosi asessuati fra preti e suore i quali, come dicevano essi stessi, non erano a rigor di termini "né celibi né sposati".

Che diavolo significava?

Tuttavia aveva cura di non mettere in ridicolo la Comune in sé, dato che Liz ne faceva parte. In realtà, l'unico motivo per comparire nei dintorni era il desiderio di tenerla d'occhio.

Liz stava attraversando un periodo difficile nella ricerca di sé, specialmente alla ripresa dell'università dopo aver prestato servizio per due anni nel Montana come insegnante nelle scuole superiori. Ora la loro amicizia era molto intima e il rapporto più stabile che mai perché lui teneva le proprie fantasie e i propri desideri sotto rigido controllo. Liz continuava a essere dolce e allegra, una deliziosa riserva di gioia e divertimento, per parte del tempo.

Tuttavia in lei c'erano anche ira, che lui aveva appena notato a St. Jarlath, e una stizzosa tendenza all'arroganza intellettuale. Entrambe sembravano particolarmente spiccate quando si trovava in compagnia di membri della Comune. Hugh si trovò preso fra l'obbligo di proteggerla e quello di rispettarne la libertà. Di conseguenza tollerava la Comune e attendeva il ritorno del suo sorriso contagioso, che ricompariva non appena lasciavano l'edificio diviso in appartamenti che questa occupava.

La cena di una delle ultime sere era stata tipica.

Theo, un grasso prete sulla strada della calvizie, appartenente all'Ordine dei Padri Albertini (dei quali Hugh non aveva mai sentito parlare) stava tenendo una conferenza sul celibato al gruppo riunito intorno alla tavola.

"Noi storici siamo realisti; sappiamo che il celibato venne imposto contro la volontà del clero per impedire che le proprietà ecclesiastiche passassero nelle mani dei figli dei preti..."

"Era un problema grave?" aveva domandato Hugh ingenuamente.

"Certo che lo era" aveva risposto Theo stizzito, aggrottando le sopracciglia.

"Bene, forse allora era una buona soluzione."

"Il punto è che oggi non è più un problema."

"Potrebbe diventarlo." Gli intellettualoidi come Theo erano facilmente persuasibili. Non avrebbe mai finito una tesi e non avrebbe mai avuto un dottorato.

"Comunque," proseguì Theo "le argomentazioni di carattere spirituale a favore del celibato possono esser facilmente confutate mediante l'analisi marxista. Oggi siamo in grado di sostenere a ragione che si tratta solo di un espediente per mantenere il clero minuto in una condizione di asservimento..."

"Gesù e San Paolo confutati con l'analisi marxista?" domandò Hugh fingendosi sgomento.

"Hugh, per favore" intervenne Liz irritata.

Hugh rimase fedelmente silenzioso per il resto della cena e alla fine si unì persino alla lunga preghiera di ringraziamento sotto la guida di Jackie, una suora o ex suora, non ricordava bene. Nel corso della preghiera Jackie pronunciò la formula della consacrazione e distribuì loro il pane, come fosse una Santa Comunione.

Inoltre, pregò per l'annientamento degli aggressori imperialisti in Vietnam.

Hugh consumò il simulacro di Comunione senza sensi di colpa, ma non pregò per l'annientamento degli americani in Vietnam. Non intendeva pregare per l'annientamento di Steven McLain.

L'arcidiocesi considerava Hugh la voce della ragione in mezzo a una moltitudine di pazzi ben intenzionati.

Era un'immagine di cui Hugh si compiaceva moltissimo.

Anche la sua relazione con Liz era discreta. Non era in nessun modo un legame del tipo "terza via". L'unico suo errore fu portarla a cena a North Mason Avenue una domenica sera.

Sin dall'inizio Liz si mostrò diffidente e insicura. I lunghi silenzi a tavola la misero in imbarazzo perché, sebbene Peggy apparisse ben decisa a essere amabile con lei, Liz si rendeva conto che in fondo le era ostile.

D'altronde, quando Peggy rispose alla domanda di Liz su "cosa faceva" con una breve descrizione del servizio che prestava a St. Ursula come aiuto insegnante, Liz si limitò ad annuire educatamente. Come Hugh sapeva, lei riteneva che il lavoro volontario fosse "parte del problema".

Hugh intervenne prontamente. "È anche pittrice."

"Oh, Hugh. Non sono altro che graziosi acquerelli, proprio nulla di *importante*." Peggy mise nell'affermazione più ironia di quanto Hugh la ritenesse capace.

"Vorrei tanto vederli." Liz non era meno decisa di Peggy ad essere irreprensibile. Con molto garbo tagliò il suo Yorkshire pudding.

Così dopo cena tutti andarono nello studio di Peg ricavato dalla veranda della siesta che si affacciava sul cortile posteriore. Peggy era in uno stato d'animo che il marito aveva battezzato "effetto Monet" e la veranda pareva piuttosto una stanza dei giochi in cui i bambini si fossero divertiti coi pastelli.

"Quant'è interessante" commentò Liz guardinga.

Mentre prendevano il caffè in salotto, Peg partì al contrattacco. "E lei lavora alla sua tesi sull'organizzazione delle attività didattiche, mia cara?"

"Teoricamente" rispose Liz.

"Non capisco cosa intende dire" incalzò Peggy intuendo che Liz era sulla difensiva.

"In realtà, sono impegnata nella scoperta di me stessa."

"Quant'è interessante..."

Tutto considerato, fu Peggy a vincere l'incontro — aveva più esperienza di contese femminili.

Cattiva intesa fra queste due, si disse Hugh mentre con enorme sollievo scappavano da North Mason Avenue.

"Nella storia del cristianesimo era molto più tipico e consueto che il prete di parrocchia si sposasse, e non che restasse celibe" affermò Theo un'altra sera a cena.

"Inoltre," Jackie interruppe "in origine il celibato si basava sul concetto che il sesso fosse peccaminoso. Ora, se il celibato si basa su una premessa erronea, sarà erroneo anch'esso, non vi pare? E quelli di noi che, mediante il proprio stile di vita, testimoniano contro il celibato testimoniano in favore della verità, come Gesù ci ha insegnato che dovremmo."

"Perfetto" concordò Theo.

Hugh era stato sul punto di far notare in quale errore di logica la suora fosse incorsa quando colse uno sguardo di avvertimento di Liz. La libertà di parola non era uno dei principi che guidavano la Comune Cristiana. Si poteva esprimere qualsiasi parere, purché fosse "corretto". Disgraziatamente, i pareri del povero Hugh erano quasi sempre "scorretti".

Cosa sarebbe accaduto se vi fosse stato un cambiamento nel voto di celibato? pensava Hugh fantasticando nel suo angoletto. Si era sbagliato tutto il tempo? Aveva sacrificato il matrimonio per un errore storico? Se si fosse verificato un cambiamento nei prossimi anni — come tutti confidavano nella Comune Cristiana — sarebbe stato troppo tardi per lui?

Per il mondo, Hugh era il sensato prete fedele capace di resistere agli entusiasmi passeggeri e alle mode del momento. Nonostante che Liz avesse rifiutato di parlargli per una settimana, non aveva nemmeno firmato la petizione al Papa con cui gli si chiedeva di rivedere la sua decisione sul controllo delle nascite.

Era molto meno ossessionato dalla Chiesa di quanto non lo fossero i membri della Comune Cristiana. Sebbene l'affronto e la sconfitta subiti a St. Jarlath continuassero a bruciargli, aveva imparato che l'ingiustizia e la stupidità prevalevano nel mondo secolare non meno che in quello ecclesiastico.

Liz e i suoi colleghi della Comune Cristiana erano in collera con la Chiesa, che non consideravano all'altezza della loro fede. Il problema di Hugh era l'incertezza sulla validità e la necessità della fede religiosa in generale.

Trascorreva gran parte della sua giornata attiva con uomini e donne che non credevano ed erano tuttavia esseri umani buoni e generosi. Al contrario del professor Homans e di alcuni altri sfruttatori degli studenti dei corsi postuniversitari, essi lo aiutavano nel suo lavoro, gli avevano mostrato comprensione e solidarietà nel momento di confusione iniziale, lo avevano tacitamente sostenuto nelle sue battaglie contro Homans. Le loro domande sulla sua religiosità erano più incuriosite che offensive.

Come potevano uomini e donne così morali e intelligenti vivere senza religione? E una fede che non rispondeva a nessuna delle loro necessità poteva mai essere la vera fede?

Essendo stato allevato in un ambiente in cui la fede era data per scontata, Hugh non riusciva a capire un ambiente in cui la sua assenza era ugualmente scontata. Se aveva ragione lui, allora tutta quella gente sbagliava. Ma se avessero avuto ragione loro?

"Sei cattolico perché hai ricevuto un'educazione cattolica" gli aveva detto una volta Duncan Leo, non come obiezione ma come mera constatazione di fatto. "Io sono stato educato nell'Unitarismo. Se fossi stato educato nel Cattolicesimo sarei come te."

Hugh non aveva mai riflettuto sulla religione che gli era stata trasmessa come non aveva mai riflettuto sulla lingua che parlava. Non aveva mai sottoposto la sua fede a un esame perché non gli era mai parso che lo richiedesse.

Una volta o l'altra avrebbe dovuto risolvere la questione di Dio, come avrebbe dovuto prendersi una vacanza, mettersi in pari con le letture teologiche e spirituali e dedicare più tempo alla preghiera. Ma per il momento doveva concentrarsi sulla revisione della sua tesi e decidere se accettare la nomina a Michigan oppure lavorare per il cardinale.

"Il miglior demografo del mondo è ancora qui a sgobbare come uno schiavo?"

C'era Liz alla porta, sottile e graziosissima in cappotto di panno, sciarpa rossa e muffole in tinta; Liz, l'oggetto delle sue fantasie erotiche notturne e di casta ammirazione quando si trovava in sua compagnia.

"Il migliore è partito per l'Indonesia." Si alzò e la baciò delicatamente sulla guancia. "Il secondo in graduatoria ha gli elaborati da correggere."

"Pensavo che saremmo potuti andare a casa a piedi" disse lei fingendo di fare il broncio.

"Ho promesso a Jack e a Pat di andare con loro stasera ad ascoltare il *Messia*."

"Il concerto è domenica." L'università era l'intero mondo per Liz.

"Alla cappella dell'Università. Ma noi andiamo all'Orchestra Hall per l'Apollo Music Club."

Era carina anche quando faceva il broncio. Come aveva fatto a sopravvivere gli ultimi due anni senza di lei? Terza via o no, era dolce sentirsi importante per una donna, specie se davvero bella come Liz.

"Ti ci porterò domenica. Niente di male se lo ascolterò due volte."

"Non sono certa di essere di ritorno per domenica. La Superiora vuole vedermi sabato. Dovrò andare in auto fin nel Visconsin." Il finto broncio si trasformò in cipiglio preoccupato.

"Qualcosa che non va?" L'ansia aveva attanagliato alla gola anche lui. "Ti avevano promesso che questa volta saresti riuscita a finire il corso."

"La Superiora è stata molto amichevole e mi ha detto che aveva buone notizie da riferirmi." Cominciò a tremarle il labbro. "Solamente, non sono sicura che abbiamo lo stesso concetto di buone notizie."

"Faremo colazione insieme domani." Hugh tentò di rassicurarla. "Non le permetterò di cambiare idea."

Lei si slanciò verso di lui piena di gratitudine. "Oh, Hugh Che santo sei." Gli toccò la guancia e poi lo abbracciò con ardore.

Hugh indietreggiò, poi l'attirò a sé, costretto, suo malgrado, da una fondamentale necessità di aiutarla.

Liz gli si afflosciò fra le braccia, poi si premette forte contro di lui. Necessità, brame, timore si combinarono in un desiderio disperato.

I loro baci furono ardenti, abili, teneri. Si comunicarono la loro passione nella precisa misura di cui l'altro aveva bisogno. Liz si irrigidì improvvisamente.

"Cosa c'è che non va?"

Una fantasia del genere ch'egli non voleva nemmeno ammettere gli attraversò d'un lampo la mente sovreccitata.

Lei si rilassò e scivolò via. "Preoccupata perché devi andare dalla Superiora? Non è il caso." Liz lo baciò sulla bocca. "Ci vediamo domani a mezzogiorno."

Jack Howard e Pat Cleary lo aspettavano all'Orchestra Hall. Come sempre, Jack era riuscito ad avere posti centrali.

"Hai un aspetto spaventoso, Hugh" gli disse. "Vai via per Natale?"

"Non penso. Devo vedere Lui-in-persona per decidere sul prossimo anno."

Hugh li informò dell'offerta ricevuta dall'Università di Michigan. Essi si congratularono in modo piuttosto formale.

"Mi accorgo che siete davvero travolti dalla gioia e dal desiderio che accetti."

"C'è posto per te qui nell'arcidiocesi" rispose Jack conciliante.

"A St. Jarlath con Monsignor Sullivan?" Hugh non fu capace di nascondere l'amarezza.

"Questo non è leale, Hugh" protestò Jack. "Gus è in pensione, come tutti gli altri giovincelli della sua età. Eammon sta mandando avanti un'arcidiocesi che funziona proprio bene. Adesso c'è un mucchio di spazio per la gente in gamba."

La musica iniziò e centinaia di voci riempirono la sala rossa e avorio, celebrando con accenti gioiosi la vittoria del Re dei Re sulle forze delle tenebre.

Non è così semplice, pensò Hugh. Troppo difficile di questi tempi distinguere la luce dalle tenebre.

Durante l'intervallo Hugh e Pat andarono al ridotto, mentre Jack attraversò la sala per parlare con alcuni amici.

Ancora trasportati dalla musica, rimasero a osservare i fiocchi di neve che nel fascio di luce delle auto cadevano pigramente su Michigan Avenue. Hugh sentì che qualcuno gli posava un leggero bacio sulla guancia.

"Se non fosse stato per il secondo bicchiere di vino che ho bevuto a cena non avrei mai osato. Hugh, tu conosci già il comandante. Ora è completo di ben tre galloni."

"Maria..."

"Non guardarmi con quell'aria sbigottita. Sono cresciuta, sai. Siamo a casa per le vacanze" — lanciò un'occhiata al marito — "e forse anche un po' più a lungo... Sei invecchiato, Hugh, ma sei sempre bello come una volta."

Si rivolse a Pat. "Sono Marie McLain, Padre. Il mio vecchio spasimante è troppo costernato per il deterioramento del mio aspetto fisico per badare ai convenevoli. Questo è mio marito, Steven."

Il comanante strinse la mano a entrambi, evidentemente ammirato dalla disinvoltura della moglie. "Siamo stati un anno a Glenview e ora torno al servizio oltremare" disse.

"Tu sei stato a Glenview, tesoro" lo corresse Maria. "Io ho passato il tempo a tirar su due indiavolati e a prepararmi per la laurea in economia." Si rivolse a Hugh. "È il celibato o la demografia che ti logora in questo modo? Non rispondermi" aggiunse senza perdere un colpo. "Come sta la famiglia?"

"Stanno bene" rispose Hugh timidamente.

"Quanti bambini?"

"Marge ne ha due — due bimbe — e Tim tre. Mamma e Papà stanno invecchiando ma sembrano a posto."

Il viso di Maria si fece malinconico, e per un attimo parve vicina alle lacrime. "È bello rivederti Hugh." Le lacrime scomparvero. "Ma guarda, c'è davvero un Padre Hugh Donlon. Ho raccontato ai miei figli di aver conosciuto un uomo che si è fatto prete e loro non mi hanno creduto. Il più piccolo dice che anche lui vuol farsi prete. Per fortuna non ha ancora l'età della ragione..."

Tutto si era esaurito così. Qualche notizia scambiata, qualche vana promessa di mantenersi in contatto, tanti vecchi ricordi che si affacciarono alla mente e furono rapidamente ricacciati indietro, un paio di quei difficili, agrodolci, meravigliosi momenti che ti marchiano a fuoco.

Un'altra salda stretta di mano e uno struggente bacio d'addio. Lei e il marito erano già confusi fra la folla.

"Mio Dio" esclamò Pat Cleary riprendendo fiato. "Chi era?"

"Era Maria, un ricordo del passato..."

Maria dei suoi sogni, contessa, buontempona, bimba smarrita e ora dirigente di banca, viva, grande di fronte alla vita, anzi, ancora più grande che nei sogni di lui, e al culmine dell'attrattiva fisica, un po' più dolcemente arrotondata e infinitamente più sensuale.

Oh, mia adorabile Maria, perché mai ti ho persa?

Era una domanda sciocca e romantica; tuttavia, nemmeno gli esaltanti soprani di George F. Haendel poterono scacciarla dalla mente.

Quando Maria e Steven tornarono ai loro posti lei era ancora rossa in viso e il cuore le batteva forte. Hugh Donlon continuava ad avere la capacità di farla struggere. Prese la mano del marito. Non c'era motivo di cercar di ingannare il vecchio Comandante Steven.

Lui le sorrise e le strizzò l'occhio.

Capitolo XVIII

1968

Il sabato pomeriggio Hugh si accinse a dire la Messa alla Comune Cristiana, come programmato. Quando entrò, una Liz pallida e con gli occhi arrossati lo salutò baciandolo rapidamente sulla guancia. "Facciamo una passeggiata dopo cena. È stato terribile, semplicemente terribile."

L'angoscia di lei lo distrasse dalla celebrazione delle festività nel corso della Messa. Il lettore indossava un costume da Babbo Natale e la direttrice delle musiche un sarong dei mari del Sud, per il quale non aveva la figura adatta. Il pane dell'Eucaristia era pudding natalizio al brandy, e il vino era in realtà birra speziata fumante. Entrambi vennero portati all'altare da sacerdoti con al collo cartelloni recanti la scritta "Giuseppe, ucciso dalle bombe americane" e "Maria, arsa dal napalm americano". Essi elevarono a Dio preghiere in cui chiedevano che la distruzione si abbattesse sulla Dow Chemical Company e gli americani si sollevassero per rovesciare Richard Nixon.

Hugh pronunciò un sermone in cui parlò della quiete dello spirito, il segreto dell'amore nella capanna di Betlemme. "Solo coloro che hanno il cuore in pace," disse ai membri della Comune "possono portare la pace nel cuore altrui."

A cena mi salteranno tutti addosso, pensò.

Durante la raccolta delle offerte donne in calzamaglia e uomini in pantaloncini da bagno si esibirono in una danza moderna. Hugh non riusciva a capirne il senso, ma afferrò che il tema era il sesso e il Natale.

La cena fu vegetariana, in omaggio ai poveri del mondo. Pane e vino, banditi dall'altare, vennero serviti a tavola insieme a frutta, verdure cotte calde e insalata, quella lattuga che, provenendo dai campi statunitensi, non era soggetta al boicottaggio del momento.

Jackie recitò una lunga preghiera di ringraziamento, ricordando a tutti i presenti che il cristianesimo rappresentava non la pace ma la spada.

Hugh non replicò. Voleva finir di cenare al più presto per andare via con Liz.

Finalmente poterono andare.

Non appena furono in fondo alle scale Liz scoppiò a piangere e Hugh la lasciò continuare mentre camminavano giù per il marciapiede coperto di neve nella pungente notte invernale piena di stelle.

Dov'è Betlemme in questo momento?

Le lacrime si trasformarono lentamente in singhiozzi spasmodici.

"È andata male?" Ora camminavano entrambi silenziosamente, calpestando la neve appena caduta.

"È finito tutto. La Superiora mi richiamerà alla casa madre perché assuma la direzione del college. Nel tempo libero potrò preparare la tesi. Persino tornare per la scuola estiva. Mi ha dato l'incarico per i prossimi sei anni. E dopo, nessuna garanzia di niente. Detesta agire così. Per il bene dell'Ordine. Il bene della Chiesa. E cacchiate del genere."

"Mi dispiace" balbettò Hugh.

"Non ho voglia di passare il resto della vita a far da infermiera a donne nella tarda adolescenza e vecchie suore orriplianti."

Gli si aggrappò e si mise a singhiozzare.

Quando la seconda ondata di lacrime fu esaurita lei gli era ancora aggrappata, come se la sua esistenza dipendesse dall'appoggio di lui.

Alla fine si riprese, si asciugò le lacrime e si strinse a Hugh. "È stato tutto così crudele. Io ero soltanto un oggetto da usare. A nessuna di loro — con la Superiora c'era l'intero consiglio — importava un accidente dei miei desideri. Mi sono sentita esattamente come quando quei bruti mi trascinarono via dall'altare di St. Jarlath."

"Brutte streghe" mormorò Hugh con le labbra nei lunghi, soffici capelli di lei.

La Chiesa si distrugge da sé.

Tim Donlon trascorse la vigilia di Natale nella sala di un locale di Rush Street, centellinando gin e prendendosi una sbornia con tutta calma.

Era più solo che mai.

Il matrimonio non andava affatto bene. Estelle era una cattolica di vecchio stampo e rifiutava il controllo delle nascite. Così, dopo tre figli in quattro anni, lo aveva estromesso dal suo letto. Lui se n'era andato, più o meno senza protestare.

Si era dedicato al matrimonio, molto più di quanto avrebbe immaginato. Non amava Estelle, ma era felice dei bambini e riteneva che valesse la pena di tentar di tenere la famiglia unita.

Vi sarebbero stati altri scontri e altre riconciliazioni. Estelle rifiutava anche il divorzio.

Non che il divorzio lo avrebbe aiutato.

Il medico aveva detto che le turbe del carattere come le sue potevano esser tenute sotto controllo. Quante cose sapeva il medico.

Dio sa se non si era sforzato. Per due anni aveva giocato in Borsa onestamente accumulando una fortuna. Poi aveva incominciato ad annoiarsi ed aveva corso dei rischi, perdendo gran parte del denaro e facendosi ancora sospendere. Estelle aveva dovuto comprare i regali per i bambini col proprio denaro.

E si era categoricamente rifiutata di andare dai Donlon il giorno di Natale.

"Orribile" aveva detto. "Niente alcolici e quella cicciona di tua madre che mi guarda dall'alto in basso come fosse la vedova dell'Imperatore della Cina. Andremo a casa nostra" — intendendo quella dei suoi genitori a Oak Brook, una grottesca palazzina gotica disegnata da lei stessa — "e questo è tutto. Puoi fermarti in quella vecchia topaia ma ti proibisco assolutamente di portarci i bambini."

Peggy non era grassa. Anzi, Estelle pesava quasi dieci chili più di lei ed era gelosa del suo bell'aspetto.

Tim fece segno che gli portassero un altro drink. Ormai, il bello era passato.

E non c'erano prostitute in giro la vigilia di Natale.

La vigilia di Natale Liz chiamò Hugh a St. Medard durante l'ora di cena, fra il pomeriggio e le confessioni della sera. "Sarò alla Messa di mezzanotte. Quasi tutti, qui alla Comune, se ne sono già andati. Poi il giorno di Natale andrò a St. Jarlath. Esatto, tesoro. Però solo per un giorno." Esitò. "Non potresti venire fin qui per colazione dopo la Messa, anche solo per un'oretta? È l'unica possibilità che abbiamo di festeggiare il Natale."

"Certo."

In St. Medard la liturgia era eccellente; i fedeli che cantavano erano ben preparati e il coro ben diretto. La funzione di mezzanotte fu ricca e vivace. I paramenti d'oro, il profumo dei sempreverdi, i gruppi di poinsettie, i commoventi canti natalizi che echeggiarono nella pesante volta romanica di pietra — tutto riportava alla memoria di Hugh il ricordo di altri Natali a St. Ursula.

Il suo sermone fu vibrante e commovente. "Betlemme è la luce nell'oscurità, l'amore nell'odio, la vita nella morte, il bene nel male. Così come le tenebre non spegneranno mai la luce di Betlemme, l'odio non annienterà mai l'amore, la morte non distruggerà mai la vita, il male non trionferà mai sul bene.

"La luce di Betlemme è sopravvissuta a duemila anni di oscurità. Nulla al mondo potrà mai estinguerla. Solo le nostre paure possono estinguerla in noi stessi."

Non era sufficiente, aggiunse, esultare nella luce di Betlemme. Dobbiamo far sì che quella luce brilli più splendente nel mondo. L'amore di Betlemme si rinnova alla luce della nostra paziente opera di abnegazione per amare ogni giorno così pienamente come il giorno di Natale. "Allora la famiglia di Betlemme sarà sempre con noi."

Dopo la Messa vi furono altre cerimonie, che di nuovo evocarono ricordi agrodolci di St. Ursula — altri canti natalizi, le orme delle scarpe sulla neve appena caduta, le strette di mano e gli auguri di buon Natale scambiati ad alta voce alla porta della chiesa e poi lo stanco, soddisfatto ritorno in canonica.

Hugh brindò col parroco e dopo poco si scusò. "Una colazione con alcuni sacerdoti dell'università."

Mentre saliva i gradini che portavano all'appartamento nella Comune il suo cuore batteva forte.

"Un bel sermone, Hugh." Il sorriso di Liz sconfisse il gelo e le tenebre e il suo abbraccio gli infuse calore e felicità.

Le diede un paio di orecchini di giada che lei tolse dal pacchetto e mise alle orecchie con la gioia di una scolaretta.

"Sono troppo per me" disse, improvvisamente triste. Era particolarmente bella quella notte, in un leggero vestito di jersey grigio allacciato in vita che le contornava morbidamente la figura, i capelli in ordine, il viso truccato con cura, un rametto di agrifoglio alla scollatura dell'abito.

"Sei bellissima" le disse lui, e la baciò di nuovo, un bacio lungo e adorante.

"Non c'è nulla di male se una femminista appare femminile per far piacere a se stessa" disse lei piena di ritegno.

"E va bene, vero, se fa piacere anche a un uomo?" La lasciò andare, ma lentamente.

"Penso di sì." Lei rise e gli sfiorò il mento. "Finché lui non pensa che la femminilità di lei la renda inferiore."

"Dio scampi."

La colazione fu elaborata: bistecchine, torta di caffè fatta in casa, caffè macinato di fresco.

Quelli che nella Comune propugnavano il vegetarianismo non

avrebbero affatto approvato, ma Hugh decise di non menzionarli.

"Ricordi la prima volta che facemmo colazione insieme?" domandò lei allegramente, riempiendogli il bicchiere di rosso del Rodano d'annata, altra cosa che i membri della Comune non avrebbero apprezzato.

"Certamente, la settimana prima che ti trascinassero via dall'altare."

"Sono cambiate molte cose da allora" disse lei con voce sommessa, accendendosi la prima sigaretta della giornata.

"Forse in meglio" aggiunse lui. "Magari, se Michigan non mi vuole, puoi assumermi tu."

Il viso di Liz si fece triste. "Avrei preferito che non lo avessi detto, Hugh."

"Mi dispiace; è stato stupido."

Liz spense la sigaretta, sapendo che a lui non piaceva che lei fumasse. "Va bene" disse alla fine. "So che non intendevi scherzarci su."

Le ore trascorsero come minuti. Presto si fecero le quattro del mattino.

Hugh si rendeva conto che era ora di andare, ma non voleva. Perché loro due non sarebbero potuti restare insieme per il resto dell'eternità?

Le prese il mento fra le dita. "Eccellente colazione, signora."

Gli occhi di Liz erano turbati, il suo viso grave. Stava cercando di controllare emozioni violente e dolorose.

Hugh si rassicurò fra sé e sé che non sarebbe accaduto nulla.

Le sue mani le accarezzarono il viso, il collo, la gola. Poi si fermarono, una su ciascun lato del collo, attirandola a sé in modo da poterla vedere bene in viso. Hugh vi lesse invito e accettazione.

Perché aveva aspettato tanto?

In camera da letto lui la baciò e lentamente le sbottonò il vestito. Le sue mani scivolarono verso la cintura. La baciò di nuovo. Le labbra di lei si arresero. Sentiva che era sua, pronta a qualsiasi cosa lui volesse.

Le sfilò il vestito dalle spalle. Lei lo trattenne alla vita. Lui glielo tolse di mano e lo lasciò cadere sul pavimento. La sua biancheria era in delicato pizzo grigio perla che si accompagnava al vestito. Abilmente, come se non fosse stata la prima volta, aprì ganci, allungò elastici, allontanò le pudiche dita di lei, le tolse la biancheria sottilissima.

Il cuore di Hugh batteva forte, la testa gli girava. Non si era mai più sentito così libero o così felice da quando da ragazzo andava in barca a vela sul lago Geneva. L'avrebbe fatta sua, diventando tutt'uno con lei nello stesso modo in cui una volta era stato tutt'uno col vento e le onde.

"Hugh, ti amo" ansimò lei. "Sei così dolce e buono."

Lui si liberò rapidamente degli abiti. Per un attimo rimasero in piedi, abbracciati, due animali nudi e spaventati che consumavano un rito più antico della loro razza. Sapevano che sarebbero andati oltre. Ma prima avrebbero radunato tutte le risorse del loro amore.

Hugh si sforzò di pensare qualcosa da dire per spezzare la tensione. Non c'erano parole. Le sue mani incominciarono a esplorarla con più ardore.

No, non così. Liz aveva bisogno dello stesso tocco delicato ed esperto con cui aveva manovrato le vele e il timone della *Pegeen*.

Ma le sue mani erano titubanti, le labbra incerte, i suoi movimenti confusi e inadeguati. Tanta bellezza, tanti bei posti da toccare per la prima volta... e nessuna abilità da parte sua. Non sapeva fare l'amore con una donna, e non aveva che qualche momento per imparare.

"Non voglio farti male" gemette.

"Non mi farai male" rispose lei cercando di rassicurarlo, sebbene fosse incerta quanto lui.

Le violente esigenze del proprio ardore erano troppo per Hugh. Non c'era tempo per la tenerezza. La lasciò cadere sul letto, lottando quanto più poteva contro la precipitazione. Lei sospirò e si mosse goffamente fra le sue braccia. "Amami, Hugh" implorò.

Lui non avrebbe potuto sopportare altri indugi. Le divaricò le gambe e con più dolcezza che poté la penetrò, la deflorò, godette del suo corpo e la fece sua compagna.

La verginità di Liz non aveva ceduto facilmente, e il suo corpo non esplose di piacere, come fu invece per Hugh.

Tuttavia, lei parve meravigliosamente felice nelle sue braccia. Lo baciò più volte e gli assicurò che era stato il momento più felice della sua vita, che era la cosa giusta, l'unica cosa da fare e che finalmente sapevano quanto si amavano.

Improvvisamente lui guardò l'orologio. Erano le cinque. Mio Dio, pensò, devo tornare.

"Un'altra volta?" lei gli domandò abbracciandolo, ancora nuda, mentre lui se ne andava.

"Certo, un'altra volta. Durante il weekend."

Non avrebbe dovuto lasciarla. Ma era stato costretto. I preti di St. Medard e più tardi, durante la giornata, la sua famiglia. Aveva degli obblighi...

La *Pegeen* galleggiava in una soffice, tiepida nuvola in alto, sopra la terra, con le vele flosce e l'equipaggio beatamente sdraiato a poppa. Maria era vicino a lui, nuda, il viso imbrattato di sugo di lamponi. Lui incominciò di nuovo a far l'amore.

Lei lo respinse. Lottando, fecero inclinare la barca da un lato. La barca si capovolse e precipitò giù dalla nuvola, verso la terra, direttamente sul cratere di un vulcano che stava eruttando fuoco e fiamme.

Hugh lottò per riacquistare il controllo della barca e continuare a fare l'amore con la sua prigioniera. Liz. No, Helen. No, Peggy. No, era sempre stata Maria, che mentre lottava lo scherniva e mutava aspetto. Lui cercò di dirle del vulcano.

Ma era troppo tardi.

Si svegliò alle undici sentendosi sia compiaciuto che colpevole.

Ancora semiaddormentato, ricordò.

Aveva fatto l'amore con una donna, aveva iniziato una vergine con successo. Era compiaciuto e orgoglioso della propria virilità. L'avrebbe goduta tante altre volte ancora.

Poi, non appena ebbe acquistato conoscenza, si sentì enormemente colpevole. Peccato mortale, sacrilegio, violazione dei voti. Era un animale, una bestia. "Dio del cielo, perdonami" implorò. "Non lo farò mai più."

Capitolo XIX

1968-1969

La grande casa all'angolo di Lemoyne e Mason stava cominciando a mostrare i suoi anni, come d'altronde il resto del quartiere di St. Ursula. Quando un certo numero di famiglie negre aveva incominciato a occupare l'estremità meridionale della parrocchia, molti dei parrocchiani si erano trasferiti a River Forest. Il declino del quartiere e il deterioramento della casa di famiglia deprimevano Hugh. Ma pur col fardello del pensiero di Liz, non vedeva l'ora di varcare la porta.

I Wentworth erano già lì. Erano arrivati in volo da Shannon con l'intenzione di fermarsi tre settimane. Liam era innamorato dei parenti acquisiti quasi quanto lo era della moglie. Le due bimbette, Fionna e Graine, di due e tre anni, erano tranquille, misteriose creature dal sorriso malizioso e occhi incantevoli, che promettevano di diventar belle quanto la madre e la nonna con l'aggiunta di un tocco di bizzarria alla loro personalità.

Tim non c'era. Lui e Estelle si erano di nuovo eclissati con la scusa che i genitori avrebbero avuto così tanto da fare con la numerosa famiglia di Marge che loro "semplicemente non avrebbero potuto". Hugh si astenne discretamente dal fare domande. Ogni anno Tim era un fardello maggiore. La sua abitudine di bere, i suoi strani umori, i suoi guai col Comitato degli Operatori presso la Borsa Merci erano un costante motivo di preoccupazione per sua madre e suo padre.

Ma non c'era proprio nessuno che potesse far qualcosa per il povero Tim.

I quattro adulti si trovarono d'accordo sul fatto che Hugh aveva un bell'aspetto, migliore che negli ultimi anni.

"Bel colore della pelle. Puoi giudicare lo stato di salute di un uomo dalla sua pelle. Era ora che te la prendessi un po' comoda. Irlanda."

Ciò poteva significare che Hugh sarebbe dovuto andare in Irlanda oppure che quello era il modo in cui si viveva laggiù. A giudicare da quanto aveva letto sull'attività di Lord Kerry nella ricerca petrolifera, Hugh non era così sicuro che se la prendesse tanto comoda.

"Le bimbe lo considerano una bambola. Ha un'aria così rilassata e felice" convenne Marge.

Entrambe gli si arrampicarono sulle ginocchia e, tutte soddisfatte, non si mossero finché la cena di Natale non fu servita.

A tavola Marge parlò del suo argomento prediletto, la Chiesa. "Sono molti i preti che vanno a letto con donne, Hugh? A me pare disgustoso. Apprezzo i cambiamenti nella Chiesa, ma se io devo mantenere gli impegni che ho preso con Liam non vedo perché loro non debbano mantenere i loro con Dio."

"Sono tempi difficili e non è uguale per tutti, Marge. La gente fa cose strane prima di mettere la testa a posto. Il mio parroco di St. Jarlath non aveva mai toccato una donna con un dito, eppure non penso che fosse un buon prete."

"Molti di loro devono sentirsi parecchio soli, non ti pare, Hugh?" aggiunse Peggy versandosi dell'altro Bordeaux che Liam aveva portato con sé. Era, ammise, "veramente saporito", adatto per un giorno di festa.

"La vita è solitaria per tutti, Mamma. Immagino che la solitudine sia uno dei motivi, e inoltre la curiosità, il desiderio, una donna disposta, l'incertezza sulla propria fede..."

"Io continuo a pensare che è una vergogna" insisté Marge.

Sconcertati dalla risposta elusiva di Hugh, spostarono la conversazione sull'offerta ch'egli aveva ricevuto da Michigan.

"Dopo tutto," osservò Peggy in tono tranquillo "Ann Arbor è più vicina di Killarney."

"Non proprio, ragazza" intervenne Lord Wentworth. "Non proprio. Noi arriviamo con l'aereo a O'Hare nello stesso tempo che tu metti a tornare in auto di là. Certo, mia cara. Prendi ancora un po' di Bordeaux."

"A proposito di O'Hare" — Marge si servì una seconda porzione di ripieno del tacchino — "ve l'ho raccontato che abbiamo visto Maria e Steven McLain all'areoporto? Stavano andando a Charleston a trovare la famiglia di Steven prima che lui torni in Vietnam."

"Povera Maria" disse Peggy con partecipazione. "Non è giusto che si debba sopportare una cosa simile due volte."

"Lui avrà il comando di una squadriglia" aggiunse il giudice Donlon. "Un lavoro pericoloso."

"So che è angosciata da morire, ma si tiene su davvero bene." Marge scosse la testa con ammirazione. "La stessa vecchia Maria.

Voleva farmi credere che Liam non conosce l'inglese e io dovevo tradurre per lui... ha detto che ti ha visto al concerto, per il *Messia*, Hugh."

"La stessa vecchia Maria" Hugh assentì con cautela.

"Hugh è uscito con Maria per un po', sai, Liam" intervenne Marge.

"Solo per due settimane."

"Troppo lungo per quella ragazza" considerò Liam con gli occhi spalancati per l'ammirazione. "Una settimana o la vita."

Tutti risero, persino Hugh, il cui stomaco si torceva per il dolore, e non a causa della cena natalizia, ma per il rimpianto.

Nella sua cameretta al convento di St. Jarlath Liz cercò di piangere fino ad addormentarsi. Le lacrime vennero e passarono, ma il sonno non le seguì.

Era atterrita da ciò che avevano fatto, vergognosa, umiliata, oltraggiata. Hugh l'aveva ingannata, sfruttata, praticamente violentata, in realtà.

Come aveva osato pensare di potersi servire di lei in quel modo? Un ricettacolo da godere e gettar via. Come aveva osato comportarsi da bestiale, ingordo porco borghese?

Improvvisamente si raddolcì in un nuovo accesso di pianto. Non era vero. In realtà, Hugh si era preoccupato di lei. E aveva cercato di essere dolce.

Ricordò quanto le era apparso bello mentre le giaceva accanto addormentato, e come la sua collera si era trasformata in improvviso desiderio, e quanto si era sentita spaventata, non per sé ma per lui.

Lo amava appassionatamente, su questo non aveva dubbi. Ma bisognava insegnargli a frenarsi, perché fosse in grado di ricambiare il suo amore in modo appropriato.

L'amore, doveva insegnargli, non consisteva soltanto nel soddisfare i propri violenti desideri sessuali.

Ordinariamente Tom Donlon si sentiva deluso dopo i giorni di festa, e maggiore era stata la gioia, maggiore la sua delusione. Nonostante l'assenza di Tim la cena di Natale era stata un gran successo. Di conseguenza, ora era estremamente depresso e incline a piangere sulla brevità della vita, la fragilità dei suoi piaceri, la vanità delle proprie speranze e ambizioni.

Non aveva avuto nemmeno un attimo di rimpianto per aver declinato l'offerta di LBJ di un posto alla Corte Suprema, anche alla luce del fatto che Abe Fortas, designato al suo posto, rischiava di esser costretto a dimettersi per dare al Presidente eletto Nixon la possibilità di coprire il posto vacante con un Repubblicano.

Il suo posto era qui, in Mason Avenue, non a Washington.

Tuttavia, quella notte di Natale considerava la sua vita un fallimento.

Voleva dormire, scuotersi di dosso la tetraggine. E Peggy, quando avrebbe finito di darsi una "rapida rassettata" prima di raggiungerlo?

Alla fine lei entrò in camera da letto indossando la sua camicia da notte natalizia verde scuro e portando una bottiglia di Bordeaux piena a metà e due calici da vino.

"Sono stanco, Peg; non voglio nient'altro da bere."

"Sciocchezze" replicò lei contegnosa. "Fin dal giorno del nostro matrimonio avresti voluto far l'amore con una moglie un po' brilla. Su, bevilo tutto." Riempì un bicchiere e glielo porse. "Liam dice che non bisognerebbe vuotare completamente la bottiglia." Peg osservò la bottiglia con aria pensosa. "Ma il mio palato è ancora inesperto. Liam ha detto anche questo." Ridacchiò.

"I ragazzi avevano l'aria di star bene oggi." Era un po' impaurito da questa estranea piena di bramosia.

Lei lo baciò lentamente, prima con affetto e poi con lascivia. "Non parliamo dei ragazzi. Lo facciamo fin troppo spesso."

Una delle spalline della camicia da notte scivolò giù. Tom Donlon si sentì di nuovo un giovanotto.

"Suppongo che il vino aiuti a vedere le cose più chiaramente. Vero, Tommy? O mi sto solo immaginando di vedere più chiaramente? Ad ogni modo, ciò che vedo stasera è che se avessi trascorso meno tempo a preoccuparmi per i figli e più tempo ad amarti saremmo più felici tutti quanti."

Di nuovo le sue labbra si strofinarono contro quelle di lui.

Dio benedica Liam Wentworth e il suo Bordeaux.

Il cardinale trovò il tempo di incontrarsi con Hugh il giorno dopo Natale.

"Ha un bell'aspetto, Padre. Si è preso un po' di vacanza?"

Hugh scosse la testa. "In pratica, la parte più gravosa del lavoro è quasi finita. Dovrei laurearmi nella primavera o al più tardi in estate."

"Questa notizia mi fa un immenso piacere. E il mio collega di Detroit? Avrà la possibilità di valersi dei suoi servizi di tanto in tanto?"

"È il motivo per cui sono qui, Cardinale. L'Università di Michigan mi fa un'offerta molto conveniente, come lei sa. Ritengo di doverle dire che mentre è certamente mio dovere restare aperto alle loro offerte e valutarle con serietà, sono abbastanza sicuro di voler restare qui... Vede, è casa mia.”

”Sì, voi di Chicago tenete sempre in gran conto la vostra città, non senza motivo, dovrei dire.” Si toccò gli occhiali come spesso faceva mentre cercava la risposta adatta. ”Non mi manca l’interesse per le sue decisioni, come può ben immaginare. E apprezzo molto che lei me ne abbia parlato. Qualsiasi decisione lei prenderà, potrà contare sulla mia piena benedizione, per quel che può valere.”

”Moltissimo.” Hugh fece un largo sorriso.

Una strana conversazione, considerando che di lì a poco sarebbe stato in un appartamento a far l’amore con una donna. Hugh voleva trovare una giustificazione per la gita a Michigan. E voleva anche rassicurare se stesso sul fatto che — indipendentemente da quanto i suoi dubbi fossero forti, indipendentemente da quanto avrebbe goduto ciò che stava per fare con Liz, e indipendentemente da quanto si sarebbe detestato per la propria lussuria appena si fossero separati — egli era ancora prete e tale sarebbe rimasto.

Liz era ancora furibonda contro Hugh, il quale non solo combinava un detestabile io maschista con una certa goffaggine nel far l’amore, ma non aveva nemmeno avuto la comune, umana decenza di telefonarle il giorno dopo, o quello successivo, o quello dopo ancora.

Ma anche lo amava con ogni furibonda cellula del proprio corpo e lo rivoleva nel proprio letto.

Lei aveva voluto ciò che era accaduto il giorno di Natale, si era aspettata che accadesse, si era preparata e si era vestita da capo a piedi per quello scopo. Se lui fosse rimasto indifferente si sarebbe sentita sconfitta e umiliata. Tuttavia era ancora irritata dall’arrogante trionfo della sua virilità.

In jeans e maglietta marrone rossiccio dell’università sedeva di nuovo alla macchina da scrivere a lavorare alla sua tesi quando Hugh entrò sorridendo, sicuro di sé.

”Faremo l’amore tutto il pomeriggio,” le sussurrò all’orecchio.

”Niente affatto” rispose lei con voce poco convinta.

”E invece sì.” Le mani tiepide di Hugh erano già sotto la maglietta e le toccavano il corpo freddo, una tenendola così stretta che non si sarebbe potuta muovere, l’altra indaffarata a stimolare, stuzzicare, soddisfare. All’inizio incerto e maldestro come lo era stato il mattino di Natale, vedendo la reazione appassionata di lei Hugh si fece più fiducioso.

Lei udì, come se venisse da molto lontano, una voce interiore, una voce che apparteneva sia al passato che al presente... Ti seduce... Dannato, ci sa fare... E a te piace, puttanella sfacciata... Fallo fermare... Oh, per favore, non fermarti... No, devi fermarlo... Oh, Dio, no... il piacere è troppo grande...

Lui la coccolò, la circondò di tenerezza, l'accarezzò ritmicamente ridendo delle sue proteste insincere.

Poi il corpo di lei scoprì un proprio ritmo, indipendente dai suoi desideri e pensieri, che le impose di arrendersi ai propri movimenti ed energie e la costrinse a mescolarsi con le energie e le forze allo stato primitivo che le si agitavano dentro.

Le mani di suo padre che si posavano su di lei. No, non suo padre. Qualcun altro.

Una miccia incominciò a bruciarle lentamente nelle reni, un fuoco che le percorse il sistema nervoso per poi divampare, un'esplosione di piacere, fremiti, contorcimenti, divincolii, mugolii di delizia e un corpo fremente — certo non il suo — che si sollevava incontro a quello di lui, col solo desiderio di fondersi in un tutto unico.

Un momento di oscurità, poi fiumi di pace e di gioia.

Era buio quando alla fine lui se ne andò. Liz giaceva sfinita ed esausta sul letto, un lenzuolo sgualcito gettato con noncuranza sul corpo profondamente soddisfatto, un guazzabuglio di sentimenti.

Era compiaciuta, irata, terrorizzata. Così, questa era l'intimità. Presto lui le avrebbe potuto fare qualsiasi cosa volesse. Era inorridita, avrebbe voluto correre via da lui, avrebbe voluto correre verso di lui, non voleva che lui la toccasse mai più, lo avrebbe voluto lì, a toccarla, in quello stesso istante.

Si sentiva oltraggiata. Lui era maledettamente compiaciuto di sé. Sapeva di essere un buon amante proprio com'era stato un buon atleta. Lei ne detestava l'arroganza e ne temeva il dominio. Ma, soprattutto, desiderava, desiderava essere una cosa sola con lui.

Si addormentò felice, incerta, confusa. La sua rabbia si ritirò silenziosamente nelle regioni sotterranee del suo animo e si mise in attesa.

La reazione del corpo accademico e degli studenti di Michigan alla visita compiuta da Hugh i primi di gennaio fu estremamente lusinghiera. Molti degli insegnanti più anziani intervennero alla sua conferenza sulla strutturazione in villaggi, come pure un gran numero di studenti dei corsi di specializzazione postuniversitaria.

Durante la cena con alcuni membri del corpo insegnante la

conversazione spaziò in una vasta gamma di argomenti, ed essi rimasero colpiti dalla padronanza di molti problemi fondamentali di finanza internazionale mostrata da Hugh e molto compiaciuti dal fatto ch'egli avesse trovato il tempo di frequentare anche corsi di economia.

"C'è una questione delicata che ritengo di dover sollevare, Padre..." disse il preside della facoltà, un uomo che aveva già i capelli grigi. "Alcuni mi domanderanno — all'estremo — se durante le lezioni lei indosserà l'abito ecclesiastico. Lei sarebbe perfettamente nei suoi diritti se lo facesse, e se..."

"Non parliamone nemmeno" rispose Hugh. "Non è un problema. Credo che oggigiorno nessuno se ne preoccupi più. Non si porta l'abito ecclesiastico nemmeno all'università di Roma."

Il preside emise un sospiro di sollievo.

"Lei intende rimanere sacerdote?" domandò un assistente con aria un po' titubante.

"Certo" gli rispose Hugh. "Perché no?"

Durante il viaggio di ritorno verso O'Hare dal Detroit Metropolitan, Hugh si rese conto di aver impressionato e affascinato il corpo accademico di Michigan. Erano un gruppo di gran lunga più civile e amichevole dei professori della sua università. Nell'ambiente di Ann Arbor sarebbe stato piacevole lavorare, ed avrebbe ricevuto eccitanti stimoli intellettuali.

Era una tentazione, una tentazione molto maggiore di quanto si sarebbe aspettato. A Michigan avrebbe avuto tempo di prendere le cose con calma, leggere, pregare, meditare sui suoi problemi religiosi e prendere le decisioni che doveva.

La nomina, inoltre, avrebbe costituito la conclusione naturale della sua relazione con Liz, se mai fosse durata così a lungo.

Il mattino successivo, dopo aver officiato la Messa, Hugh si fermò in chiesa per pregare. Non avrebbe dovuto officiare senza aver prima confessato i propri peccati. Tuttavia, aveva fatto l'amore in una realtà d'ordine differente da quella in cui diceva Messa. Il corpo di Cristo era una cosa, il corpo di Suor Elizabeth Ann qualcosa di diverso. A Dio non sarebbe dispiaciuto che lui dicesse la Messa mentre si sforzava di mettere ordine nelle proprie convinzioni ed emozioni.

Dio buono, pregò, sono un pasticcione. Non so né cosa dovrei fare né cosa voglio. Liz è una donna meravigliosa e io la amo teneramente, ma nessuno dei due vuole sposarsi. Io non voglio lasciarla, non ancora, comunque.

So che dovrei fare ciò che è più difficile. Dovrei fare ciò che mi si richiede di fare, ciò che dovrei, ciò che è mio obbligo fare.
Ma quali sono i miei obblighi in questo momento? Come posso distinguerli? Quali vengono per primi?
Era tutto così facile quando ero giovane — il seminario o Maria. Ora non è più altrettanto facile.
Aiutami, Ti prego.

Il giorno seguente sedeva alla scrivania del suo piccolo ufficio al CRUD, intento alla revisione del secondo capitolo. THK non era tornato dall'Indonesia. Anzi, aveva mandato un cablogramma: "Torno presto. Indirizzate gli studenti".
Il che significava "tenete le lezioni al posto mio finché non torno e siate pronti a far sostenere agli studenti gli esami finali alla chiusura del trimestre".
E nevicava di nuovo.
Aveva bisogno di Liz. La Comune Cristiana si era di nuovo riunita dopo le vacanze di Natale. Sarebbero stati tolleranti su qualsiasi cosa fosse accaduto nella loro cerchia in cui v'era "la libertà assoluta di farsi gli affari propri", ma non avrebbero taciuto.
Hugh tamburellò con la penna sulla pagina che stava rivedendo e chiamò l'albergo di Palm Desert dove i suoi erano in vacanza con i Wentworth.
Rispose Peggy. Un posto delizioso. Perché mai non avevano pensato di venirci gli inverni precedenti? Liam era una grazia di Dio. No, non sto affatto esagerando col vino. Solo un bicchiere ai pasti, beh, qualche volta due. Sembra strano anche a tuo padre. Marge è davvero meravigliosa. Penso che si senta ancora un po' colpevole per tutti quegli anni. Sì, il riscaldamento è acceso nella casa al lago Geneva. Questo weekend? Sono contenta che finalmente tu ti prenda una vacanza e ti rilassi per il weekend. Era ora.
Disprezzo di sé e lussuria gli lottavano dentro mentre riagganciava il telefono. Sapeva che dopo l'idillio di quel fine settimana si sarebbe odiato ancor di più. Fornicazione e sacrilegio nella casa in cui la sua famiglia trascorreva le vacanze estive... era possibile scendere più in basso?

Diede a Liz cinque minuti per fare la valigia. "Avrai bisogno di pochissima roba. Ci sono un sacco di vestiti. A parte il fatto che non ho in programma che di farti stare nuda per la maggior parte del week-end."
Lei non voleva andare, non voleva mettersi così totalmente a

sua disposizione. Ma, temendo uno scontro, si preparò una piccola borsa da viaggio e sedette in auto accanto a lui.

Al lago Geneva camminarono nella neve e sul lago gelato, giacquero vicino al fuoco acceso, bevvero vino da una bottiglia, e parlarono. La maggior parte del tempo, tuttavia, fecero l'amore.

Lei abbandonò il tentativo di isolarsi dai propri sentimenti. Anzi, per due giorni non fu altro che acuti spasmi di piacere che torturarono il suo corpo e minacciarono di smembrarlo deliziosamente.

Lei era in preda a un terrore viscerale del predominio sessuale di lui. Ma fino alla domenica pomeriggio riuscì a far sì che il terrore non interferisse. Hugh la usava come fosse stata una schiava in un harem, e lei godeva ogni attimo della situazione. Per questo weekend, almeno, voleva vivere in paradiso.

La domenica pomeriggio il cielo era terso e azzurro e il sole sfolgorava sul ghiaccio. La notte precedente la temperatura era caduta sotto zero e spirava un forte vento dal nord. Ma essi, giacendo davanti al caminetto piacevolmente esausti, lui con una coperta intorno ai fianchi, lei con indosso una vestaglia di Hugh, badarono poco o nulla al tempo.

"Pronto per un discorso serio?" Liz gli passò una mano sulla guancia non sbarbata.

Non terrore, ma buonsenso, insisté lei mentalmente.

"Se vuoi." Hugh la baciò sulle labbra.

"È stato meraviglioso. Non avrei creduto che potessero esistere tanta pace e tanta felicità. Ma, Hugh, questi veekend d'amore non possono andare avanti all'infinito. Entrambi abbiamo delle responsabilità. Ci siamo entrambi impegnati nel tentativo di rendere il mondo più vivibile, di portare pace e giustizia agli oppressi, di alleviare il fardello dei poveri, di far sì che la Chiesa riacquisti importanza presso il popolo di Dio..."

"Niente spazio per noi in tutti questi grandiosi programmi?"

"Certo... ma ciò che importa non siamo noi, bensì gli scopi."

"Io voglio avere la mia importanza" si ostinò lui.

"Tu sei importante, Hugh. Per me..."

Lui si girò verso il caminetto. Liz lo circondò con le braccia, premendosi leggermente contro la sua schiena.

"Sei la più realistica dei due, Liz; preferirei non dover affrontare questo discorso."

"Dobbiamo entrambi renderci conto che bisogna smettere." La collera, sopita durante il weekend di delizie, riemerse silenziosamente dal suo nascondiglio sotterraneo. Dio, Hugh era proprio ottuso. Pensava forse che lei lo avrebbe sposato?

"Abbiamo entrambi il nostro lavoro, i nostri obblighi, le nostre responsabilità." Lo baciò sul collo. Se fosse riuscita a parlare di responsabilità, il terrore sarebbe scomparso.

"E questa è l'ultima volta?" Hugh si girò e le tolse la vestaglia dalle spalle. Lei gli sciolse la coperta dalla vita.

"Abbiamo forse scelta?" Si strinse vicino a Hugh, fiduciosa che ora la sua corazza protettiva tornasse a posto. Non aveva più bisogno di temere il potere di lui.

"No, direi di no... D'accordo, finisce domani. Ma godiamoci ciò che ci resta di oggi."

Il dieci di febbraio Hugh scrisse una lettera al rettore dell'università dicendogli che era spiacente di dover declinare la sua generosa offerta. La sigillò e la posò sulla sedia di legno all'entrata del suo minuscolo ufficio. Era andato a confessarsi in quella frequentatissima, marmorea officina di sacramenti che era St. Peter, nel Loop. Il giovane frate che aveva ascoltato i suoi peccati era stato dolce e comprensivo.

"Lei non deve essere così disgustato di sé, Padre" aveva sussurrato in tono conciliante. "Lei sembra ancor meno disposto a perdonare i propri peccati di quanto non lo sia Dio."

"E in questo modo aggiungo l'orgoglio alla lussuria" considerò Hugh con amarezza.

"Via" protestò il giovane confessore. "In una certa misura il disgusto è appropriato. Ma lei si propone di emendarsi, intende metter fine alla relazione. Farebbe molto meglio a espiare impegnandosi nel lavoro invece che odiando se stesso."

Hugh trattenne l'impulso di ridere della propria stupidità. "Mi sforzerò, Padre."

"Il che è tutto quanto Dio si aspetta da chiunque di noi."

Alzato il ricevitore del telefono che aveva sulla scrivania, chiamò Sean Cronin per ottenere un appuntamento col cardinale.

Non appena ebbe riagganciato, Liz comparve alla porta dell'ufficio, il viso bagnato di lacrime, un fazzoletto stropicciato in mano. Appariva stanca e sofferente.

Doveva partire per il nuovo incarico alla fine del mese. Gli sarebbe mancata, ma per lei sarebbe stata la miglior cosa al mondo. Finalmente un incarico amministrativo. La cosa migliore anche per lui. Non avrebbe potuto vederla senza desiderarla.

"Cosa c'è che non va? Ripensamenti sul college? È la cosa migliore, Liz, lo è davvero. Entro la fine del primo trimestre lo amerai."

"Hugh," singhiozzò lei "penso di essere incinta."

Capitolo XX
1969

"Bene, mia cara, ti sei creata un problema, mi pare." Madre Baldwina, un'energica, atletica suora intorno ai cinquantacinque, stava facendo una mera constatazione, e non esprimendo una lamentela.

"Sì, Madre." Liz riusciva appena a udire la propria voce.

"Certamente, devi aver previsto questa possibilità?"

"Io... io non ci ho pensato molto... lui avrebbe dovuto..."

"Via, Sorella, non siamo qui per biasimarlo. Senza dubbio ha la sua parte di responsabilità. Tuttavia, il femminismo non ci aiuterà a risolvere il tuo problema."

"Ma lui è così arrogante... Tutti gli uomini..."

"Ti dirò una cosa in assoluta sincerità. Se sei incinta, il motivo è che volevi essere incinta. Non cercherò di analizzare quali possano essere le tue ragioni. Se vuoi sposarlo, non cercherò di indurti a cambiare idea, quantunque tu non stia parlando come una donna innamorata."

"Io lo amo veramente" ribatté lei con ostinazione.

"Abbastanza da passare il resto della vita con lui? Pensaci, Sorella. È molto, molto tempo."

"Io... non so..."

"Possiamo aggiustare le cose. Potresti prendere un periodo di congedo. Io non raccomanderò l'annullamento della tua nomina a preside del nostro college. Penso che riuscirò a persuadere quel paio di membri del comitato alle quali devo dare qualche spiegazione che la questione va trattata con riserbo. Nessuno ti costringerà a rinunciare ai voti e ad aggiustarti per conto tuo, come avremmo fatto solo qualche anno fa, che Dio ci perdoni."

Fuori, attraverso le finestre dell'alloggio della Superiora la neve fresca brillava candida e pura intorno alla casa madre.

"Lo apprezzo, Madre." Liz si passò un fazzoletto di carta sugli occhi. "Non so che fare."

"Non sarò io a dirtelo, Sorella." Il viso della Superiora era imperscrutabile. "Sei tu che devi pensarci sopra. Hai un po' di tempo, non molto ma sufficiente. Avrai il mio appoggio qualunque cosa tu faccia."

"Grazie, Madre" disse Liz con gratitudine, percependo appena l'ira che di lì a poco la presunzione di Madre Baldwina le avrebbe suscitato.

Xav Martin rimase molto più sconvolto di quanto Hugh avesse previsto.

"Non sposarla, Hugh. Io non conosco affatto quella donna, ma so che non dovresti sposarla."

"Perché?" Hugh si protese in avanti sulla sedia dell'ufficio del rettore, la stessa sulla quale si era agitato in preda all'ansia il giorno in cui gli aveva parlato di Maria.

"Tu non desideri sposarla. Ti sei intrappolato da solo nel tuo irrazionale senso del dovere. Se la sposi ti metterai in croce con le tue stesse mani."

Hugh si appoggiò allo schienale. "Non capisco..."

"Non la ami, Hugh, nemmeno un po'."

"Io penso proprio di sì, Xav" ribatté lui infervorandosi.

"Allora stai ingannando te stesso. Non farlo, Hugh; non sarà un matrimonio felice. Ci saranno altre donne. Una volta che avrai commesso qualcosa di sconsiderato, non riuscirai più a controllarti. I demoni ti trascineranno all'inferno."

"Sono parole dure, Xav: demoni, inferno — dici sul serio?"

"Io non sto parlando di fiamme eterne dell'inferno, Hugh." Scacciò l'idea col rapido gesto che gli era consueto. "E tu lo sai. Sto parlando dell'inferno che uno si fabbrica con le proprie mani. Sposa quella donna e sarà il primo passo della discesa verso l'inferno."

"Forse..."

"Pensaci, Hugh. E non sposarla soltanto perché ti senti responsabile. Il comportamento umano è determinato anche da altri validi motivi."

"Per esempio?" Le parole gli erano sfuggite di bocca prima che si rendesse conto di quanto avrebbero potuto ritorcersi contro di lui.

"Per esempio, la sopravvivenza."

"Vuoi che abortisca?" domandò Liz risentita.

"No... non essere assurda; l'aborto è fuori questione."

"Perché dovrebbe essere fuori questione? Oggi la maggior parte dei teologi moralisti ritiene che non si possa parlare di essere umano nelle prime due settimane. Un mese, sei settimane, non è poi molto di più."

"Vuoi l'aborto?" domandò lui stancamente. Era stata una conversazione lunga, involuta e astiosa nel suo ufficio a St. Medard, con le scatole contenenti le buste delle offerte impilate in un angolo e le pareti alte e sporche che si profilavano intorno in un silenzio sgomento, l'unico posto in cui potessero parlarsi in privato.

Lei esitò prima di rispondere. Era una soluzione, lo sapeva il cielo, quantunque ripugnante per entrambi.

Liz era amareggiata e incollerita. Gli uomini si divertivano e le donne pagavano il prezzo. Sì, il medico era sicuro che fosse incinta. No, ovviamente non aveva fatto nulla per evitare il concepimento. No, non voleva sposarsi. Sì, sarebbe andata via per avere il bambino. No, non aveva alcuna intenzione di restare nell'Ordine.

Hugh le domandò con garbo se non le era venuto in mente che, non facendo nulla per evitarlo, sarebbe potuta rimanere incinta.

Lei gli gridò infuriata che nemmeno lui aveva fatto qualcosa.

Lui, comunque, dava per scontato che si sarebbero sposati. Era l'unica cosa che potesse fare. Liz lo sapeva altrettanto bene. Era — riteneva — una soluzione più che accettabile dal punto di vista di lei. Certo, lei avrebbe dovuto superare ira e oltraggio, trarne ciò che di meglio poteva e infine guardare al futuro con realismo.

"Forse l'aborto non è una cattiva idea. Come peccato, è più terribile il fatto che tu mi forzi ad accettare un matrimonio che nessuno dei due vuole."

Hugh non la biasimò per il suo bluff. Dopo tutto, la vittima maggiore era lei. Forse, tuttavia, era un bluff che non bisognava lasciar passare sotto silenzio.

"Questa è una decisione che dipende interamente da te" disse guardingo. "Io la disapprovo. Ti sto chiedendo di sposarti; voglio sposarti; questo... questo evento non fa che impormi di affrontare ciò che ho desiderato per tutto questo tempo..."

Lo aveva desiderato davvero? Non sapeva. Michigan, una moglie, una famiglia...

"Se insisti nel volere il bambino al di fuori del matrimonio io farò tutto ciò che sarà necessario. Se vuoi l'aborto, io non coopererò, ma devo ammettere che il corpo è tuo e tua è la scelta."

"E così io resterò per sempre legata al mio peccato mortale, mentre tu sarai completamente libero?" Liz saltò in piedi, afferrò borsetta e guanti e si precipitò fuori della stanza.

Hugh si rese conto che doveva rassegnarsi a non riuscire a persuaderla nell'attuale momento di crisi. Liz era irata e sconvolta, e stata lottando contro la propria colpa. Il suo atteggiamento sarebbe cambiato.

Ma che sarebbe accaduto se avesse dovuto puntare i piedi? E se l'avesse presa alla lettera e si fosse rifiutato di sposarla? Quante volte aveva consigliato a giovani donne che erano rimaste incinta di non sposarsi? I matrimoni del genere, soleva dire in tono pacato, erano per la maggior parte sconsiderati. E questo, sarebbe stato sconsiderato? Sapeva che si sarebbe disprezzato se l'avesse abbandonata, ma forse era la cosa migliore.

Compose il numero privato di suo padre in studio. Potevano incontrarsi l'indomani? No, non a colazione; avrebbe preferito vederlo nel suo ufficio. Una cosa importante. Cattive notizie? Non proprio.

Quisquilie, pensò Hugh riagganciando.

Una considerevole parte della sua vita stava andando distrutta. Vi sarebbero state angoscia e sofferenze per la sua famiglia, biasimo e recriminazione in parte espliciti ma per lo più sottintesi.

Così sia.

Aveva sprecato un mucchio di tempo, sette anni in seminario, dodici nel sacerdozio. Doveva incominciare a riguadagnare il tempo perduto.

Il giudice ascoltò in silenzio ciò che Hugh aveva da dirgli, il viso privo di espressione, le dita che giocherellavano con una clip. "Mi scuserai, Hugh, se faccio l'avvocato e ti rivolgo qualche domanda?"

"È un giusto modo di incominciare, Papà."

"Sei sicuro che il bambino sia tuo...?"

"Sicurissimo."

"Inoltre, sei sicuro che questa giovane non si troverebbe meglio avendo il bambino fuori del matrimonio?"

"Non ha ancora deciso, Papà. Ma io sì. Non voglio abbandonare né lei né nostro figlio."

"Già. E intendi lasciare il sacerdozio?"

"Questo è il problema grosso. E non è facile rispondere. Lascerei il sacerdozio, in questo momento, se Liz non fosse incinta? Probabilmente no. E in futuro? Chi lo sa? Se fossi uno psicologo, direi che ho fatto ciò che ho fatto perché mi avrebbe costretto a lasciare."

"Capisco." Suo padre posò da un lato la clip con delicatezza. "Ritieni, prima di ogni altra considerazione, che farti prete sia stato un errore?"

"Io volevo essere prete, Papà. Nessuno mi ha forzato la mano.

Non... non è stato esattamente ciò che mi aspettavo. Non l'ho mai messa così, nemmeno di fronte a me stesso... ma quegli anni a St. Jarlath non mi hanno dato molte soddisfazioni. Se non avessi avuto tanti conflitti con Monsignor Sullivan, forse sarebbe stata una noia mortale."

"Suppongo che cercherai di ottenere la dispensa dai voti."

"Sì, naturalmente." A Hugh questo non era parso un motivo di preoccupazione. Per lui non faceva nessuna differenza. Ma sarebbe stato importante per la sua famiglia.

"Desideri che parli io a tua madre prima di te?"

"Fa' tu ciò che ritieni meglio."

Ora la clip era sospesa fra pollice e indice, come una vita sul punto di venir meno.

"Certamente, sarebbe opportuno che io discutessi la questione con lei... Con gli anni si impara qual è il modo migliore per far accettare le cattive notizie. Senza dubbio ti rendi conto che la considererà una cattiva notizia."

"Sì."

Il giudice emise un leggero sospiro. Pareva molto vecchio. "Non c'è bisogno di ripeterti, Hugh, che sei nostro figlio e noi saremo al tuo fianco. Se questa è la tua scelta, è la scelta più confacente per te. Dovrai aver pazienza per la nostra delusione... Non interpretarla male."

Il groppo alla gola era così grosso che Hugh per qualche secondo non poté parlare. "Sapevo che avrei potuto contare su di te, Papà."

"Intendi continuare la carriera accademica? La nomina a Michigan?"

"Sembra la cosa più saggia."

"Tu mi perdonerai se solleverò un'obiezione. Se la tua attività come prete di parrocchia non era... come dire... abbastanza stimolante, pensi che l'insegnamento in un college potrà esserlo?"

A questo, Hugh non aveva pensato.

Una Liz timida e impacciata era ad attenderlo nel suo minuscolo ufficio.

"Sono una terribile strega" disse abbattuta.

Lui le sfiorò una guancia. "No che non lo sei. Sei sottoposta a tensioni fortissime e per di più stai male tutte le mattine."

"Vuoi davvero sposare una donna così orrenda?"

"Sì, lo voglio proprio. Non c'è nulla che voglia di più."

Lei respirò profondamente. "Pensi che ti abbia sedotto per costringerti a sposarmi?"

Terreno minato pericolosissimo. "Ci amiamo da un mucchio di tempo, Liz. Volevamo consumare questo amore. Sapevamo che sarebbe potuto accadere... tu non meno e non più di me..."

Liz aggrottò le sopracciglia, tentando di interpretare la risposta, forse in cerca di qualcosa di più definitivo.

"Direi... che mi sono tormentata cercando una risposta. Non sono sicura. Indubbiamente, ti amo. E, indubbiamente, voglio sposarti. Questo lo so."

Lui la baciò sulla fronte. "È tutto ciò che conta. Non preoccupiamoci di stabilire le responsabilità."

"Ti dispiace se ci sposa Theo? Alla Comune?"

Sì, gli sarebbe dispiaciuto. Mamma, Papà, Tim, e Marge.

"Penso che sarebbe opportuno fare qualcosa di molto tranquillo davanti al funzionario della contea."

Lei ci rimase male. Se avesse insistito, lui avrebbe ceduto.

Ma non insisté.

Hugh scrisse una nuova lettera al rettore di Michigan. Accettava la nomina a titolo di prova, in attesa di una loro offerta ufficiale alla fine di marzo. Non era un impegno vincolante. Nella giungla universitaria i negoziati erano delicati e indiretti, finché non si arrivava a mettere nero su bianco.

La domanda di suo padre lo preoccupava. Ci sarebbe forse stato qualcosa di più entusiasmante da fare?

Capitolo XXI

1969

"Entra, Hugh. Siediti." Sean Cronin era d'umore espansivo. "Fuma se vuoi... No, è vero, nemmeno tu fumi. Come va?" Cronin sistemò i piedi sulla scrivania. "Uno strano momento per essere prete, Hugh. Il momento migliore, e al contempo il peggiore. Ed è difficile distinguere. Novità nella tua vita?"

"Intendo dare le dimissioni dal sacerdozio attivo, Sean." Era stato avvertito che Cronin era sensibilissimo alla questione delle dimissioni, ed era preparato a vederlo esplodere.

Se avesse piantato un coltello nello stomaco del vicecancelliere, la sofferenza che lesse sul suo viso non sarebbe stata più intensa. "Oh, Dio, Hugh, non farlo..."

"Mi dispiace, Sean."

"Spezzerai il cuore al vecchio. Era così contento del tuo lavoro."

"Devo farlo."

"Un anno di congedo in qualche altro posto... Prenditi un periodo di riposo per pensarci su... va' a Michigan... all'Ovest."

"Sto pensando di sposarmi, Sean. Sono venuto a prendere i moduli per la dispensa."

Il collega annuì tutto rabbuiato, aprì il cassetto della scrivania e ne tolse un plico di incartamenti. "Sarà bene che ti prepari ad affermare che al momento dell'ordinazione non eri libero di compiere una scelta consapevole sul piano umano e che non avevi pienamente compreso cosa il celibato avrebbe significato e che la tua salvezza dipende interamente dalla possibilità di avere una vita coniugale... Te la senti di giurare su questo, Padre?"

La voce di Cronin era carica di ironia e di aspra collera.

"Se questo è quanto altri giurano, suppongo di poterlo fare anch'io."

Cronin annuì. "È un trucco meschino. Non so... diavolo, spediscili al più presto, e io cercherò di dare una spinta. Il Papa è imprevedibile riguardo a queste cose, dipende dall'orientamento della sua coscienza in quel momento. Quando hai in mente di sposarti, Hugh?"

"Fra qualche settimana."

"Di fretta?" Un sopracciglio si era alzato di scatto.

"La giovane è incinta, Monsignore."

"Già, avevo pensato a qualcosa del genere." Spinse i documenti verso il bordo della scrivania davanti a Hugh con evidente disprezzo.

Alla fine la collera di Hugh esplose. Cronin non era altro che un perfetto bersaglio per il disprezzo ch'egli nutriva verso di sé. Il vicecancelliere era un gelido, ambizioso bastardo; Hugh afferrò i moduli per la dispensa, li fece a pezzi e li sbatté addosso al prelato allibito. "Questa roba te la puoi ficcare su per il culo."

Mentre infilava a precipizio il corridoio, desiderando solo di uscire da quel vecchio edificio dall'aspetto sgradevole e viscido per non rimettervi piede mai più, udì dietro di sé la voce di Cronin.

"Spedirò i moduli a St. Medard."

Si voltò. Monsignore era in piedi sulla soglia del suo ufficio, appoggiato allo stipite, con in mano i documenti a pezzi, le spalle improvvisamente curve.

Hugh corse giù per le scale e uscì in strada.

Grazie a Dio, non aveva dovuto vedere il cardinale.

Nei trentasei anni del loro matrimonio, il giudice Donlon e sua moglie non avevano mai litigato così violentemente. Per quasi ventiquattr'ore non si erano rivolti la parola. La sua fiducia di poter "maneggiare" la passionalità di Peg era del tutto svanita.

Solo Dio sapeva che cosa sarebbe venuto fuori da questo confronto — nessun altro termine era appropriato — con Hugh.

Il figlio aveva intuito che c'era qualcosa che non andava nel momento in cui era entrato in salotto e aveva visto sua madre che, con le labbra serrate e il volto pallido, sedeva impettita sul suo canapé "prediletto", quello sul quale aveva rammendato infinite paia di calzini consunti.

"Mi dispiace, Mamma" fu il suo misero approccio.

"Sei uno stupido, Hugh, terribilmente stupido. Non sposare quella donna; lo rimpiangerai per il resto della vita. Lascia il sacerdozio se proprio devi, diventa professore se è questo che vuoi, trovati una moglie se questo ti renderà più felice, ma non sposare quella strega piena di boria."

Hugh si ritrasse come fosse stato colpito da una sbarra di ferro. "Io l'amo, Mamma."

"Ne dubito. Tu la desideravi violentemente e lei ti ha incoraggiato. Ma non l'ami."

"Mi dispiace che tu la pensi così, Mamma. Lei mi darà un figlio."

"E con ciò?" ribatté Peg con acrimonia. "Sarebbe la prima donna che ha un figlio fuori del matrimonio?"

"A questo figlio... o figlia... non dobbiamo negare la possibilità di un'esistenza felice."

"Secondo tuo padre dovrei sostenerti. E io lo faccio. Qualcuno dovrà pur dirti la verità. Ma non sarà lui. Ti creerai una vita miserabile, per sempre."

"Peg," disse il giudice in tono duro "basta così."

"No, non basta affatto, Tom" replicò lei. "Ho smesso di fare tutto ciò che tu desideri. Per quanto sia tardi, affermo la mia indipendenza. Io non posso impedirti di sposarla, Hugh. Se vuoi essere la vittima delle sue macchinazioni e delle tue debolezze, continua pure così. Ma non aspettarti che io venga al matrimonio o la tratti come una nuora. Non posso farlo, Hugh. Non voglio farlo."

"Peg, non tollererò una parola di più" disse il giudice tentando di avere la meglio.

"Non m'importa di ciò che non tollererai "strillò lei correndo fuori della stanza.

"Si riprenderà, figlio. Lo shock, sai..."

"Non penso; mi fa venire in mente Xav Martin..." Hugh era in piedi in mezzo al salotto, con le braccia che gli pendevano lungo i fianchi in atteggiamento impotente; pareva un soldato abbandonato dall'ultimo compagno d'armi. "Mi dispiace di aver sollevato difficoltà fra di voi."

"Fra qualche giorno sarà tutto a posto" disse il giudice con scarsa convinzione. "Faresti meglio ad andare, ora."

Più tardi tentò di parlare a Peg nel suo studio, dove lei era intenta a dipingere su carta con lievi colpetti indispettiti.

Peg rifiutò di ascoltarlo. "Va' via e lasciami stare."

Lui se ne andò, ora adirato oltreché offeso e umiliato.

Quella notte, per la prima volta da quando vivevano in quella casa, Tom Donlon non dormì nello stesso letto della moglie. Si trasferì in quella che era stata la camera di Hugh, rassegnandosi con rammarico a ciò che ad ogni effetto pratico sarebbe potuta essere la fine del matrimonio con Peg.

E domandandosi se per caso lei non aveva ragione.

Hugh Donlon si inginocchiò nella penombra della navata centrale di St. Medard e pregò nello stesso modo in cui suo padre gli aveva detto di aver pregato la notte della sua nascita.

La veemenza dell'attacco di sua madre l'aveva segnato profondamente. Si era aspettato che rimanesse delusa dal suo abbandono del sacerdozio, ma l'ira nei confronti di Liz, e specialmente un'ira così rabbiosa, superava la sua possibilità di comprensione. La conosceva appena. Una cena una domenica sera non era sufficiente a giustificare una condanna così aspra.

Dio buono, se sei lassù ad ascoltarmi, dimmi Tu cosa devo fare. Amo Liz, voglio che sia mia moglie. Amo mia madre, e non voglio farla soffrire.

La risposta fu che un uomo deve restar fedele alla moglie.

Liz non lo era ancora. Forse non avrebbe dovuto esserlo. Forse questo era proprio il momento di abbandonare la nave finché era in tempo...

Per un rapidissimo momento decise di seguire il consiglio di Peggy.

La reazione fu di gioia e sollievo.

Ma non appena lasciata la chiesa per tornare alla sua cameretta nel seminterrato dove lo attendeva il terzo capitolo della tesi, capì che non avrebbe mai potuto abbandonare Liz.

"Buon Dio" esclamò Marge. "Hugh si sposa."

La pioggia batteva pesantemente contro i vetri delle finestre e banchi di nebbia passavano rapidamente accanto alla casa. Davvero una mite giornata irlandese.

Liam guardò in su oltre il bicchiere di sherry che beveva come aperitivo. "Non può. È un prete."

"Sposa una ex suora che ha messo incinta."

"Come?!... Sconvolgente!" Liam rovesciò metà del suo bicchiere di sherry.

"Mamma e Papà hanno avuto una lite terribile. Non si sono parlati per una settimana. Ti immagini, Liam?"

"Brutto affare."

"Il matrimonio è fissato per il prossimo lunedì davanti al funzionario della contea. Ci andranno solo Papà, Tim e qualche ex suora."

Liam stette a osservare la nebbia che passava turbinando e copriva quasi totalmente le acque di Dingle Bay e, molto più lontano, la Purple Mountain.

"C'è qualcosa che possiamo fare, tesoro? Qualche modo per renderci utili? Dovremmo prendere l'aereo e cercar di fasciare le ferite?"

Marge picchiettava pensosamente con la lettera sulla sua scrivania, un pezzo autentico di Thomas Sheraton.

"In questo preciso momento l'unica cosa da fare è tenersene fuori e pregare..."

"Direi che hai ragione. Ci si sente impotenti."

Lei gli si avvicinò e gli posò una mano sulla spalla.

"Non so che farei senza di te, Liam."

"Troppo credito. Zoticone inarticolato. Come tutti gli anglo-irlandesi. Scriteriato e ottuso."

Lei rise, poi pianse, poi se lo tenne stretto come se non volesse lasciarlo andare mai più.

Poco dopo lui chiamò il giudice per scambiare "un paio di chiacchiere".

Hugh e Liz caddero di nuovo nel peccato, del tutto cosciente-mente e deliberatamente. Lui aveva un disperato bisogno di fare l'amore. Tuttavia, fu lei a suggerire l'idea.

"Che differenza fanno qualche giorno e una cerimonia le-gale?"

Così presero una camera al Blackstone Hotel, un vecchio, ri-spettabilissimo albergo su Michigan Avenue che pareva una ma-trona con la gonna un po' sollevata perché la folla che si trovava in strada non la sporcasse di fango. Si erano portati due valigie in gran parte piene di libri e apparvero così convincenti come coppia sposata che al banco dell'albergo non incontrarono nemmeno il più vago accenno di disapprovazione.

Il loro amore fu tenero, dolce e gentile. Hugh era orgoglioso della rapidità con cui aveva imparato i piccoli segreti dell'amore con Liz, i baci che gradiva di più, le carezze che le davano il piace-re maggiore, i punti più sensibili del suo corpo, la mescolanza di dolcezza e di forza che sembrava eccitarla maggiormente, i punti in cui un indugio si trasformava da delizia in agonia, e quelli in cui la dolce agonia diventava insopportabile necessità.

Cenarono al ristorante dell'albergo e poi tornarono in camera per un'altra seduta di tenerezze. Poi lei gli si inginocchiò accanto nel letto, l'immagine della lussuria appagata.

"Per favore, tesoro, promettimi una cosa" disse portandosi alle labbra una mano di Hugh.

Hugh la guardò assonnato.

"Non permettere che i miei malumori si intromettano nei no-stri rapporti. Tu sai quanto riesco a essere cattiva. Non permette-re mai che ci impediscano di amarci come ci amiamo questa not-te." Gli accarezzò lievemente il viso, come fosse un bimbetto che bisognava toccare con la massima delicatezza.

"I tuoi malumori non sono poi così gravi; non ci daranno nessun fastidio" disse.

Lei gli si sdraiò vicino, gli passò un braccio sul petto e gli fece appoggiare la testa sulle sue giovani mammelle piene, e lui si addormentò soddisfatto.

Presto si sarebbero lasciati le difficoltà alle spalle, pensò lei, e sarebbe iniziata una nuova vita, una vita ricca di innocenza e di promesse.

Il matrimonio fu una questione di cinque minuti. Liz indossava un semplice abito bianco sotto un cappotto di lana e Hugh un completo blu marino.

Il funzionario di contea fu corretto, troppo diplomatico per lasciar trapelare cosa un devoto cattolico irlandese come lui potesse pensare di un matrimonio fra una suora e un prete.

L'ex Suor Jackie, al colmo della felicità, baciò tutti quanti.

Tim era nervoso e pieno di tic, e i suoi occhi iniettati di sangue e il viso segnato dalle rughe lasciavano intendere la sua disapprovazione per ciò che stava accadendo. Strano che Tim si desse pensiero di qualcosa.

Il giudice si fece coraggio, si congratulò coi nuovi signori Donlon e insisté perché tutti fossero suoi ospiti a pranzo in una saletta privata che aveva riservato alla Palmer House.

Dopo pranzo Hugh e Liz partirono in auto per il lago Geneva per una luna di miele di tre giorni. Entrambi dovevano tornare all'università a finire le loro tesi. La carriera di Liz come rettore del college si era interrotta prima ancora di cominciare. Liz aveva scritto a Madre Baldwina una lettera con cui metteva bruscamente fine ai suoi rapporti con l'Ordine.

E ciò era tutto.

Le giornate al lago furono piacevoli, nonostante il tempo grigio di marzo. Tuttavia, la passione bruciante dell'interludio precedente non tornò più. Stavano adattandosi al concetto della serietà in una ruotine coniugale nella quale vi sarebbe stato ben poco tempo, e poca disposizione d'animo, per concedersi il lusso di scappatelle di quel genere.

Un pomeriggio Hugh fece una passeggiata intorno alla riva del lago, osservando il ghiaccio che si scioglieva. Era stato un inverno rigidissimo, e lo strato era spesso. Anche se in superficie c'era acqua e il ghiaccio incominciava a sciogliersi, ci sarebbero volute settimane perché la luce del sole riuscisse a penetrare attraverso lo strato che imprigionava le acque azzurre della sua gioventù.

E per quell'epoca lui sarebbe già stato via.

L'ultima sera andarono a cena in città e poi a fare una passeggiata fino in cima al molo triste e deserto, chiuso fino alla venuta dell'estate.

"Strano posto." Liz lo prese sottobraccio senza staccare gli occhi dalla galleria dei divertimenti carica di decorazioni di cattivo gusto. "Ti sei divertito qui da giovane?"

"Allora mi pareva di sì. Ero appena un ragazzino."

"Dev'essere stato un ottimo posto per un'infinità di incontri facili." -

E per uno che non era stato affatto così facile.

Due settimane più tardi Liz si svegliò con un terribile dolore al ventre nel letto pieno di sangue. Hugh la portò d'urgenza al pronto soccorso della Clinica universitaria. Venne chiamato il giovane ostetrico di guardia, che dopo un rapido esame la fece portare immediatamente in sala operatoria.

Ne venne fuori due ore più tardi.

"È a posto, signor Donlon" disse allegramente il medico. "Per qualche giorno non si sentirà bene e sarà un po' debole. Ha perso un mucchio di sangue. Le faremo qualche trasfusione. Nulla di preoccupante, comunque. Succede abbastanza spesso alla prima gravidanza."

"E il nostro bambino?"

"Nessun bambino."

"Come, nessun bambino?"

"Nessun feto, a rigor di termini. Solo un anello di cellule di tessuto organico con un forellino grande quanto una capocchia di spillo. Nulla, in realtà, almeno per le prime due settimane."

Libro IV

"Dio mio, Dio mio, perché mi hai abbandonato?"

Capitolo XXII

1970

Nel decrepito appartamento di Hyde Park ogni mattina alle cinque e mezza Hugh Donlon si alzava piano piano e in punta di piedi andava in bagno senza far rumore per non svegliare Liz, che era di nuovo incinta e vomitava.

Beveva un paio di tazze di caffè nella cucina disordinata, dava una scorsa agli appunti sulle chiusure del giorno precedente, scivolava via dall'appartamento e si avviava di buon passo verso la stazione della cinquantatreesima strada per prendere il primo treno che da South Shore portava al Loop. Durante il breve tragitto dava un'occhiata ai titoli del *Tribune* — l'invasione americana della Cambogia, altre sommosse studentesche — e poi passava alle pagine finanziarie.

Aveva lo stomaco ancora contratto, e tale sarebbe rimasto fino alla fine della giornata di compravendite. Consumava il pasto principale dopo le due in uno dei ristorantini adiacenti a La Salle Street, dove mangiavano tutti i fattorini, i portaordini e gli impiegati che mantenevano in funzione la Borsa Merci, non essendo disposto a unirsi agli altri operatori in locali come il Trader's Inn finché non avesse conquistato una posizione adeguata.

Liz, invece, lasciava l'appartamento a mezzogiorno diretta alla parrocchia della periferia meridionale dove sovrintendeva all'istruzione religiosa, e non tornava fino alle undici di sera, molto dopo che Hugh era caduto in un sonno profondo ma inquieto, un oblio tenebroso e tormentato dal quale spesso si svegliava nel buio del mattino più esausto di quando era andato a letto.

Hugh era diventato operatore di Borsa invece di professore universitario in seguito a una conversazione avuta al club della sua facoltà poco dopo il matrimonio.

Suo padre, che aveva fatto la proposta di pranzare assieme, gli aveva riferito di aver parlato al telefono con Liam, col quale aveva concordato di finanziarlo affinché si procurasse un posto alla Borsa Merci di Chicago.

"Liam e io siamo giunti alla stessa conclusione separatamente" affermò il giudice. "Pensiamo entrambi che saresti molto più contento se seguissi Tim nella BMC."

"Per tenerlo d'occhio?"

"Francamente, questo sarebbe uno dei motivi. Recentemente c'è stato un problema riguardo a certi contratti differiti, ma per fortuna non è sfociato in un'imputazione formale. Penso proprio che la tua presenza gli sarebbe utile."

E così dovere e famiglia avevano vinto di nuovo, assieme alla vecchia competitività sviluppata giocando al calcio. Se non doveva più essere prete, tanto valeva far qualcosa di sensazionale. Per troppi anni aveva deliberatamente soffocato le proprie potenzialità.

Liz non era rimasta contenta del cambiamento nei suoi progetti di carriera, quando lui gliene aveva parlato nel loro minuscolo e piuttosto squallido appartamentino di Hyde Park. Il suo desiderio era che se ne andassero da Chicago sottraendosi all'influenza della famiglia Donlon. Inoltre, non sapeva nulla della Borsa Merci, e diffidava fortemente dei "capitalisti". Tuttavia, non le sfuggì l'espressione degli occhi di suo marito. Gli tenne il broncio per un giorno e infine gli disse che la vita di un grosso commerciante era incompatibile con la felicità coniugale.

"A St. Jarlath ho visto che vita fanno quegli uomini. Non è affatto sana. Per di più siamo all'inizio del matrimonio e tu non avrai tempo per contribuire ad avviarlo bene. Un professore ha più tempo per la moglie e la famiglia."

"Finirò di lavorare all'una e mezza."

Liz aveva emesso un profondo sospiro sdegnoso. "Quanti Ben Fowler tornano a casa all'una e mezza?"

Hugh era rimasto preso in mezzo: la sua famiglia voleva una carriera, sua moglie un'altra. Per alcuni attimi si era domandato che cosa volesse lui, e aveva dovuto ammettere di fronte a se stesso che non lo sapeva.

Qualsiasi scelta avesse fatto avrebbe scontentato qualcuno.

Il matrimonio avrebbe richiesto un impegno notevole perché non andasse a rotoli. Dopo l'aborto Liz era rimasta fortemente depressa.

Inoltre, lei riteneva che sarebbe stato sciocco rinunciare allo stipendio di diciassettemilacinquecento dollari offerto da Michigan.

"Quanto denaro fa quella gente?" aveva domandato.

"Un operatore capace ed esperto può portarsi a casa facilmente mezzo milione l'anno."

Liz non gli aveva creduto.

Nel minuscolo ufficio che divideva con Tim, le ore fra le sei e mezza e le otto del mattino erano le migliori di tutta la giornata lavorativa. Isolato dal resto del mondo come fosse stato in un monastero, Hugh si preparava per il combattimento, come un ambizioso peso massimo avido di successo prima dell'incontro. Pian piano la tensione del suo corpo si trasformava da inattività in energia creativa. Come un gladiatore che si preparava a combattere, come un quarterback prima di uno spareggio, Hugh eseguiva una diligente preparazione secondo uno schema fisso, una preparazione che era fisica, mentale e morale, per le quattro ore e mezza che intercorrevano fra le otto e quaranta e l'una e venti.

Quando il gong d'apertura risuonava, egli era un uomo nuovo. L'ansia e la tensione si erano scaricate per lasciar posto a un'enorme ondata di energia. Egli si slanciava verso il recinto delle grida col medesimo entusiasmo disciplinato col quale in passato aveva capeggiato i Fenwick Friars sul campo di football.

I suoi colleghi lo avevano già identificato come un operatore "freddo" che restava impassibile anche sotto pressione. Non avevano la minima idea del terrore in preda al quale si svegliava la mattina, sapendo che ogni giorno sarebbe potuto andare a fondo o mantenersi a galla in quello che è il più grande gioco del mondo.

La Borsa Merci di Chicago era uno degli ultimi veri e propri mercati del mondo. Nonostante le norme moderatrici emanate dalla Commissione istituita dal Ministero dell'agricoltura, il "mercanteggiamento" fra compratori e venditori era più prolungato e frenetico di quanto non lo sarebbe stato in un bazar orientale nel quale venivano trattate merci "reali". Nei mercati di Borsa non v'erano oggetti materiali che cambiavano di mano. Gli operatori acquistavano e vendevano "future" partite di merci ch'essi non avrebbero mai visto o posseduto.

Essi parlavano un proprio linguaggio gridandosi frazioni e gesticolando per indicare se vendevano o acquistavano contratti, aiutandosi con segni delle mani che indicavano la frazione del prezzo al quale concorrevano a un'asta oppure offrivano la loro merce. In leggera giacca sportiva dai colori vivaci sciamavano intorno al loro "recinto", una delle piattaforme a tre gradini costruite sull'area riservata alle contrattazioni.

Scarabocchiavano contratti di vendita su foglietti di carta che lasciavano cadere al suolo, dove venivano immediatamente agguantati dal portaordini per essere riepilogati più tardi dal "Comitato di compensazione", un'organizzazione di reciproca sorveglianza e compensazione dei conti grazie alla quale il caos che regnava nel recinto delle grida non degenerava in anarchia.

Hugh trattava argento, il meno attivo degli articoli. Nuovi per la Borsa Merci, i contratti riguardanti l'argento attraevano in gran parte speculatori e mediatori che cercavano di evadere le tasse legalmente denunciando alla fine dell'anno una perdita che la prima settimana dell'anno successivo avrebbero ricuperato integralmente sotto forma di un profitto eccezionale.

A Hugh l'atmosfera del suo recinto piaceva. Era un posto in cui imparare il gioco con relativa tranquillità; l'argento, era persuaso, con l'aumento dell'inflazione sarebbe divenuto sempre più ambito, e la crescente domanda per usi industriali avrebbe provocato un aumento dell'offerta mondiale. Inoltre, le fluttuazioni dell'argento erano improvvise e sensazionali e il gioco, di conseguenza, era eccitante ed estremamente impegnativo.

Proprio il genere di gioco che Hugh aveva cercato come mezzo per lanciarsi.

L'argento di luglio fluttuava intorno a 160 — un dollaro e sessanta centesimi l'oncia troy, vale a dire ottomila dollari per un contratto di cinquemila once. Poiché la somma ch'era d'obbligo versare a garanzia di eventuali perdite ammontava appena al cinque per cento, ci si poteva aggiudicare un contratto per circa quattrocento dollari. Un aumento del cinque per cento nel prezzo avrebbe fruttato a chi avesse lavorato su tempi lunghi — "acquistando" l'argento di luglio il giorno precedente — duecentocinquanta dollari sull'investimento ossia un profitto del sessantatre per cento. Se l'aumento del prezzo avesse raggiunto il limite del dieci per cento per oncia stabilito dalla Borsa, chi si era aggiudicato il contratto avrebbe guadagnato cinquecento dollari, realizzando un profitto del centoventicinque per cento.

D'altra parte, se il prezzo fosse caduto fino al limite (al disotto del quale non era permessa un'ulteriore flessione), l'investimento dell'acquirente si sarebbe nullificato, e questi si sarebbe trovato a dovere a qualcuno un centinaio di dollari. Inoltre, se il giorno seguente, in apertura, il prezzo fosse rimasto bloccato sui valori minimi ed egli non fosse riuscito a vendere il suo contratto, avrebbe potuto perdere seicento dollari di tasca propria, nella quale c'era da augurarsi che rimanesse ancora qualche soldo.

Per di più, in un mercato al ribasso il prezzo avrebbe raggiunto il limite minimo all'inizio di ogni giornata, cosicché si correva il rischio di rimanere bloccati in passivo per parecchi giorni, perdendo somme via via maggiori e andando oltre le proprie risorse per poter versare le somme richieste a garanzia delle operazioni.

Se, invece di speculare su un solo contratto, l'operatore in questione si trovava a speculare su, diciamo, cento contratti, in un pa-

io di giorni avrebbe potuto guadagnare o perdere più di cinquanta-
mila dollari. Un operatore incauto sarebbe stato spazzato via ancor
prima di rendersi conto di cos'era successo. Ed era più facile essere
spazzati via che far fortuna.

Era un tipo di mercato che incontrava il favore dello speculatore a cui piacevano i grossi guadagni e che accettava il rischio di
grosse perdite, grazie all'ampio margine di speculazione reso possibile dall'esiguità delle somme richieste in garanzia. Ora che il
mercato azionario era strettamente regolato dal governo e domina-
to dai grossi investimenti pubblici, come ad esempio i fondi per le
pensioni, gli operatori della BMC prevedevano fiduciosi che gli
anni Settanta sarebbero stati il loro grande decennio.

E, si diceva Hugh Donlon, sarà anche il mio.

"Come va la moglie?" Benedict Fowler salutò con un ampio
sorriso Hugh che qualche minuto prima del gong d'apertura passava per il recinto delle grida. Ben trattava semi di soia, farina di
soia e olio di soia, generalmente con complesse opzioni multiple o
"contratti cumulativi" per tutti e tre i generi. Aveva mostrato a
Hugh i trucchi del mestiere nei recinti dove venivano trattate le
merci, e di tanto in tanto, quando il mercato dell'argento era ancor
più quieto del solito, Hugh faceva una capatina nella bolgia del
recinto della soia, nello stesso modo in cui capitava da Tim nel
frenetico recinto del grano. Poiché trattava esclusivamente in proprio, e non "con la ciurma" secondo gli ordini dei mediatori (i
quali rifuggivano i nuovi venuti), era libero di andare ovunque.

"Abbastanza bene; non ha la nausea come la settimana scorsa e
il medico ha detto che ormai il pericolo di abortire è superato."

"Continua a lavorare?"

"Porterà a termine l'anno scolastico" rispose Hugh prudentemente. Non sapeva quando Liz avrebbe lasciato il lavoro. Quando
glielo aveva domandato, lei aveva rifiutato di rispondere. La decisione doveva essere sua, aveva insistito, non di Hugh.

Apparentemente Ben non sapeva che Hugh era al corrente di
chi aveva avvisato Monsignor Sullivan del complotto dei parrocchiani.

Hugh aveva abbandonato il desiderio di vendetta — o così si
era detto — ma non voleva Ben per amico. Ma d'altronde non voleva nemmeno inimicarsi un uomo d'affari tanto potente. Così
continuava a fingere cameratismo.

Tuttavia, non erano affari di Ben se avessero bisogno dello stipendio di Liz per vivere; il che — Hugh sospettava — era il senso
della domanda.

In realtà, nel suo primo anno di attività in Borsa, Hugh aveva fatto più del dovuto per sopravvivere senza lo stipendio di Liz — non aveva ancora realizzato grossi colpi ma nemmeno subito perdite ingenti.

Poi la campana suonò e Ben protese le braccia per vendere a un mezzo punto al disotto della chiusura del giorno precedente.

A Hugh il recinto delle grida faceva pensare — non senza una certa irriverenza — alla parodia di una solenne Messa pontificale. Gli operatori con le loro giacche multicolori erano i celebranti, i portaordini e i fattorini erano gli accoliti, le immense finestre che davano su La Salle Street erano rosoni, i tabelloni delle quotazioni — alcuni dei quali scritti col gesso, altri luminosi alimentati da un computer — erano le finestre colorate della navata, e la lunga teoria di stalli dai quali funzionari, mediatori e rappresentanti di case di commissione stavano a osservare e inviavano i loro messaggi erano la cantoria. E il mormorio talvolta isterico degli operatori era il canto gregoriano che si levava in rispettosa adorazione dell'argento di luglio e del grano di dicembre.

Era tempo di fare il colpo grosso, di mostrare agli scettici come Ben Fowler che un ex prete poteva reggere il gioco con i migliori fra loro — no, meglio che con i migliori. Hugh si era votato a questa nuova vocazione e al servizio della nuova divinità con lo stesso entusiasmo con cui s'era votato al sacerdozio.

Tanto tempo prima, sua madre gli aveva insegnato che se si fa una cosa, bisogna farla bene.

Per una settimana l'argento aveva continuato a fluttuare senza reali motivi. Stava accadendo qualcosa di inconsueto e, avendo aperto con un'offerta di acquisto di altri due contratti, Hugh decise di essere cauto. L'invasione della Cambogia avrebbe fatto salire il prezzo dell'argento e lo avrebbe mantenuto alto per un certo periodo. Tuttavia, negli ultimi due giorni, dopo esser salito fino al limite massimo esso era sceso rapidamente al prezzo d'apertura, il genere di mercato in cui, se non si faceva attenzione, ci si poteva trovare ripuliti in mezzo minuto.

Durante la prima mezz'ora vi fu un aumento di quattro centesimi e mezzo, un guadagno, per Hugh, di quasi duemila cinquecento dollari sui dieci contratti che aveva acquistato.

Poi l'attività del recinto rallentò rapidamente com'era esplosa. Chi comprava tutto quell'argento per poi rivenderlo? Hugh contravvenne al suo rigido proposito di non concentrarsi che sul lavoro e meditò un attimo su Liz.

Il loro matrimonio stava attraversando un periodo di "adattamento" o qualcosa del genere, si disse. Non c'era motivo di ritenere che lui e Liz fossero immuni dai consueti processi di modificazione.

Vi erano momenti di estatico appagamento in cui giacevano l'una nelle braccia dell'altro, esausti e felici; o quando, la domenica pomeriggio, sedevano tranquilli nella loro casa leggendo e ascoltando musica al giradischi senza parlare, poiché le emozioni dell'amore che li legava rendevano superflue le parole.

Ma con ogni mese che trascorreva, questi momenti erano sempre più rari. Liz non si interessava al suo lavoro. "Non riesco a capire tutto quel gergo capitalistico," protestava "e il gioco non mi piace."

Egli sapeva che non vi erano argomentazioni, né pratiche né teoriche, da opporre alle sue convinzioni. Dopo qualche tentativo di spiegarle l'utilità sociale delle compravendite a termine si arrese. Tuttavia, era costretto ad ascoltare i resoconti del lavoro di lei — le nuove tecniche di istruzione religiosa e, in particolare, la "storia della salvezza", che a lui pareva un altro oscuro, passeggero entusiasmo frutto della teologia belga, che soddisfaceva il bisogno di vecchie certezze da parte di suore e preti.

I bambini, ne era certo, sapevano ben poco di storia, non comprendevano la parola "salvezza" e non erano particolarmente affascinati dal Vecchio Testamento.

Si morse la lingua. Non le aveva nemmeno detto di non esser più interessato al variare delle mode in seno alla Chiesa cattolica.

Liz, egli si rendeva conto, continuava a essere una suora, magari sposata e tuttavia suora. Sarebbe stata sempre presa in quella cultura ecclesiastica che lui, lasciando il sacerdozio, aveva abbandonato.

I suoi amici sarebbero sempre stati preti e suore arrabbiati, e poi ex preti ed ex suore arrabbiati, i quali non riuscivano a lasciarsi alle spalle il mondo della Chiesa.

Hugh, rinunciando al sacerdozio, lo aveva lasciato; non desiderava alcun ruolo nella Chiesa organizzata e la domenica assisteva alla Messa solo per far contenta Liz. E non ricambiava mai le telefonate degli ex colleghi, nemmeno quelle di Jack Howard.

Se sua moglie voleva continuare a far parte della Chiesa ne aveva il diritto. Ma, stranamente, era lei a essere molto più irata contro il Cattolicesimo, e la sua ira si alimentava dell'ira dei suoi amici. Non riuscivano a lasciare la Chiesa e non riuscivano a smettere di odiarla.

"Pensi che dovrei dimenticare la Chiesa, vero, Hugh?" lei aveva indagato una notte, mentre si trovava tranquillamente fra le sue braccia. "Pensi che accompagnandomi con quella gente resto attaccata al passato?"

"Hai il diritto di fare come credi" disse lui e poi, dato che i momenti di tenerezza erano pochi e rari, la baciò sulla guancia. "Tuttavia, non so se tutta questa rabbia ti sia di aiuto."

Lei sospirò rilassata. "Lo psicologo direbbe che in questo modo scarico la rabbia che provo verso i miei genitori, immagino."

"La Chiesa ci ha già rovinato abbastanza la vita." Hugh avvertì una potente necessità di difendere quella donna tesa e tormentata. Se l'attirò più vicina, pelle tiepida contro pelle tiepida.

"Forse dovrei andare da uno psicologo ed eliminare il Cattolicesimo dal mio sistema di vita." Si strinse la sua testa contro il petto, come se avesse avuto paura di perderlo.

"Dipende da te, tesoro."

Ma non era andata dallo psicologo, e Hugh sospettò che non lo avrebbe fatto mai.

La rabbia di lei era come un cancro, che lentamente andava distruggendo la sua attraente dolcezza. Quando parlava dei bambini a cui insegnava e durante i momenti d'amore era la dolce suorina del passato. Lasciando la vita religiosa avrebbe dovuto allontanarsi da gran parte dei suoi motivi d'ira, e invece la rottura col proprio Ordine l'aveva resa più rabbiosa che mai.

In seguito, specialmente quando all'inizio della gravidanza stava male, la sua rabbia sembrò riversarsi su Hugh.

Che cosa poteva fare lui? Che cosa avrebbe dovuto fare?

C'erano questioni ch'egli accantonava insolute, in attesa di conquistare la Borsa Merci di Chicago.

A mezzogiorno il recinto dell'argento si animò di nuovo con un'altra ondata di acquisti. Il prezzo salì improvvisamente di cinque centesimi, rimase in forse e poi diminuì di tre. Hugh si buttò e acquistò quattro contratti per sé.

Quasi all'improvviso vi fu un'altra ondata di ordini di acquisto. Il prezzo salì al limite superiore.

Hugh esitò. Poteva mettere tutti insieme i suoi guadagni e acquistare altri contratti alla fine della giornata, quando il prezzo sarebbe forse diminuito di qualche punto. Oppure avrebbe potuto prendersi il suo guadagno di ottomila dollari e portarselo via.

Gli avidi perdono, si disse, e incominciò a protendere le mani offrendo di vendere a un punto sotto il limite. I suoi contratti vennero rapidamente raccattati, il prezzo scese di un punto e mezzo e poi rimbalzò al limite.

Poi la quotazione crollò di nuovo, otto centesimi in meno, allo stesso punto in cui era al mattino in apertura, e alla fine si riprese di un centesimo nel momento preciso in cui suonava la campana.

"Ti sei tenuto fuori dalla bolgia dell'ultimo momento?" domandò Ben Fowler.

"Me ne son tirato fuori "rispose" quando il prezzo ha raggiunto il limite."

"Sei stato scaltro; alla lunga finirai per accaparrarti tutti gli affari."

"Non ho venduto allo scoperto mentre andava giù" rispose Hugh. "Magari avrei raddoppiato il guadagno."

"Ci vuol tempo" commentò Ben comprensivo.

Mentre Hugh lasciava il recinto delle grida, un anziano collega coi capelli bianchi che vestiva una giacca azzurro pallido lo fermò. "Ehi, Hugh, devo prendere l'aereo per l'Arizona e non ho tempo di andare fino a St. Peter. Non potresti confessarmi tu?"

Hugh non sapeva come reagire a una simile richiesta. "È lecito farlo solo in caso di necessità" rispose circospetto.

L'altro sorrise. "Via, Hugh; è una facoltà che non possono toglierti. Senza contare che per quanto mi riguarda un volo fino a Phoenix è una faccenda pericolosa."

E così, in un angolo tranquillo del recinto delle grida, mentre gli ultimi colleghi si separavano per far colazione e per bere il primo bicchiere della giornata, Hugh assolse il vecchio dai peccati d'ira, pensieri impuri, e per aver bevuto "troppo, più o meno venti volte".

Fino ad ora la fosca profezia di Xav Martin sui "demoni dell'inferno" non si era avverata. Hugh aveva lasciato il sacerdozio, ma il sacerdozio non avrebbe lasciato Hugh.

"T'ho visto parlare con Benedict il Maniaco" disse Tim quando Hugh lo raggiunse in ufficio. Tim non gli domandava mai com'era andata nel recinto.

"Due chiacchiere amichevoli."

"Non fidarti." Gli occhietti di Tim si mossero vivacemente. "È un imbroglione, e per di più tu non gli piaci. Ci hai mai provato con quello stupendo iceberg con cui è sposato? Non è che Ben la usi molto; vuole averla intorno per metterla in mostra, ma non gli piace se qualcun altro gli tocca la merce."

"No, Tim, io non sono mai corso dietro a Helen." Hugh considerò che stava dicendo solo una mezza bugia.

Tim scosse il capo. "E poi non riuscirei a immaginarmelo. Ad ogni modo, ce l'ha con te. Fa' attenzione."

"Come fai a saperlo?" Hugh si tolse la giacca rosso cardinale.

Tim si stiracchiò pigramente. "Beh, forse ci riconosciamo l'un l'altro; è una sensazione... Ad ogni modo, c'è un messaggio da un certo Cronin e poi ha chiamato Mamma per dire che il marito di Maria Manfredy — te la ricordi, vero? — è stato dichiarato disperso in azione in Vietnam... mi pare fosse uno dei ragazzi che volano per la Marina."

"Sì, da una portaerei."

"Beh, magari è prigioniero." Tim non era molto interessato.

Hugh compose il numero della cancelleria, cercando per un momento di reprimere il dispiacere per la sofferenza di Maria. Continuava ancora a lavorare alla banca di Madison Street. Povera donna.

"Cronin" disse il vicario generale dell'Arcidiocesi di Chicago.

"Hugh Donlon. Hai chiamato?"

"Ho buone notizie. Beh, spero che le considererai buone. Direi che dipende da te. Abbiamo ottenuto la dispensa. Si vede che la coscienza di Paolo VI è di nuovo al lavoro. Se vuoi — e sottolineo *vuoi* — puoi avere il matrimonio religioso. Jack Howard, presumo..."

Hugh esitò. La dispensa non aveva alcun significato per lui. Liz era sua moglie indipendentemente da ciò che la Chiesa ne pensasse. Ma avrebbe fatto piacere ai suoi genitori, e forse anche a quelli di lei.

"Ne parlerò con mia moglie, Sean" disse con cautela, accentuando la parola *moglie*.

"Bene. Vi è una norma che prescriverebbe una cerimonia privata, ma non hai bisogno di attenerti, se non vuoi. Parenti e amici, chiunque tu desideri."

"Mia moglie è incinta, Monsignore."

"Congratulazioni." Cronin non era minimamente scosso. "Fa' un paio di milioni con la Borsa Merci; solo, non lasciarli alla Chiesa. Fatti sentire."

Tim sorrise beatamente. "Pare che si profili un'altra crisi famigliare."

"Non per colpa mia" ribatté Hugh.

"Mai badare alle colpe" rispose subito Tim. "Siediti comodo e goditela."

Tim stette a osservare l'ampia schiena di suo fratello che si affrettava fuori dell'ufficio. Sempre il boy scout.

Sebbene la presenza di Hugh lo irritasse, aveva deciso che il miglior modo per continuare a vivere nel proprio universo isolato era mantenere la massima calma, tenersi indietro, non farsi coinvolgere. Quando si veniva sfiorati da qualcosa di eccitante lo si prendeva, ma non si lasciava la propria strada per andare a cercarselo.

Un conflitto con Hugh avrebbe richiesto troppo impegno senza rendere abbastanza. Tim disdegnava il modo in cui suo padre e suo fratello si erano aperti la strada nel racket degli affari col denaro del marito di Marge. Lui, Dio ne era testimone, sarebbe stato capace di trovarsi il capitale. Larry Maguire avrebbe messo a disposizione il denaro che occorreva ed avrebbe anche promesso di non dirlo a sua figlia Estelle. Ora Hugh era il Donlon che contava nel recinto delle grida.

Bene, Tim avrebbe preso la vita come veniva. C'erano ancora un sacco di donne che lo trovavano attraente e una varietà di attività eccitanti per cui non era indispensabile rischiare come in Borsa. Lui ed Estelle stavano tentando un'altra riconciliazione, ed ogni settimana si incontravano col padre spirituale. Dai vari psicologi che aveva frequentato Tim aveva imparato le risposte da dare, e così sia Estelle che Padre Carmody erano convinti che stesse facendo grandi progressi.

Tim sospirò e si mise in piedi a fatica. Era il momento del primo bicchiere del pomeriggio.

Fowler era un barracuda. Hugh avrebbe dovuto preoccuparsene di più. Tim avrebbe osservato da vicino. La lotta non avrebbe mancato di essere interessante — un barracuda e un boy scout.

C'erano dei vantaggi nella solitudine. Ci si poteva godere le lotte fra gli altri animali della giungla senza rimetterci la pelle.

Capitolo XXIII

1970

Hugh aveva dato per scontato che Liz non volesse essere seccata con questioni come la benedizione della Chiesa sul loro matrimonio. Quando quella sera tardi le diede la notizia, restò sorpreso dalla reazione di lei.

"Ma certo che lo faremo" rispose vivacemente. "Nella mia posizione, è importante essere considerata una che ha contratto un matrimonio consacrato."

"Io penso che il nostro matrimonio sia consacrato a sufficienza" osservò lui sulla difensiva.

"L'attesa è stata ingiusta e le loro pretese sono ingiuste" osservò lei mentre si sbottonava la camicetta dozzinale. "Tuttavia non dovremmo permettere che questo interferisca con una pubblica celebrazione della nostra unione nel Signore."

Una nuova linea politica fra le tante che dominavano l'istruzione religiosa, pensò Hugh. Un anno prima avrebbe ridicolizzato l'importanza della benedizione della Chiesa.

"D'accordo, avremo la cerimonia religiosa."

"Possiamo permetterci trenta, quaranta ospiti?"

"Certo che possiamo..." Trenta o quaranta — i barbuti preti suoi amici e le suore loro amanti, e i gay. Che cosa avrebbe detto sua madre se questa volta fosse venuta?

La gonna di Liz raggiunse la camicetta sul pavimento. Raramente raccoglieva le cose da terra. Anche in biancheria di tipo estremamente corrente — la lingerie di lusso ora era un simbolo di decadenza e una concessione allo sciovinismo maschile — era ugualmente deliziosa. Hugh la prese fra le braccia.

"Hugh, sono così stanca" disse lei debolmente.

"Lo sono anch'io."

Dopo pochi minuti, tuttavia, lei era vogliosa di fare l'amore quanto lui. Una volta cominciato, sembrava che la fatica non potesse più interferire.

"Oh, Hugh, disse lei felice quando ebbero finito "è stato meraviglioso."

"Tu sei la cosa meravigliosa."

"Pensi che gli ospiti potrebbero essere anche cinquanta o sessanta?" domandò lei accoccolandosi più vicino.

"Tutto quel che vuoi tu."

Hugh si chiese quali fossero stati i suoi pensieri mentre facevano l'amore. Probabilmente stava cercando un criterio ideologico di selezione per la sua lista degli ospiti potenziali. Le donne, supponeva, reagivano in modo diverso.

Liz rimase sveglia dopo che Hugh si fu addormentato. Sapeva essere dolcissimo, pensò, specialmente questa sera. Ma le sue continue pretese sessuali cominciavano a irritarla, particolarmente, come accadeva sempre più spesso, quando le pareva che non fossero realmente sentite. Perché non poteva amarla per se stessa invece che per il suo corpo?

Il terrore era ormai stato esorcizzato dal suo matrimonio, e con quello gran parte del piacere. Ormai non aveva più paura del potere di Hugh su di lei, e di conseguenza aveva perso la particolare sensazione di piacere ch'egli poteva darle. Gran parte del tempo era arrabbiata con lui. Come si poteva non esserlo per il suo sciovinismo, la sua falsa coscienza, le sue ambizioni di capitalista e la sua stupida famiglia? Senza dubbio lui era ben intenzionato, ma allo stato attuale delle cose nel mondo ciò non era sufficiente. Avendo cessato di confrontare i problemi della diseguaglianza sociale e sessuale, ora egli era di per sé parte del problema.

Il loro matrimonio avrebbe potuto rappresentare una svolta decisiva. Liz credeva in questi momenti cruciali — *kairoi*, come li chiamavano i greci — momenti in cui si presentavano occasioni particolari. C'era già stato un simile momento decisivo, durante il ritiro spirituale ch'era seguito alla festa da ballo dei diplomandi, e questo l'aveva indirizzata alla vita religiosa. E un altro, dopo la perdita del bambino — colpa di Hugh che non aveva dato peso ai suoi timori di un aborto spontaneo — e questo l'aveva indotta a decidere di servire Dio intraprendendo la professione di insegnante di religione e dedicando la propria vita ad aiutare giovani donne a prendere coscienza.

Mentre si addormentava le venne in mente il prete del ritiro, un meraviglioso vecchio in odore di santità, le pareva a quel tempo. Era stato la prima persona cui avesse osato raccontare le cose che suo padre le aveva fatto. Il prete le aveva suggerito il convento, dove avrebbe potuto ritrovare la pace e perdonare. Ma ora Liz pensava che probabilmente anche lui era un porco sciovinista come gli altri maschi.

"Io non vado a quel matrimonio" disse Estelle alzando gli occhi dal progetto al quale stava lavorando. Stava sempre lavorando a qualche progetto. La casa non veniva mai costruita ordinariamente e di ciò Tim era profondamente grato.

"Fa' come ti pare" rispose lui. "Per conto mio potrebbe essere un gran bello spettacolo — quei finocchi degli amici di lei con mamma e papà, e Hugh nella parte del Principe Coraggioso."

"Sarò in visita da mia madre in Florida." Estelle volse di nuovo l'attenzione ai progetti.

"È la prima volta che ti sento dire una cosa simile." Tim, ormai, non trovava più tanto divertente il gioco di piegare Estelle ai propri desideri, eccetto nelle rare occasioni in cui voleva che tutti sapessero chiaramente che lui aveva il potere di farlo.

"È una puttana" disse Estelle. "Lo ha sedotto."

"È probabile" convenne Tim filosoficamente. "Si è fatta mettere incinta per costringerlo a sposarla."

E stette a osservare con notevole piacere l'anello di rossore che si formava sulla parte posteriore del collo grasso di lei.

Il mercato dell'argento continuava nella sua irregolare tedenza all'aumento, e Hugh continuava a realizzare sostanziosi guadagni attenendosi alla politica di fare la scelta decisiva poco prima di mezzogiorno. Ormai aveva capito bene come andavano le cose. Se fosse riuscito a sentirsi sicuro anche in qualche altro recinto, allora sarebbe stato pronto ad aprire una ditta propria e a concludere transazioni a nome proprio su ogni genere di merce, dall'oro al compensato, il tutto a lungo termine.

Nel frattempo, il suo obiettivo era quello di fare abbastanza soldi da poter restituire a Liam e a suo padre ciò che gli avevano prestato entro sabato, il "giorno del matrimonio", e versare un acconto per comprarsi una casa decente.

"Un'altra grande giornata?" Ben gli batté la mano sulla schiena mentre attraversavano il recinto.

"Direi di sì. Detesto far soldi su quella sparatoria di Ken State." La sua coscienza generosa continuava a tormentarlo.

"Non ci si può far nulla. Ad ogni modo, era tempo di dare una lezione a quei ragazzi." Poi si voltò di scatto. "Gira al largo dal recinto della soia finché non ho fatto abbastanza da ritirarmi..."

Liz quasi non ascoltava Hugh che le stava confidando il suo desiderio di comprarle una casa come regalo di nozze.

"Non si può lasciar passare sabato, caro?" lo pregò nel tono mielato di affetto artificioso che Hugh col passare del tempo aveva imparato a temere più della sua ira. Era evidente che Liz viveva sull'orlo del collasso nervoso.

"Pensavo che ti avrebbe fatto piacere saperlo" le disse.

"Mi fa piacere," convenne lei senza dare troppa importanza "ma ora abbiamo un mucchio di cose da fare. Potresti telefonare dove abbiamo ordinato il rinfresco e avvertire che ci saranno dieci persone in più? Suor Sophie porta con sé tutte le sorelle di Vandalia."

"Suor Sophie?"

"Sì che te la ricordi." Gli lanciò un'occhiata spazientita. "Siamo state novizie assieme."

"L'Ordine al completo?"

"Hai da brontolare per quei pochi amici che invito?" I suoi occhi erano duri e carichi di risentimento.

"Niente affatto" rispose lui con naturalezza. "Invita tutti gli amici che vuoi."

La cerimonia si sarebbe svolta nella sala comune e nella chiesa della parrocchia di South Holland, dove Liz lavorava, un edificio in blocchi di cemento e travature di acciaio. Dopo la Messa la chiesa sarebbe stata trasformata in un salone per gli invitati al matrimonio e per gli ospiti, in gran parte gli ecclesiastici di cui Liz coltivava l'amicizia e le loro donne.

Liz si accingeva a celebrare il passaggio alla condizione di suora "legittimamente" sposata come fosse stato un trionfo.

"Allora, per favore, renditi utile e telefona" disse lei, ormai concentrata in qualche altra faccenda da sbrigare. "E dopo c'è qualcos'altro da fare, se solo riuscissi a ricordarmi cos'è."

"Un anno fa non avresti voluto la legittimazione della Chiesa" osservò Hugh.

"Dannazione, Hugh, fa' quella telefonata e piantala di predicare."

Lasciò la stanza, la lista in mano: una Superiora infuriata perché nessuno era efficiente quanto lei.

Hugh fece la telefonata, come gli era stato ordinato.

Il mercoledì fu una giornata frenetica in Borsa e Hugh era teso come un cavo dell'alta tensione al limite di rottura. Il suo istinto gli diceva che qualcosa non andava. C'era qualcuno che manipolava il prezzo dell'argento, probabilmente qualcuno al Comex di New York. Egli stava ricavando grossi profitti prevedendo in qual senso vi sarebbe stato uno sbalzo di prezzo, ma esitava a rischiar troppo basandosi sulla saggezza delle sue previsioni. Gli mancava l'esperienza necessaria per riuscire a capire chi giocava sul mercato del'argento e perché.

Aveva un disperato desiderio di un grosso guadagno che gli avrebbe consentito di celebrare la benedizione della Chiesa sulla sua unione con Liz pagando i debiti e confermandole che sarebbero stati in grado di comprarsi la casa.

"Voi Donlon cadete sempre in piedi." Maria osservava le sue ospiti al disopra del boccale di birra. "Peggy diventa una pittrice le cui opere vanno a ruba il giorno stesso dell'inaugurazione della mostra. Marge trova un nobile ch'è una piacevolissima persona, anche se non sa l'inglese e va sempre in giro con una picca — vedi, Marge, adesso mi è venuta in mente l'arma giusta. I pirati irlandesi portavano la picca, non l'alabarda. I ragazzi fanno denaro a palate in quella tana di giocatori che è La Salle Street... e il giudice rifiuta la Corte Suprema e gli dedicano la copertina di *Time*. Non ditemi che tutto questo è normale, anche per i Donlon."

"Ma anche tu stai dando un'ottima riuscita" rispose Marge.

"Solo perché ho sentito qualcosa sui computer al Pentagono quando Steven era là per dei corsi."

Sperò che la facciata che si era costruita non si assottigliasse troppo. Non passava secondo in cui non si tormentasse pensando a Steven. Era vivo — di questo era certa; il pilota dell'aereo che volava accanto al suo aveva visto il paracadute aperto — ma l'angoscia... l'incertezza... lo avrebbe mai rivisto? Non lasciarti andare, Maria Angelica...

"Mi fanno paura" ammise Peggy. "Temo che si impadroniranno del mondo."

"Discorso da vera artista, cara. Non preoccuparti. Sono solo calcolatrici un po' più ingegnose. E quando non fanno calcoli continuano a essere stupide macchine... creature rigide... non vanno oltre il sì e il no. Maschi, direi."

Che cosa volevano? Maria era sconcertata. Peggy non era mai venuta in banca, nemmeno per incassare un assegno. Ora compare con Marge e entrambe rimangono stupite di trovarmi nel salone della banca in veste di mago del computer mentre tengo una ramanzina a un piazzista di software. Vogliono assistere allo spettacolo della mia angoscia per la scomparsa di Steven? No, i Donlon non sono gente morbosa.

Le aveva portate a colazione da Doc perché era lì che mangiava ogni giorno. Sembrava che il posto non dispiacesse a Peggy, specialmente perché servivano birra e vino. Certo che il mondo stava cambiando.

La sottana di Marge le arrivava a metà coscia; le mini erano più corte in Gran Bretagna. Persino Peggy aveva accorciato l'orlo al ginocchio.

Potessi avere gambe così belle alla sua età.

Alla mia età.

Che cosa sta capitando?

"Hugh si sposa dopodomani" rivelò finalmente Marge. "Intendo dire, è proprio un vero matrimonio in chiesa, col permesso del Papa."

"Abbiamo pensato che forse avresti voluto venire" aggiunse ansiosamente Peggy. "Sei venuta al matrimonio di Marge..."

Segnali di avvertimento cominciarono a lampeggiare in fondo ai pensieri di Maria, siciliane luci rosse di pericolo che le dicevano "attenzione, Maria Angelica..."

"Si sposa?" domandò.

"Con una ex suora."

"Penso che sarei fuori posto..."

"Sei un'amica di famiglia" affermò Marge fiduciosa.

"Tuttavia... Oh, diavolo, mie care, in un certo senso mi piacerebbe... Ma non so..."

"Capiamo perfettamente, tesoro," disse Peg.

Capite davvero? No, non capite. Come potreste se non capisco nemmeno io?

In ufficio, dopo colazione, Maria si rammaricò per non aver ordinato un terzo bicchiere di birra.

Poi pianse per un po'. Non per sé. Nemmeno per Hugh o per la sua famiglia.

Piuttosto, per tutta la gente del mondo i cui sogni non si erano avverati.

Peg indossava una vestaglia di pizzo bordeaux molto scollata. Reggeva su un vassoio una bottiglia di vino bianco ancora chiusa e due bicchieri. Si sedette sulla scrivania. Tom spinse da parte il manoscritto al quale stava lavorando; Neirsteiner eiswein, notò. Quaranta dollari la bottiglia.

Da un lato desiderava e dall'altro temeva la conversazione che stava per svolgersi. Già due volte lei aveva tentato di avviare il processo di riconciliazione. Offeso e incline a punire se stesso quanto lei, lui l'aveva respinta. Ora rivoleva disperatamente sua moglie, e non sapeva come iniziare.

Lei stava compiendo il primo passo per lui, e ciò le conferiva una considerevole superiorità morale di cui, a giudicare dallo scintillio dei suoi occhi, ella intendeva servirsi.

"Verrò qui ogni sera, Tommy, e sempre con una camicia da notte diversa, tutte costosissime. Non penso che riuscirai a resistermi indefinitamente."

"Oh?"

"È andata avanti abbastanza" disse lei ignorando la poco promettente risposta di Tom. "Tu lo sai e io lo so. Ci sono alcune cose che vanno dette subito."

"Dille."

Lei intrecciò le mani sulla scrivania e si protese in avanti.

"Suppongo di aver sempre fatto ciò che tu volevi perché ero così giovane quando ci sposammo e perché tu sei tanto più intelligente di me." Sorrise con tristezza. "Mi sono comportata da stupidina. Andrò al matrimonio — o qualsiasi cosa sia — pur sapendo che ciò gli preclude l'ultima possibilità di sfuggirle."

"Ammetti di aver avuto torto?" Non gli pareva vero di poter cavarsela così facilmente.

"Nemmeno per un attimo. Hugh rimpiangerà il giorno in cui ha posato lo sguardo su di lei." I suoi occhi lampeggiavano minacciosi. "Ma tu avevi ragione sul fatto che sarei dovuta andare alla cerimonia in Municipio." Fece una pausa e cominciò ad aprire la bottiglia. Ormai era diventata abilissima a stappar bottiglie. "Mi sono già scusata con Hugh e con lei. E mi scuso con te."

"Ma."

"Ma" — i suoi occhi cominciarono a riempirsi di lacrime — "non sono stupida e non sono più una bambina. Mai, mai, Thomas Raymond Donlon, darai più per scontato che mi atterrò a qualsiasi cosa tu dica, semplicemente perché lo dici tu."

Lui si sporse attraverso il tavolo e prese ad accarezzarle la gola. Lei gli sorrise nel modo in cui gli aveva sorriso all'uscita dalla Messa a Twin Lakes, la prima volta che si erano incontrati.

Attenta a non disturbare i movimenti delle mani di lui, Peg finì di stappare la bottiglia.

Il giovedì precedente alla benedizione ufficiale del suo matrimonio da parte della Chiesa, Hugh Donlon non stava pensando alla Borsa mentre sul treno di South Shore percorreva il tratto da Hyde Park al Loop. Notò appena l'azzurro sereno del lago Michigan e il verde tenero di Grant Park.

Se sabato non vi fosse stata la cerimonia, il suo matrimonio con Liz non sarebbe stato valido agli occhi della Chiesa. Egli si era impegnato con Liz per la vita, indipendentemente da quanto la Chiesa avesse detto o fatto. Ciononostante, il passo che stava per compiere gli appariva così risolutivo, così definitivo da intimorirlo.

Dopo sabato non vi sarebbe più stata alcuna possibilità di tornare al sacerdozio e a nessuno degli altri amori della sua vita. Lui e Liz sarebbero rimasti legati fino alla morte.

Egli non desiderava altri amori, né desiderava tornare al sacerdozio. Ma vi erano troppi argomenti di cui non avevano parlato, troppe voci cancellate dall'agenda: la gente con cui lei si accompagnava, il suo disprezzo per il lavoro in Borsa, il suo rifiuto di lasciarsi dietro le spalle la Chiesa organizzata, le sue ideologie stridenti e le sue futili crociate.

La discussione all'inizio della settimana — se discussione era stata — aveva messo in luce un aspetto di Liz che lui ordinariamente rifiutava di ammettere. Liz era dolce e deliziosa e spesso arrendevole a letto, sì, ma era anche una donna rabbiosa e potenzialmente autoritaria.

Che cosa aveva detto Jack Howard? Ha bisogno di una forte figura paterna su cui riversare la colpa di ciò che non le va bene nella vita; l'Ordine era stato il vecchio padre, suo marito era il nuovo.

Jack esagerava, naturalmente. O era lui ad esagerare?

Il venerdì mattina cominciò con relativa tranquillità. I primi contratti si vendettero a un prezzo molto vicino alla chiusura del giorno precedente. Ma poi vi fu una vivace parentesi di vendite. Non aveva senso, come non ne avevano gli alti valori di chiusura di ieri. Il mercato si stabilizzò alle dieci e mezza, giù di cinque centesimi e un quarto, e poi alle undici e cinquanta precipitò di nuovo al limite inferiore.

Non ha assolutamente senso — ora è troppo basso; dovrà per forza rimettersi a salire.

Hugh esitò, cercando di scacciare dalla mente i pensieri riguardo a Liz. Ci si doveva concentrare in questo lavoro, bisognava ascoltare ogni suono intorno al recinto.

Poi il prezzo incominciò ad allontanarsi dal limite, prima lentamente e poi rapidamente. Entro mezzogiorno la perdita era cancellata. Hugh si maledisse per aver esitato. Se avesse acquistato alla quotazione minima avrebbe già avuto il denaro da restituire a Liam e a suo padre.

Acquistò cinquecento contratti, centomila dollari, quasi tutta quanta la sua disponibilità. Era l'acquisto più grosso che avesse mai tentato. L'uomo dall'altra parte del recinto trasalì e lo fissò con uno sguardo penetrante mentre buttava giù alla svelta l'appunto sulla transazione sul suo cartoncino e se lo cacciava nel taschino della camicia.

L'espressione dell'uomo si trasformò in stupore e in invidioso rispetto quando le quotazioni dell'argento, visibili in alto, sulla striscia gialla in rapido movimento, cominciarono a salire, prima di mezzo punto, poi di un punto, poi di cinque punti. Alle dodici e quarantacinque Hugh Donlon aveva fatto quasi quattrocentomila dollari. E sarebbero stati anche di più se avesse avuto il coraggio delle sue convinzioni e si fosse buttato prima.

Poi incominciò il lento declino, e il prezzo prese a scendere così com'era salito. Hugh assisté incredulo al panico causato dall'esplosione delle vendite. Il mercato era congestionato, chi investiva aveva improvvisamente abbandonato l'argento, nessuno acquistava, i rialzisti erano atterriti, i ribassisti vivevano la loro grande giornata campale.

Hugh si rifiutò di lasciarsi prendere dal panico. Avrebbe tenuto duro, si sarebbe accontentato di un profitto modesto, e la prossima settimana avrebbe fatto valere il proprio diritto a guadagni maggiori.

L'argento continuava ad andar giù, e non si fermò nemmeno quando raggiunse il prezzo d'apertura. Cadde a piombo come una pietra gettata fuori bordo.

Hugh si sentiva come un uomo irrigidito al timone di una barca che stava per affondare. Doveva vendere, alla svelta, prima che fosse troppo tardi.

Tuttavia non si mosse. Il prezzo continuò a scendere rapidamente fino all'una e venti, quando il suono della campanella mise fine alla contrattazione delle granaglie, riscuotendolo dalle sue fantasticherie. Vendi, sì, vendi mentre è ancora possibile.

Era troppo tardi. Il mercato dell'argento era bloccato su quotazioni minime, e nessuno comprava a quel prezzo.

I suoi profitti erano spazzati via, e così la sua disponibilità per gli investimenti.

Domani la Chiesa avrebbe benedetto il matrimonio di un fallito senza un quattrino in tasca.

Tim stava aspettandolo in ufficio.

"Hai l'aria di uno che ha avuto una giornataccia."

"Ripulito fino all'osso" rispose Hugh e denti stretti. Tim lo sapeva; lo sapevano anche tutti gli altri del giro?

"Puoi permetterti altri versamenti a garanzia?" Tim si stiracchiò. "Se non puoi, dovrai liquidare, o il Comitato di Compensazione lo farà al posto tuo."

"Ci arrivo appena. Non mi rimarrà nulla. Se lunedì tocchiamo il limite inferiore e io non riesco a far fuori quella roba sono proprio finito."

"Non devi rimproverarti. Ti avevo avvertito riguardo a Ben, ti ha fatto la posta dal momento stesso in cui hai messo piede in Borsa. Forse, ora che è riuscito a succhiarti un po' di sangue ti lascerà in pace. Però non si può mai dire con Ben; potrebbe anche volerne altro."

Hugh si lasciò cadere pesantemente sulla sedia dallo schienale rigido. "Ma Ben cos'ha a che fare con tutto questo?"

"Pensavo lo sapessi." Le sottili sopracciglia rosse di Tim si inarcarono in segno di sorpresa. "Lui e un paio d'altri hanno continuato a comprare e vendere argento, facendo salire e scendere i prezzi come un ottovolante. Si coprono le spalle facendo l'operazione inversa a New York, ovviamente; così non perdono mai un centesimo. Anzi, è probabile che facciano anche qualche dollaro sull'arbitraggio fra qui e il Comex. Ma non è questo il punto. Ben voleva buttarti fuori dalle corde. Ha cominciato pianino pianino, poi ha aumentato il ritmo finché ti ha visto sul punto di perdere l'equilibrio e poi ha dato un bello strattone finale. Presto! Hughie va giù in caduta libera!"

"E tu, come facevi a saperlo?"

Tim si strinse nelle spalle. "Ho sentito due che ne parlavano in ascensore. Un trucco veramente sporco, commentavano. Pensano che alla fine pareggerai i conti con Ben. Credevo che te ne fossi accorto."

"D'accordo, pareggerò i conti" disse Hugh sorpreso dalla sua stessa veemenza. "Quando avrò finito di sistemarlo, Ben Fowler rimpiangerà il giorno in cui ha messo piede in Borsa."

"Così mi piaci, ragazzo mio" commentò Tim compiaciuto.

E farai bene anche a tenere gli occhi aperti.

Hugh si rendeva conto fin troppo bene di essere alla mercé di spostati come suo fratello e di bastardi come Ben Fowler. D'accordo, allora, giurò a se stesso, avrebbe accumulato potere, e tanto, più di quanto non ne avesse mai avuto bisogno.

E a quel punto Ben l'avrebbe pagata cara.

Capitolo XXIV

1970

Jack Howard sovrintese alla breve cerimonia nuziale con dignità e gusto. Le sue poche osservazioni sulla benedizione di Dio su questa coppia che tanto aveva dato e tanto aveva ancora da dare diedero il giusto tono alla cerimonia.

Disgraziatamente il giusto tono venne meno non appena Hugh e Liz lasciarono l'altare mobile allestito sul palco della vasta sala disadorna. Un gruppo di donne — dovevano essere suore — si mise a vociare entusiasticamente, come se la loro squadra di basket avesse appena vinto la partita. Liz, che ora era incinta di tre mesi, aveva avuto il buonsenso di non vestirsi di bianco; tuttavia si comportò come una pudibonda sposina, e abbracciò e baciò tutti senza il minimo ritegno.

Marge se la cavò con un abbraccio sgraziato ma rapido, ma Peggy venne trattenuta per un buon mezzo minuto, durante il quale Liz l'assicurò che da allora in poi tutto sarebbe andato bene.

"Idea tua, tesoro" disse Marge alludendo alla divergenza d'opinioni che avevano avuto prima di lasciare l'Irlanda. "Grazie a Dio Maria ha avuto più buonsenso..."

"Una donnetta priva di gusto. La sua famiglia?"

"Oh, figurati se venivano; unione sacrilega o qualcosa del genere. Siamo noi che dobbiamo accollarci la colpa."

"Vergogna maledetta." Ciò poteva significare che era una vergogna maledetta che la famiglia di Liz non fosse venuta, oppure che ritenessero sacrilego il matrimonio, oppure che il matrimonio in sé fosse una vergogna maledetta.

Oppure tutte queste cose assieme.

"Giustissimo" convenne lei.

Finalmente, il gruppetto di barbuti ornati di rosario venne convinto a prendere posto a tavola e Tim, riluttante e imbarazzato, si alzò per proporre un brindisi. "A mio fratello e a mia cognata" — Timmy sollevò il suo bicchiere di champagne — " che il loro matrimonio possa essere lungo e felice."

Prima che Hugh avesse il tempo di alzarsi in piedi e tentare una risposta, uno dei confratelli della Comune di Liz si precipitò alla tavola degli sposi e prese la parola al posto suo.

"Penso che abbiamo bisogno di ben altro brindisi" disse. "È un avvenimento importante nella vita di Hugh e di Liz, e io vorrei dire qualche parola al riguardo. Innanzitutto, non possiamo festeggiarlo a cuor leggero mentre i soldati americani uccidono vietnamiti innocenti. Quindi il primo brindisi che propongo è alla vittoria dei Vietcong e alla vera libertà per tutto il popolo vietnamita."

Cin cin e grida di "Ho, Ho, Ho Chi Minh!"

Nessuno dei Donlon partecipò al brindisi, nemmeno Hugh. Ma Liz vuotò il bicchiere e lo porse al giudice, il quale glielo riempì con una smorfia di disgusto.

"Poi voglio brindare a Padre Hugh Donlon e a sua moglie. Hugh è uno dei migliori preti dell'arcidiocesi. È in congedo temporaneo in attesa del momento in cui la Chiesa si renderà conto di non poter più imporre l'antiquato voto di celibato ai suoi preti migliori. Hugh è un pioniere, un uomo che si è coraggiosamente sacrificato per dare una lezione alla Chiesa; non sarà un sacrificio inutile. Hugh, ragazzo mio, quando un sufficiente numero di preti avrà avuto il tuo stesso coraggio, il Vaticano dovrà inchinarsi al volere del popolo e permettere agli ecclesiastici di sposarsi. Quindi propongo un brindisi a un prete sposato e al ritorno di Hugh al sacerdozio attivo entro breve tempo."

Altre grida di approvazione ancor più forti. Mio Dio, che massa di gente volgare, pensò Marge. Quanti di loro sono ancora preti? Impossibile dirlo. Povero Jack Howard, solamente lui è in abito talare.

Hugh sedeva pallido e taciturno accanto a Liz. Lei gli diede di gomito ma lui non si mosse. Allora, spazientita, gli sussurrò qualcosa all'orecchio.

Lentamente lui si alzò in piedi. "Grazie, Tim; grazie Charley, per questi bei brindisi. Io voglio semplicemente brindare a mia moglie."

Vi fu un educato applauso.

"Brutto affare" commentò Liam.

"Decisamente, tesoro" convenne Marge.

Portati via i tavoli arrivò un'orchestra di tre elementi e si incominciò a cantare. "We shall overcome" fu il pezzo d'apertura.

Allora, Liam balzò improvvisamente in piedi e, strappando lo strumento dalle mani dello sbigottito primo violino, annunciò al massimo della sua potenza vocale di robusto baritono celtico, e calcando fortemente l'accento: "Ah, penso proprio che dovremmo cantare qualche motivo irlandese. Innanzitutto, uno in onore dei nostri fratelli dell'Ulster. Si chiama 'Old Orange Flute'. Chi non sa le parole segua gli altri".

Marge, che lo aveva sempre sentito suonare Bach e cantare in chiesa, rimase stupefatta vedendolo dominare un uditorio così inverosimile con canzoni in inglese, in gaelico e in scozzese delle Highlands, nonché con aneddoti sul matrimonio da tutte e tre le culture.

Quando ebbe finito gli ospiti erano esausti e la loro voce roca. Se ne andarono quieti, alla spicciolata. Rimasero soli Donlon e Jack Howard.

"Tesoro, continuo a non crederci." Ridendo, Marge baciò Liam sulla guancia.

"Notevole" disse Jack Howard.

"Grazie tante, Vostra Signoria" aggiunse Liz, palesemente sbronza.

"Notti fredde d'inverno in Irlanda" rispose Liam con un ghigno che lo fece rassomigliare a un gigantesco gnomo.

Alcuni minuti più tardi Liam bloccò Hugh che stava entrando nella sua Chevrolet; intanto Liz stava già sul sedile anteriore, addormentata.

"Buona fortuna, e tutte le solite cose."

"Non stiamo partendo per la luna di miele, Liam, torniamo solo a casa... apprezzo ciò che hai fatto. Ha risparmiato a Mamma e a Papà una sconfitta terribile. I suoi... i nostri amici erano in buona fede. Il fatto è che non capiscono."

"Niente. Ho sentito dei tuoi guai. Quel delinquente in Borsa. Tim, sai. Brutto affare. Qui c'è un prestito, tasso corrente, contabile preciso al centesimo. Me li rendi quando puoi. Insisto. Basta così."

Hugh rimase in piedi, con una busta in mano, mentre Liam attraversava con passo strascicato il parcheggio della chiesa diretto verso la Mercedes noleggiata in cui la moglie stava aspettandolo. Devo accettarlo, no? Sarà la mia salvezza lunedì. Un'altra occasione. Dio, ho un bisogno disperato di un'altra occasione.

L'assegno era di centomila dollari.

"Dio ti benedica, Liam" mormorò Hugh fra i denti stretti allo spasmo. Dannazione, giuro che te li restituirò. E nel frattempo avrò accumulato tanto potere da non dover mai più dipendere dalla tua carità.

Né da quella di nessun altro.

Il lunedì mattina Hugh riuscì a vendere i suoi contratti in apertura di mercato a un prezzo di un centesimo e mezzo al disopra della chiusura del venerdì, ricuperando parte del proprio denaro.

Anzi, ormai non aveva più denaro proprio; doveva ancora mostrare a se stesso quanto valeva, e poi accumulare il potere che gli avrebbe guadagnato la libertà dall'aiuto altrui. Sarebbe stata una lunga estate.

Una domenica di luglio Ben Fowler invitò Hugh e Liz a un ricevimento in giardino nella sua casa in riva al lago Michigan. Lì per lì Hugh aveva deciso di non andare, poi cambiò idea. Lasciamogli pensare che non sospetto nulla.

Liz acconsentì ad accompagnarlo, con sua gran sorpresa; era graziosissima in prendisole premaman e fu incantevole per tutto il pomeriggio. "Che vantaggio per i loro figli un posto come questo" gli aveva sussurrato, dimenticando completamente che era stato comprato con denaro capitalistico.

"Una piscina in riva al lago è un vantaggio particolare" aveva replicato lui.

Lei non aveva colto l'ironia. "Certo che sua moglie è proprio una bella donna per la sua età, no?"

Helen stava uscendo dalla piscina, soda, piena e sexy in un aderentissimo costume nero a un pezzo. "Per la sua età, sì."

"Anche la figlia è molto bella; quanti anni ha adesso?"

Linda era in piedi accanto alla madre, più alta e snella ma altrettanto sexy — due dee bionde, in mostra a testimoniare davanti al mondo il successo e il potere di Ben Fowler.

"Più o meno diciotto, penso. Vado a prenderti qualcosa da bere. Non restare troppo al sole."

"Vado in salotto; ha una così bella vista del lago" rispose Liz un po' invidiosa.

"Un giorno ne avremo una anche noi."

I Fowler erano accanto all'angolo bar ad accogliere i loro ospiti, Ben in una chiassosa camicia hawaiana e calzoncini da bagno, col sudore che gli colava giù per il viso, e le sue donne in copricostume trasparente sul costume da bagno.

"Ti trovo bene, Hugh" disse Helen con disinvoltura. "Sembri un po' dimagrito.

"Come devo chiamarla, ora?" Linda scrollò la testa come ad indicare che la domanda non era brillante, ma lei sapeva di dover dire qualcosa. "Padre non è più esatto, vero?"

"Linda." Helen era sbalordito. "Per favore, non essere così sfrontata."

"Va bene Hugh" disse lui senza imbarazzo.

"Tua moglie è molto carina" osservò Helen con spontaneità. "Non l'avevo notato quando era suora. Suppongo che nessuno ci farebbe caso."

"E non indossa abiti da suora" convenne Linda. "Ci sono tante suore che lasciato il convento potrebbero frequentare un corso di charme."

"Liz è molto felice in questo periodo."

"Come va, amico?" La grossa mano carnosa di Ben si strinse sulla spalla di Hugh. "Sono contento che tu sia potuto venire. Una bella donnina, anche se fra un po' non sarà più tanto 'ina', eh? Benone, benone... e coi tuoi profitti non ti ci vorrà molto per avere una casa come questa."

"Il prossimo anno" disse Hugh. Raccolse il suo bicchiere e si allontanò, vergognandosi profondamente di sé. Chissà se le sue assurde fantasie su Helen e Linda erano l'inizio della discesa all'inferno annunciata da Xav Martin?

"Pensavo che non saresti arrivato mai più, stiamo morendo di sete entrambi" disse Liz quando lui entrò in salotto col suo gin e acqua tonica.

"Mi dispiace, mi hanno trattenuto."

"Nessun problema; ho goduto la vista del lago." Dopo il disastro della cerimonia di nozze Liz si era sempre comportata nel migliore dei modi. Aveva smesso di lavorare e andava all'Istituto Pastorale dell'Università di Loyola solo due mattine la settimana.

Hugh incrociò Helen ancora una volta durante il trattenimento. Lei stava servendo insalata di patate al buffet e lui stava riempiendo il piatto per sé e per Liz. Vi fu un momento in cui nessuno era abbastanza vicino per udire ciò che veniva detto.

"Mi dispiace per St. Jarlath" sussurrò lei rapidamente. "È stata colpa mia. Mi dispiace terribilmente."

"Non ha avuto nessuna importanza. Non preoccuparti" rispose lui altrettanto rapidamente, e passò il piatto da una mano all'altra.

Quando quella notte fece l'amore con Liz, particolamente disposta e desiderosa, furono il viso dolce e il corpo sodo di Helen a invadere la sua immaginazione.

La settimana successiva vi fu un altro tentativo di farlo fuori in Borsa, come se Ben avesse letto i suoi pensieri lussuriosi. Questa volta Hugh era preparato, si mise al sicuro con un'operazione sul Comex di New York e riscosse un adeguato profitto dall'arbitraggio fra i due mercati. Ben non fu altrettanto fortunato.

"Ho sentito che il suo maledetto fiuto per l'argento non ha funzionato con quella faccenda dell'arbitraggio" disse Tim alla fine della giornata di contrattazioni.

"Davvero?"

"Può darsi che abbia abbandonato l'idea di farti fuori."

"Ne dubito." Ben non lo voleva in Borsa e non sarebbe stato contento fino a quando non lo avesse visto clamorosamente sconfitto e costretto ad abbandonare ignominiosamente.

"Staremo a vedere."

"Certo che staremo a vedere, Tim."

Quella sera ricevette una telefonata da Henry e Jean Kincaid. Uno dei clienti di Henry era implicato in una complessa causa a Chicago, e di tanto in tanto lui e Jean arrivavano in città e invitavano Hugh a cena da Drake, nell'affollata Cape Cod Room. Liz non aveva mai trovato il tempo per prender parte a queste piacevoli cene.

Il loro terzo figlio, un maschietto di cinque anni, era stato investito da un pirata della strada ed era in coma. I medici non avevano molte speranze.

"Ti abbiamo chiamato perché preghi per lui" disse Jean.

"Non sono più un prete" rispose lui addolorato.

"Certo che lo sei, Padre Hugh" insisté Henry.

"Lo sarai sempre per noi" affermò Jean. "Tu lo sai, Hugh... Laura vuole salutarti."

"Quand'è che vieni a trovarci, zio Hugh?"

Quanti anni aveva Laura? Dodici? Tredici?

"Non riconoscerò una signorina di tredici anni."

"Quattordici" lei lo corresse. "Sì che mi riconoscerai. Sono mia madre spaccata... Forse, se venissi adesso, potresti dare a Johnny una benedizione speciale per farlo guarire."

L'istruzione cattolica ricevuta a scuola aveva prevalso sul luteranesimo dei suoi avi. La ragazzina credeva nelle benedizioni, seppure impartite da un prete rinnegato.

"Dirò una preghiera speciale per lui da qui, Laura, e vi vedrò tutti per Natale."

"Qualcuno che conosco?" volle sapere Liz quando lui riagganciò.

"Vecchi amici, voci dal passato." E le raccontò di nuovo dei Kincaid e dell'incidente del bambino.

"Spaventoso... povera famiglia... ma vedi, Hugh, una volta prete resti sempre prete agli occhi di coloro che aiuti."

223

”Forse per gli altri, Liz. Non per me. Io, quel ruolo me lo sono lasciato dietro.”

”Può darsi che sia lui a non lasciare dietro te.”

Due settimane dopo Hugh era a colazione con Jack Howard al Sign of the Trader, un ristorante affollato e rumoroso al primo piano della Borsa.

”Sembra che l'eccitazione ti faccia un gran bene.”

”Per tutta la vita, Jack... ancora roast beef? È buono, vero? Niente di elaborato per i vostri ricchi uomini d'affari irlandesi, ma carne della miglior qualità. Dov'ero rimasto? Ah, sì, per tutta la vita ho fatto le cose sotto il nome di qualcun altro. Il figlio del giudice Donlon, il sacerdote Padre Donlon; ora devo fare da me, costruirmi il mio potere. E questo mi piace.”

Jack spostò il piatto di lato. ”No, non voglio altro vino. Devo tornare in auto al West Side. La Chiesa sta attraversando uno strano periodo, Hugh.” Il suo commento non sembrava molto pertinente a ciò che Hugh aveva detto. Forse era un tentativo di spiegare perché non lo aveva seguito abbandonando anch'egli il sacerdozio. ”Puoi fare un sacco di cose se sai operare all'interno del sistema. A St. Mark, per esempio, il vecchio monsignore non aveva mai sentito di bilanci preventivi o piani finanziari, anzi non aveva mai compilato nemmeno un resoconto annuale. Ora la parrocchia ha un comitato per le questioni finanziarie presieduto da una dirigente di banca, e siamo i meglio organizzati di tutta la diocesi. È tutto computerizzato, e il vecchio la tiene in palmo di mano.”

Il cuore di Hugh cominciò a danzare. ”Oh? Come si chiama?”

Il pelligrinaggio di Maria l'aveva portata nel nuovo ”nuovo quartiere,” esattamente come suo padre aveva pensato che sarebbe accaduto.

”Maria McLain. Suo marito è un pilota della Marina disperso in Vietnam. Una donna di gran classe. Perché? La conosci?”

”Non proprio. Andava a scuola con Marge.” Hugh provò un impeto di orgoglio. ”Porgile i miei migliori saluti e dille che prego per suo marito.”

Durante l'estate Hugh fece abbastanza denaro da prendersi una vacanza le ultime due settimane di agosto. Avrebbe preferito continuare a lavorare e proseguire nel lento ricupero delle sue fortune dopo il disastro provocato da Ben, ma lui e Liz avevano bisogno di trascorrere un po' di tempo insieme. Lei aveva acconsentito molto volentieri ad andare in vacanza, e aveva suggerito di far visita alla sua famiglia nello Iowa.

"Forse il prossimo anno, quando avremo un nipotino che farà loro piacere" disse Hugh. "In questo momento potrebbe essere un po' imbarazzante. Senza contare che abbiamo bisogno di trascorrere un po' di tempo assieme."

"Potremmo far visita alla mia famiglia e avere ugualmente tempo per noi."

"Non funzionerebbe, Liz."

"D'accordo" cedette lei. "Suppongo che tu sappia ciò che è meglio fare."

Il viaggio fece rifiorire il loro amore. Il futuro appariva di nuovo pieno di speranze. Ben Fowler e la sua famiglia erano brutti ricordi del passato che non avevano più importanza.

Anche Liz pareva d'accordo. Lo tenne stretto mentre osservavano l'alba sull'Atlantico da un piccolo albergo sulla costa del Maine, ascoltando il vigoroso tambureggiare della risacca e respirando la salutare aria salmastra.

"Dormito poco."

"Non vedo come tu possa amare una donna così grassa."

"È facile."

"Sembra proprio così." Liz tossì.

"Ogni matrimonio ha i suoi alti e bassi" affermò Hugh citando il proprio discorso alle Conferenze di Cana. "Quando ci troviamo in un periodo difficile dobbiamo aver abbastanza buonsenso da andar via insieme e cercare di appianare le difficoltà."

"Sei così occupato col tuo lavoro, e il prossimo anno entrambi avremo parecchio da fare con Brian..."

Hugh diede un affettuoso colpetto alla sua prole, che sarebbe comparsa intorno a Natale. "Fra un anno o poco più, quando avrò sfondato in Borsa, il mio lavoro diminuirà, e allora avrò tutti i pomeriggi liberi. Sarò a casa per le due e mezza e passerò il resto del tempo ai tuoi piedi."

"Ne sarò molto contenta. Dovrei continuare la mia carriera, sai?"

"Questo dipende da te. Io concordo con voi femministe sul fatto che il padre dovrebbe conoscere i figli." Concordava in teoria, ad ogni modo, quantunque dubitasse che per la madre fosse saggio avere un proprio lavoro, almeno fino a quando i bambini erano piccoli.

"Altrimenti non sarei che un oggetto sessuale, buona solo per fare l'amore e mettere al mondo dei bambini."

"Tu non sei un oggetto, Liz, e non lo sarai mai, che tu abbia un lavoro o no."

"Non vuoi che io lavori?" domandò stringendosi ancor di più fra le braccia di lui.

"Certo che lo voglio. Lo sai. Ma il lavoro non ti conferirà più dignità o più valore in quanto individuo di quello che hai già, che è altissimo."

"Questo non mi piace." Rimaneva tesa. "Se tu devi cimentarti in quel posto terribile, perché non dovrei cimentarmi anch'io?"

"È diverso."

"In che modo?" Liz cercò di allontanarsi.

Lui l'attirò di nuovo a sé con dolcezza. "Io sto solo cercando di dimostrare che sono in grado di fare quel genere di lavoro. Il mio valore come uomo non dipende da quello."

Hugh non credeva affatto a ciò che stava dicendo.

"Va bene, allora." Lei si rilassò. "Finché la vedi così, allora anch'io posso fare il mio lavoro."

"Non potrei essere più d'accordo."

Hugh non credeva affatto nemmeno a questo.

Il viaggio fu un successo ed essi tornarono fiduciosi sul futuro del loro matrimonio. Tuttavia, Hugh continuava a essere tormentato da piccoli dubbi. Liz non era come sua madre o come Marge, e nemmeno come qualsiasi altra donna di sua conoscenza. Le altre, le poteva osservare, studiare, capire. Le loro reazioni erano prevedibili. Persino l'imprevedibile Maria non era misteriosa, solo ingannevole.

Le reazioni di Liz dipendevano dal suo umore, e il suo umore era notevole e incostante. Sembrava assumere aspetti diversi non in relazione al mondo esterno, ma piuttosto in relazione al suo mondo interiore, un mondo che spesso era influenzato dall'eco di tamburi lontani.

Sulla strada del ritorno Liz si mise a rimuginare su quella conversazione. Hugh non sarebbe mai cambiato. Non era nemmeno colpa sua. La falsa coscienza di sua madre gli era stata inculcata così precocemente che lui non avrebbe potuto superarla. Sarebbe potuto apparire convincente in ogni circostanza, e tuttavia sarebbe rimasto un incoreggibile sciovinista. Non l'avrebbe aiutata ad allevare i bambini. E non riteneva il suo lavoro importante quanto il proprio — era un passatempo, come fare collezione di francobolli o visitare i malati negli ospedali.

Liz giurò a se stessa che gli avrebbe fatto vedere. Sarebbe riuscita sia come madre che nella propria carriera. E lui sarebbe stato un fallito come padre e come uomo d'affari. A quel punto sarebbe andato da lei a impetrare il suo perdono.

Era l'unico modo di insegnargli la lezione.

Alla fine di novembre Jean Kincaid telefonò di nuovo. Johnny era morto. Hugh poteva passare qualche giorno con loro a Manhattan Beach? Avevano un disperato bisogno di qualcuno con cui parlare. Il nuovo prete della loro parrocchia non era di grande aiuto.

Hugh non voleva lasciare Chicago. Era impegnato in una lenta rimonta della scala del successo. Non poteva permettersi di perdere una sola giornata in Borsa. Inoltre, non voleva essere ricacciato nel ruolo di prete che ormai aveva abbandonato. Senza parlare del fatto che il bambino sarebbe dovuto nascere entro un mese.

Ma non poteva dire di no a Jean, ad Henry e a Laura, che era annientata dal dolore. In un certo senso essi erano tutto ciò che gli rimaneva della sua parrocchia. E, Hugh si rendeva conto intuitivamente, solo grazie a ciò che rimaneva della sua parrocchia non era iniziata la discesa all'inferno profetizzata da Xav Martin.

"Mi pare che sia un'imposizione terribile." Nell'ultimo mese di gravidanza Liz era diventata querula. "Conoscevi appena quel ragazzino. E se arriva nostro figlio?"

"Sei a soli cinque minuti dal Billings Hospital."

"E se capita in piena notte?"

"Sono soltanto a cinque ore da O'Hare. Il dottore non ha detto che nascerà al tempo giusto o forse anche più tardi?"

"Per quello che ne sa lui."

"Devo andare da loro, Liz; è un obbligo dal passato."

"E io sono un obbligo nel presente. Forse quella è più carina di me?"

"Non ha nulla a che vedere con questo."

"Oh, d'accordo, va' se proprio devi. Ma tieniti in contatto."

Hugh promise. Era la prima separazione da quando si erano sposati.

E lui l'attendeva con ansia.

Capitolo XXV
1970

Hugh partì in aereo da O'Hare il venerdì mattina con l'intenzione di tornare il lunedì mattina, il che gli avrebbe consentito di perdere soltanto due giorni in Borsa. Il solo aereo sul quale era riuscito a prenotare un posto faceva scalo a Denver. Sarebbe stato costretto a perdere un'altra ora.

Le previsioni del tempo annunciavano sereno e freddo su tutto il percorso fino alle montagne del Pacifico, e poi nuvole ad alta quota su Los Angeles. Mentre il DC-8 virava verso ovest Hugh guardò in basso i campi scuri orlati di neve, che gli ricordavano un pound cake decorato con la glassa. Il grano invernale di Tim, cibo per il mondo, pensava mentre viravano verso sud per l'avvicinamento a Denver. Poi vide una minacciosa linea nera che sovrastava l'orizzonte in senso nord-ovest e che procedeva con estrema lentezza nella loro direzione.

La guardò con interesse distaccato. Quando l'aereo puntò su Stapleton Field la linea nera scomparve dietro le Montagne Rocciose.

Hugh decise di non scendere a terra. Mentre i carrelli del trasporto bagagli si affrettavano verso l'aereo come cuccioli in cerca di nutrimento dalla madre, una vaga idea, fino ad allora confusamente sospesa fra i suoi pensieri, cominciò a prender forma.

Ci si attendeva un generoso raccolto di grano invernale. Tim continuava a dire che nessuno che avesse avuto il cervello a posto avrebbe acquistato grano dinanzi alla prospettiva di un raccolto così abbondante.

Si avvicinò all'area riservata all'equipaggio.

"C'è tempesta dall'altra parte delle montagne, eh, Capitano?"

Il pilota, un veterano brizzolato con un sorriso abbagliante, rispóse: "C'è, eccome. Ma non si preoccupi. Ne saremo fuori prima che colpisca. Per domani sera ci sarà un mare di neve da qui a Chicago".

"Me lo immagino. Violenta?"

"Può scommetterci. È venuta fuori tutta d'un colpo. I meteo-rologi non se ne sono ancora accorti. Gli ci vorrà un'altra oretta."

Hugh uscì con calma dall'aereo, scese dalla scaletta e si avviò verso l'atrio. Trovò una sola cabina telefonica libera. Il telefono era guasto. Attese pazientemente osservando i passeggeri di Den-ver che si presentavano alla registrazione per il suo stesso volo.

Finalmente una signora anziana uscì con passo incerto da una delle cabine.

In ufficio, trovò la linea occupata.

Imprecò sottovoce e rifece il numero.

Ancora occupato.

I passeggeri del suo volo vennero invitati a imbarcarsi. Chiamò ancora una volta.

Rispose Tim. "Tim Donlon."

"Hugh..."

"Ciao... nulla di nuovo qui, l'argento è sceso di qualche cente-simo."

"Com'è il tempo?" Tentò di contenere l'eccitazione.

"Freddo, ma c'è il sole e la temperatura dovrebbe aumentare un po' nel corso del weekend. Perché?"

"Voglio comprare due milioni di bushel di grano di dicembre."

"Sei matto... è tutto il denaro che hai."

"Devo prendere l'aereo." Non voleva informare Tim della tempesta; se lo avesse fatto, la notizia si sarebbe sparsa per i recinti delle contrattazioni in mezz'ora. "Fallo, Tim, e se sei furbo com-pri anche tu."

"Cos'è che ci impedirà di rimetterci?"

"Non ci sarà nessuna perdita. Lasciamo stare fino a martedì, quando sarà tornato. Devo sbrigarmi."

Mentre l'aereo decollava da Stapleton, Hugh venne rassicura-to dal fronte stesso della perturbazione. Ora era molto più vicino e minacciosamente scuro, come un'infezione mortale pronta a spaz-zare i campi di grano.

Tim era il ribassista della famiglia, quello che vendeva a breve termine e lucrava sulle cattive notizie. Nessuno amava veramente un ribassista. Il rialzista era più lungimirante, e investiva in buone notizie. O così essi si dicevano.

La tempesta sarebbe stata una buona notizia per la Borsa. Il grano di dicembre sarebbe salito alle stelle. I prezzi di chiusura sa-rebbero stati altissimi per tre giorni, facendo di Hugh quasi un milionario.

Tuttavia, erano cattive notizie per gli agricoltori e per chi soffriva la fame nel mondo. Sarebbe diventato ricco grazie a un disastro naturale.

Eppure, se non fosse stato per la Borsa Merci, il disastro sarebbe stato anche peggiore. La perdita degli agricoltori era già stata assorbita dagli speculatori i quali — e questa era un'argomentazione valida e provata a favore della Borsa — erano considerati quelli che alleviavano gli agricoltori dal rischio in cambio della possibilità di speculare.

Gli speculatori si sarebbero accollati il costo della tempesta. Loro sarebbero stati i perdenti. Altri speculatori, cioè. Hugh Donlon sarebbe stato il vincitore perché aveva saputo interpretare il senso di una vasta striscia di bassa pressione sulle Montagne Rocciose.

E alla vittoria sarebbero seguiti potere e libertà.

Sperava che Ben Fowler fosse a corto di grano invernale.

Appena atterrati a Los Angeles Hugh fece un'altra telefonata. "L'ho fatto" assicurò Tim. "Ho persino comprato qualcosa per me. Entrambi gli acquisti al prezzo minimo. Non mi stupirei se lunedì il grano chiudesse su prezzi bassissimi. Potresti rimetterci persino la camicia."

"No, puoi scommetterci la pelle. C'è in arrivo una tempesta gigantesca."

"Nessuna avvisaglia a La Salle Street. Fammi dare un'occhiata dalla finestra... Mio Dio." La voce di Tim si fece improvvisamente sommessa come se stesse pregando. "Il cielo si è oscurato. Avrei fatto meglio a comprare di più per me."

"Non hai ancora visto nulla."

I Kincaid erano molto scossi, madre, padre, i due figli adolescenti — Laura e suo fratello Pete — e una piccolina di tre anni, bionda, che rispondeva al nome di Tillie, diminutivo di Mathilda.

Laura, una bellezza delle pianure, alta sottile e bionda, come la madre, era la più colpita dalla morte del fratello. "Se solo avessi fatto attenzione al traffico" mormorava con aria grave.

"Basta, Laura" ordinò Hugh deciso, con l'automatica reazione di un prete al comportamento potenzialmente isterico di un'adolescente. "Dio ha voluto Johnny con sé. Non è colpa tua."

"Lo so, zio Hugh. Ma mi manca tanto. Non vorresti dire una Messa per noi? È stato così terribile in chiesa."

"Un sermone sul controllo delle nascite" disse Jean, che era ancor più bella di come Hugh se la ricordava dall'ultima volta che erano andati a cena al Cape Cod Room. "Il nuovo parroco è un irlandese d'Inghilterra senza particolari riguardi per nessuno.

Confidate in Dio. Certo che confidiamo in Dio, ma ciò non significa che non siamo addolorati."

"Ti prego, di' Messa per noi" lo implorò Henry. "Laura ha preso a prestito i paramenti dalla sua scuola. Abbiamo bisogno di un rito funebre durante il quale sentirci liberi di esprimere il nostro dolore."

"Non dovrei più dire Messa" obiettò Hugh.

"Per favore, zio Hugh" implorò Laura.

Così, con la sua congregazione raccolta intorno al tavolo di cucina, davanti al Pacifico, Hugh Donlon officiò la Messa per la prima volta da quando si era ritirato dal sacerdozio attivo, con le alte onde dell'oceano, incorniciate dall'intelaiatura della finestra, che facevano da pala d'altare. Ebbe parole commosse per Johnny Kincaid, che ora si innalzava, sul piano spirituale e su quello umano, nella vita che attende tutti noi. Non era sicuro di crederci lui stesso, ma ci credeva la sua congregazione, e questo era sufficiente.

Tutti i Kincaid piangevano.

A cena, tuttavia, la loro vitalità tornò. Rise persino l'adorabile Laura.

Più tardi, in serata. Hugh telefonò a Liz, sentendosi in colpa per non averlo fatto prima.

"Temevo che non avresti più telefonato" si lamentò lei.

"C'è stato un ritardo per il maltempo" si scusò Hugh. "Come va laggiù?"

"Nevica, per terra ce n'è già almeno un pollice. Hugh, e se il bambino arriva stanotte? Non riuscirai a tornare a casa."

"Gli aerei volano anche con la tempesta. Perché? C'è qualche avvisaglia?"

"No" ammise lei con riluttanza. "E io non voglio che tu viaggi in aereo durante una tempesta. Cosa faremmo senza di te?"

"Non succederà nulla, Liz. Non preoccuparti. Domattina, per prima cosa, ti telefonerò."

Per ore e ore Hugh giacque sveglio nella camera degli ospiti, ascoltando la risacca del Pacifico e rimuginando sulla terribile disgrazia che si era abbattuta sui suoi amici. La sua intenzione era stata quella di impiegare la propria vita a portare felicità e conforto agli altri. Ma le cose, in qualche modo, non erano andate così. L'ondata di passionalità che periodicamente si scatenava nel suo intimo era un flagello paragonabile a un impetuoso torrente di montagna che, a causa dell'artificioso intervento umano, non poteva scorrere liberamente verso il mare. Il sacerdozio non aveva liberato la sua capacità di amare. Nemmeno il matrimonio. E così lui avrebbe guadagnato una fortuna su una tragica tempesta invernale. Qualcosa nella sua capacità di amare e di procurare felicità agli altri e gioia a se stesso s'era perduto. Il ritmo possente della risacca delle sue emozioni era stato ridotto a un mormorio quieto — e talvolta a un odioso lamento.

Il lunedì mattina l'aereo venne fatto atterrare a nord di O'Hare. Hugh colse una fugace visione degli edifici di mattoni rossi del seminario. Ora sono un uomo ricco e potente, Monsignor Xav, si disse. Vedremo se qualcuno si azzarda a tentare di trascinarmi all'inferno.

Gli spazzaneve avevano formato mucchi enormi ai lati della pista di atterraggio, il cielo era sereno e terso e il sole brillava, ma sulla pista non c'era acqua a indicare l'inizio del disgelo.

Telefonò in ufficio.

"Valore di chiusura alto" disse Tim senza aspettare di sapere chi fosse.

"Questo è solo l'inizio. Spero che Ben fosse a corto."

"Come tutti."

Benone. Avrebbe restituito i soldi a suo padre e a Liam e comprato una casa per sua moglie e suo figlio.

E poi avrebbe sistemato i conti con Ben Fowler.

Ora era un pezzo grosso.

E si avviava a diventare il più grosso di tutti.

Capitolo XXVI

1972

"Posso parlarle dopo la chiusura, signor Donlon?" Era una delle fattorine. I suoi graziosi occhi grigi erano preoccupati. "È un... ehm... una questione privata."

Hugh non aveva tempo per lei.

Aveva abbandonato i suoi massivi investimenti nell'argento alla fine del 1971, quando era nata sua figlia Lise; era convinto che il boom dell'argento atteso per gli anni Settanta non sarebbe iniziato fin dopo le elezioni presidenziali e la conclusione di un qualche trattato di pace col Vietnam.

Con sua gran sorpresa, l'argento era salito parecchio in gennaio, e ora lo si vendeva a due dollari e sessantotto centesimi all'oncia, quasi un dollaro in più di quando lui e la sua Managed Accounts si erano ritirati dalla contrattazione. Alcuni dei suoi clienti, che formavano un gruppo selezionato per il quale aveva cominciato a lavorare di recente, borbottavano scontenti.

Era stato un errore, uno dei tanti degli ultimi tre anni. Ora aveva sufficiente successo e sufficiente potere per ammettere che gli errori facevano parte del gioco, anche quelli grossi.

Entro la fine di marzo, sospettava, l'argento sarebbe balzato indietro a due dollari e venti. A quel punto Hugh sarebbe entrato nel gioco seguito dai suoi clienti. L'ottovolante avrebbe sfiorato i tre dollari entro la fine di maggio, dopo di che lui si sarebbe defilato in attesa di un'altra impennata.

Non aveva tempo di far la parte del prete che consigliava l'adolescente incinta, e lui aveva già visto quegli occhi preoccupati un numero di volte sufficiente a sapere qual era il problema. Probabilmente lei aveva bisogno che un prete — anche uno che aveva gettato la tonaca — approvasse l'aborto.

"Certo, Kathy; nel mio ufficio dopo il gong?"

Perché aveva risposto così? Ancora la superstizione secondo la quale anche quel poco che gli rimaneva del sacerdozio lo avrebbe protetto dalla predizione di Xav Martin, una profezia che ora considerava alla stregua di una maledizione?

La ragazza aveva annuito con solennità. "Grazie tante, signor Donlon."

Qual era il suo cognome? Forse polacco? Un visino fresco e pulito, intelligenza innata, molto autocontrollo. Probabilmente sarebbe sopravvissuta. Dannazione, avrebbe dovuto ricordarsi il suo cognome. Si vantava di sapere il cognome di tutti i ragazzi del recinto, come al tempo in cui conduceva l'High Club.

Ora sarebbe arrivato in ritardo all'appuntamento con Helen al porto. Avrebbe aspettato. Lei aspettava sempre.

Dopo che la campanella dell'una e un quarto ebbe messo fine alle contrattazioni delle granaglie, Tim si trovò a passare casualmente accanto al recinto dell'argento.

"Ancora al tuo posto? Mio fratello rialzista che si comporta come un ribassista? Pensavo che l'incerta economia mondiale facesse sì che ci si potesse fidare solo dei metalli. Che ne dici del fiasco del grano invernale russo?"

"Aspetta solo."

Ora Hugh Donlon era un uomo arrivato che possedeva una grande casa a Kenilworth, un certo numero di pingui conti personali e il rispetto dovuto a un operatore economico guidato da un misterioso istinto e provvisto di nervi d'acciaio.

Tuttavia non era soddisfatto. La grettezza delle contrattazioni di Borsa l'aveva stancato. Gioiva ancora delle emozioni intense di un mercato tempestoso, ma aveva bisogno di qualcosa di più, del brivido e dell'eccitazione di un impegno maggiore.

Ormai era psicologicamente dipendente dalle forti sensazioni come Tim. Forse peggio di lui.

Probabilmente ciò faceva parte dell'inferno preannunziato da Xav.

Ad ogni modo, lui voleva un'azienda commissionaria tutta sua e la possibilità di amministrare il denaro altrui oltre al proprio, di lanciare i dadi non solo per conto proprio ma anche per gli altri, e in più giochi contemporaneamente.

Ma intanto c'era Kathy e il suo aborto.

"Bene, Kath?" Atteggiò il viso alla massima cortesia mentre, come accadeva con tutte, la spogliava con la fantasia. Bel corpo giovane, bel seno, cosce affusolate.

È più facile dominare una donna quando la spogli, anche mentalmente. Loro se ne rendono conto e hanno la sensazione di aver perso una parte della loro indipendenza.

Lei sedette sull'orlo della sedia, con l'aria di una ragazzina di sesta chiamata nell'ufficio del preside per aver lanciato palle di neve.

"Sono incinta, signor Donlon." Parole e lacrime eruppero come un torrente. "I miei genitori vogliono che vada via ad avere il bambino. Joe e io vogliamo sposarci; Joe, il mio ragazzo, non ha un lavoro; è ancora studente; è tornato dal servizio militare a Natale; anche la sua famiglia è contraria al matrimonio. E lei è così gentile e amichevole che ho pensato che potrebbe consigliarci cosa fare."

"Non pensate all'aborto?" Il prete prese il posto del collezionista di donne. La sua immaginazione la rivestì rispettosamente.

"Oh, no." I suoi occhi erano spalancati per l'orrore. "Intendo dire, si pensa sempre a qualcosa del genere, ma non riuscirei a farlo. Devo dare a questo esserino una possibilità di vivere. Io amo Joe; siamo stati grandi amici fin dalle scuole medie, e avevamo progettato di sposarci tre anni dopo la laurea di Joe."

Il calcolo che un prete fa automaticamente in casi simili cambiò. Le indicazioni erano positive — si conoscevano da parecchio tempo, stesso entroterra culturale e religioso, progetti di matrimonio in futuro... Nowak, ecco il cognome, probabilmente un'abbreviazione di Nowakowski.

"Diciotto anni sono pochi per sposarsi..." Chissà cosa ne avrebbe detto Peggy.

"Lo so, signor Donlon..."

"L'età è importante, ma non garantisce necessariamente la maturità. Joe verrebbe qui con te?"

"Oh, sì. Il prete della nostra parrocchia è all'antica. Ci tratta a urlacci, e non starebbe nemmeno ad ascoltarci. Dice che siamo dei peccatori terribili. Noi lo sappiamo, signor Donlon. Non vogliamo peccare più."

"Siamo tutti quanti peccatori terribili, Kathy. Ma Dio non può non amarci, altrimenti non ci avrebbe creati così numerosi."

Un minuto dopo Hugh lasciò una grata e felice Kathy Nowak e a piedi sotto un sole implacabile attraversò il Loop e un parco affollato diretto verso Burnham Harbor e verso il proprio peccato, una trasgressione riguardo alla quale non si sentiva minimamente colpevole e non temeva la collera di un Dio problematico.

Il successo finanziario gli aveva ingenerato un'irresistibile bramosia sessuale, come se la pressione della lussuria accumulata nel corso degli anni di celibato avesse finalmente superato d'impeto il segnale di guardia, erompendo all'esterno. Al mattino godeva il brivido del successo nel recinto di Borsa, e nel pomeriggio, più spesso che poteva, si abbandonava alla lussuria fra le braccia di una donna.

Il suo matrimonio era alquanto pencolante. Liz era rimasta di nuovo incinta a tre mesi dalla nascita di Brian — la scelta era stata sua, non di Hugh — e ora era totalmente assorbita dai due figli. Era ossessionata dal dovere di occuparsi dei bambini anche quando non ne avevano bisogno. I due bimbi — che tanto per incominciare apparivano entrambi nervosi — reagivano con ansietà all'ansietà della madre, e avevano rapidamente imparato a strumentalizzarla. Liz li soffocava di attenzioni.

Stavano allevando due piccoli mostri — due bambini nevrotici e viziati. Hugh, ligio ai suoi doveri, aveva tentato di aiutare Liz tornando a casa presto, ma i suoi tentativi erano stati respinti e ridicolizzati; Lise gli veniva strappata dalle braccia con l'accusa di viziarla dandole troppo affetto e, per di più, di non saperla tenere nel modo corretto.

Hugh si era arreso, sperando di avere la possibilità di ricuperarli quando avessero raggiunto un altro stadio della vita.

Anche prima della nascita di Lise, l'interesse di Liz per il sesso era caduto dal "limite minimo" allo zero. Le avances di lui venivano respinte con un inferocito "Come osi?" o con un lacrimoso "Come potresti?".

Al contempo lui era diventato un esperto e sensibile conoscitore di donne, come i collezionisti di vini francesi d'annata. Una donna era un rompicapo da risolvere, un mistero in cui addentrarsi, un trofeo da conquistare. Di una donna si indagavano capricci e debolezze, si studiavano le reazioni, si lusingava la vanità, la si sommergeva di doni, e infine si iniziava l'esplorazione del suo corpo, scoprendo i punti in cui provava piacere e quelli in cui provava dolore.

La si premiava, la si puniva, la si compiaceva, si faceva bottino dei suoi tesori, la si mandava in estasi, la si stuzzicava, la si accarezzava.

Evidentemente, il miglior modo per tenerla in pugno fino alla prossima volta che la si sarebbe voluta era far sì che l'ultima esperienza fosse il più possibile gratificante per lei.

E quando ogni altra cosa falliva, potevi impadronirti di lei guadagnandoti la sua comprensione.

Non che le donne fossero soltanto corpi da godere. Erano materia di ricerca e di scoperta di un fascino senza limiti, così simili a te e così differenti. Persino una Helen Fowler, che di primo acchito appariva priva di verve e d'interesse, poteva essere indotta a rivelarsi e a definirsi come essere umano complesso e realmente affascinante.

Una donna che gli rivelava la propria psicologia era delizia allo stato puro, e offriva un godimento molto maggiore del mero atto fisico di spogliarsi. Lo scoprirsi la vincolava più saldamente, finché si voleva che lei si sentisse vincolata. Dopo che se ne erano invasi i segreti più riposti diventava un trofeo molto più prezioso per la propria collezione.

Come articolo da collezione, una donna esisteva per te.

Il giudice Donlon individuò Maria all'inizio della sua conferenza. Da qualche anno la Chicago Association of Financial Planners era diventata sufficientemente liberale da accogliere come membri un certo numero ristretto di donne, consentendo loro addirittura di partecipare alle riunioni che si tenevano nella sala rivestita di pannelli di quercia dell'University Club, prestigiosa eppure piuttosto insignificante. Le bancarie, tuttavia, di norma non erano delle bionde così sorprendentemente attraenti. Né la tipica donna membro dell'associazione indossava un abito rosso che da un lato l'avvicinava pericolosamente al limite del sex appeal, e dall'altro l'allontanava trionfante.

"Ovviamente, non compete al giudice affermare — nonostante la propensione di alcuni dei miei colleghi a improvvisarsi esperti in ogni campo — che di conseguenza la legislazione potrà fornire un qualche aiuto, in modo diretto e positivo, a chi si occupa di pianificazione. Tuttavia il diritto ha le sue radici in piccole comunità e forse dalla riflessione su questa materia potrebbero scaturire chiarificazioni utili per il vostro lavoro."

Il viso espressivo di Maria ribatté: "Via, Vostro Onore, non sia umile; lei sa benissimo che cosa noi parassiti dovremmo fare".

Ah, Maria, come abbiamo potuto perderti?

"Un gran discorso, Vostro Onore." Maria gli diede un gran bacio, ignorando la disapprovazione di alcuni dei suoi contegnosi colleghi maschi.

"Tuo marito?" domandò lui con sollecitudine.

"L'abbiamo visto in TV con quella megera di Jane Fonda. E quindi è vivo." Maria padroneggiava il suo dolore, senza nasconderlo né cedergli. "I McLain hanno una vecchia esperienza di campi di prigionia. Il trisnonno Alexander Bonaparte McLain fu ad Andersonville durante la Guerra di Secessione."

"Andersonville fu una prigione dei Sudisti, mia cara."

"Lo so; i McLain sono originari della South Carolina, ma un ramo della famiglia parteggiava per i Nordisti. Dovrebbe sentirli parlare di Lincoln. Quasi quasi ci si aspetta di vederlo spuntare da dietro l'angolo... Mio marito ne verrà fuori vivo, in buona salute, arricchito di esperienza e di fascino... E come sta la sua famiglia? I nipotini saranno una gran gioia."

"I Wentworth sono pura gioia, se così posso dire. Ma non possiamo vederli spesso come vorremmo."

"E Tim?"

"Non è un segreto che non siamo molto vicini alla famiglia di Tim. Sua moglie e la signora Donlon suppongo non andranno mai d'accordo."

"Progetta case così strambe. Mi piacerebbe avere uno dei suoi palazzi per le vacanze per puro divertimento..." Vi fu una leggera esitazione. "E Hugh?"

"In tutta sincerità non so, mia cara; ha successo. Ma a me sembra che non abbia ancora trovato la felicità che sta cercando."

"Un giorno la troverà, giudice Donlon; di questo non dubiti nemmeno per un momento."

"Spero che tu abbia ragione."

Lei lo baciò di nuovo. "Questo è per Peggy. Le dica di continuare a dipingere tempeste. La sua ultima mostra mi è piaciuta molto."

Joe Marshal era più alto di Kathy di un pollice al massimo, e appariva ancor più giovane di lei, un giovane corista molto beneducato e molto preoccupato. Se solo ci fosse stato qualcuno che volesse prendersi cura del loro matrimonio — poiché loro avrebbero certamente voluto sposarsi, a meno che lui non li sconsigliasse — e proteggerli da tutti gli errori.

"Tu lavoravi ai computer sotto le armi, Joe?"

"Sì, signore, ai computer. Durante il primo anno non ho mai lasciato Washington. Simulatori, per lo più. Un sacco di grafici e diagrammi."

"Ah sì?" Hugh prese l'ultima copia di *Commodity Perspectives*. "E che cosa dedurresti da quasto diagramma?"

Joe lanciò una rapida occhiata. "Direi che lei dovrebbe sempre vendere il grano di maggio entro febbraio."

"Ne hai mai sentito parlare prima d'ora?"

"No, signore. Kathy e io non abbiamo avuto il tempo di parlare del suo lavoro. Però mi sembra interessante."

Hugh sfogliò rapidamente le pagine. I commenti di Joe sulla soia, sul consumo di carne di maiale e sul compensato furono pronti, decisi ed esatti quanto quello sul grano.

"Com'è che avete solo diagrammi bidimensionali, signor Donlon?" domandò Joe aggrottando la fronte e cercando una spiegazione. "Da quelli tridimensionali si apprende molto di più, si potrebbero incorporare i dati meteorologici, per esempio. Io non ne so nulla, ovviamente..."

Hugh si rese conto di essersi imbattuto in uno che sarebbe potuto diventare un asso dell'elaborazione dati, un elemento indispensabile per la ditta che sperava di avviare.

"Kathy?" Parlò lentamente. "Ti dispiacerebbe se tuo marito venisse a fare diagrammi per me come lavoro part-time mentre finisce la scuola?"

"Signor Donlon, lei è meraviglioso!"

"Se sarà un maschietto, lo chiameremo Hugh" dichiarò Joe, stordito dal sollievo e dalla felicità.

"Non azzardatevi" scherzò Hugh.

Felici, i due giovani lasciarono il suo ufficio, la mano nella mano, come se stessero uscendo dalla canonica.

E Hugh rimase a lungo accasciato alla propria scrivania.

Capitolo XXVII

1972

In aprile l'argento regredì ai livelli del 1971 e gli speculatori persero interesse. Con una telefonata a Zurigo Hugh venne a sapere che gli europei acquistavano argento a New York e lo importavano per mare attraverso l'Atlantico. Tuttavia, gli acquisti non venivano fatti in Borsa. Di qui la scarsa attività e le oscillazioni del prezzo sul mercato.

Era ancora un mercato potenzialmente rialzista, in attesa di riprendere l'abbrivo. L'istinto di Hugh, che ne prevedeva un'impennata in quanto bene-rifugio contro l'inflazione, non sbagliava. Egli aveva mancato l'ultima ondata per aver sbagliato la valutazione del tempo, ma non quella della tendenza di base.

Tuttavia non volle buttarsi di nuovo nel mercato. Avrebbe atteso pazientemente fino a quando non gli fosse parso il momento giusto. L'ultima volta, era stata l'impazienza a nuocergli.

L'argento era rimasto in sospeso per tre settimane, fino ad aprile inoltrato, incerto fra due dollari e dieci e due dollari e venti.

Alla fine della terza settimana, col prezzo a due dollari e otto, Hugh acquistò cento contratti per sé e per i suoi clienti, una grossa somma per tutti gli interessati. Ma se non sbagliava e si fosse verificato un rapido rialzo, e se fossero riusciti a rivendere al prezzo massimo, lui si sarebbe costruito la reputazione di uomo saggio e la ditta Donlon avrebbe preso l'avvio.

"Ti sei buttato oggi?" gli domandò Tim in ufficio, che ora era costituito da un certo numero di locali molto più grandi ed eleganti, con ambienti separati per ciascuno dei due fratelli e le rispettive segretarie, più un piccolo ufficio per Joe Marshal.

"Finalmente."

"Pensavo che lo avresti fatto. Si prepara un'estate tranquilla per ogni altro genere. Le previsioni sui cereali russi sono ottimistiche."

"Non contarci."

Tim si strinse allegramente nelle spalle. "Adesso non mi azzardo più a dire nulla che contrasti col tuo istinto... Ehi, lo sai che uno di questi giorni dobbiamo far qualcosa riguardo a Ben Fowler? Altrimenti non ci lascerà mai in pace."

"Cosa c'è ora?" Poteva darsi che Tim dicesse la verità, ma, ancora una volta, poteva darsi il contrario.

"Sta cercando di bloccàre la tua candidatura per il Comitato di Compensazione, quantunque tutti sappiano che il denaro per entrare non ci manca. E mi sta perseguitando con l'accusa di aver fatto giochetti con certi contratti a lungo termine, come se io mi cacciassi in cose di questo genere."

Se la nuova attività doveva aver successo, la sua reputazione avrebbe dovuto essere ineccepibile. Ciò sarebbe stato difficile con Tim sulla stessa barca.

"E lui può bloccarti qualcuno di questi contratti?"

"Non penso." Tim eluse la domanda con aria sorniona e lanciò un'occhiata ai grafici ai quali Joe Marshal aveva lavorato. "Ehi, ma che belli; il prossimo passo sarà installare un computer qui in ufficio."

Joe aveva creato un diagramma tridimensionale che evocava l'immagine di una zona montagnosa. "Soia combinata con un mese di maltempo" osservò. "Guardi, signòr Donlon, in capo a un mese di pioggia i semi di soia si venderebbero a tredici dollari."

"Questo non accadrà mai" commentò Tim recisamente.

"Dovremmo aspettare il mese di pioggia." Hugh guardò il diagramma. "Certamente, sarebbe un disastro per Benedict il Cattivo, vero?"

Tim considerò il diagramma con più attenzione. "Potrei assoldare dei Sioux perché ci facciano la danza della pioggia."

Hugh fece un sorriso scaltro.

Maggio fu un mese fantastico per l'argento. Il prezzo lievitò da due dollari e otto centesimi a due dollari e sessantacinque centesimi. Il venerdì precedente il weekend del Memorial Day Hugh decise che sia per lui che per i suoi clienti era venuto il momento di uscirne. Ormai avevano guadagnato quel denaro che la sua infelice scelta del momento propizio aveva impedito loro di realizzare prima. L'errore che aveva commesso all'inizio dell'anno era annullato. Aveva guadagnato di nuovo, e tanto.

A casa trovò Liz abbattuta e irrequieta. Lise, che ordinariamente era in buona salute nonostante le eccessive cure di sua madre, aveva un po' di febbre, ed ella temeva di non riuscire a trovare un pediatra durante il lungo weekend.

Di conseguenza ascoltò con scarsissimo interesse il resoconto della giornata di contrattazioni dell'argento che Hugh le stava facendo.

"Non so che cosa te ne farai di tutti quei soldi" disse cullando fra le braccia la piccola che non stava bene, mentre il maschietto le tirava la sottana per ottenere la sua legittima parte di attenzioni.

"Potremmo impiegarne una parte per dare un acconto per quella casa di Lake Shore che desideravi." Era la grande sorpresa che aveva tenuto in serbo nella speranza di vederla sorridere di nuovo e di poter abbattere il muro che li divideva.

"Non ho mai detto di volere una casa simile. Non riesco a capire come te ne salti fuori con idee tanto assurde, Hugh. Sai benissimo quanto una casa sulla spiaggia possa essere pericolosa per i bambini. Proprio l'altro giorno due bambini sono annegati sulla costa del Jersey."

"Potremmo stare molto attenti."

"E io, come potrei occuparmi di una casa laggiù, più questa che è spaventosamente grande e poi andare all'Istituto Pastorale in estate?"

"Non sapevo che progettassi di andare all'Istituto." Era la prima volta che ne sentiva parlare.

"Certo che ci andrò. O non vuoi che mi interessi progredire nella mia professione? Vuoi che passi tutto il tempo qui, con questi bambini?"

Cullò Lise troppo bruscamente e la bimba si mise di nuovo a piangere.

Hugh serrò le mani. Mio Dio, pensò, è possibile che non ne indovini mai una?

"Io desidero che tu faccia tutto ciò che vuoi." Cercò di mantenere un tono di voce neutro. "Certo che puoi andare all'Istituto Pastorale. Ma pensavo che ti sarebbe tanto piaciuta una di quelle case dall'altra parte del lago, vicino ai Fowler."

"Certamente... via, Brian, non vedi che devo badare a Lise? Tu hai già avuto la tua parte."

Hugh cercò di prendere in braccio Brian, il quale però non volle saperne. Appena Hugh lo tirò su da terra si mise a urlare perché voleva sua madre.

"Quante volte devo dirti di non cedergli in questo modo? Mettilo giù. Ci penso io."

Brian si gettò nelle braccia della madre e pian piano i singhiozzi si acquietarono.

"Se domattina Lise sta meglio, non potremmo andare a vedere qualche casa, niente di preciso... solo per dare un'occhiata?"

Liz era inorridita. "Nel traffico del Memorial Day? Vuoi che andiamo ad ammazzarci tutti quanti?"

"Intendevo verso la metà della mattinata, quando il traffico è meno intenso."

"Va' tu se vuoi" disse lei con voce da martire. "Io resterò a casa coi bambini."

Hugh avrebbe preso per buono l'ultimo segnale chiaro e positivo che lei gli aveva inviato, e avrebbe cercato una casa in riva al Michigan.

Liz aveva trentun'anni e, anche se ordinariamente era trasandata, continuava a essere una donna bella e dotata, con una lunga vita produttiva davanti a sé, se solo fosse riuscita a superare l'attuale malessere.

C'era qualcosa che lui poteva fare per salvare il loro matrimonio? Quanto gli sarebbe piaciuto riavere la dolce e vulnerabile giovane donna con cui solo qualche anno addietro aveva avuto la prima esperienza amorosa nell'appartamento di Hyde Park.

Forse lei stava scendendo nel proprio inferno, in un isolamento nel quale non c'era posto né per lui né per chiunque altro.

Un inferno simile a quello di Hugh.

Dopo che Hugh se ne fu andato Liz rimase turbata contro se stessa. Sì, ovviamente desiderava la casa al lago. E allora perché non aveva detto di sì?

Perché Hugh la faceva così infuriare col suo denaro, il suo successo e l'arroganza che ne era derivata che lei, quando si presentava l'occasione di mortificarlo, non riusciva a resistere.

Ciò era male. Nel loro rapporto i tempi non coincidevano mai. Quando lei si sentiva amichevole e affettuosa lui non era in casa. E quando lui faceva un tentativo perché il matrimonio non si sfasciasse lei non era dell'umore di assecondarlo.

In parte perché lui era così insopportabilmente superiore e condiscendente.

E prevalentemente perché, quando erano in sincronia, il suo timore del potere di Hugh tornava a minacciarla e a farle temere la perdita del proprio valore come persona se avesse abbassato la guardia.

Avrebbe dovuto saperlo che sarebbe andata così. Se lui non l'avesse sedotta mettendola in condizione di dover abbandonare la vita religiosa, lei avrebbe potuto essere rettrice del college e leader del movimento nota in tutto il paese.

Se solo a quel tempo avesse saputo com'erano gli uomini.

Non tutti erano cattivi soggetti come Hugh. Suo fratello Tim, per esempio, era sensibile e comprensivo. E aveva sposato quell'orribile cicciona. Tim sapeva come far felice una donna.

Il ricordo la fece vibrare. Non era successo nulla di vergognoso. Non era stato altro che uno scambio di affettuosità in una tiepida sera di aprile. Tim non era una bestia. Non era il sesso che andava cercando. Solo amicizia e comprensione.

E nessuno degli altri Donlon sarebbe stato disposto a dargliele.

C'erano in vendita parecchie superbe case in riva al lago. Hugh non sapeva decidersi. I suoi ricordi sentimentali del lago Geneva erano ancora così vividi. Ma il lago Geneva era ormai troppo affollato. Forse faceva parte del passato, come la casa di Mason Avenue, ora che i suoi genitori l'avevano venduta per trasferirsi in un condominio affacciato sul lago.

Il vecchio "nuovo quartiere" non c'era più. I suoi erano stati virtualmente gli ultimi a lasciare St. Ursula.

La prossima settimana avrebbe fatto un'offerta per una delle case. Sarebbe stato un buon investimento, chiunque vincesse le presidenziali — Nixon o McGovern — o qualsiasi cosa accadesse nel mercato dell'argento.

Passando in auto davanti a casa Fowler vide una Porsche metalizzata parcheggiata nel viale di accesso. Linda era in casa.

Parcheggiò la Mercedes dietro alla Porsche e suonò il campanello. Quando Linda aprì la porta, stava lottando inutilmente contro la bretellina del bikini. "Oh, ciao, Hugh. I miei sono a Naples... ehi, puoi legarmela? Sono venuta ad aprire di corsa... grazie... Naples in Florida, intendo. Entra. Ti preparo qualcosa da bere."

Era una ragazza alta coi capelli biondi che le arrivavano fino alla vita estremamente sottile. Il suo viso era una maschera da indossatrice identica a quella di sua madre. Quantunque avesse perso l'aria di annoiata sensualità della sua prima adolescenza, si coglieva sempre un invito nei suoi atteggiamenti provocanti, un invito che in un certo senso appariva moralmente sano.

Hugh entrò.

"No, Linda, non preoccuparti di darmi da bere. Ho colto l'occasione..."

"Ma davvero, entra e fermati qualche minuto, comunque. Non ho altro da fare che abbronzarmi. Che cosa prendi? Gin e acqua tonica? Scotch?"

Erano le prime ore del pomeriggio, ma lui chiese uno Scotch. Linda sapeva di olio solare e di sudore.

Hugh bevve due Scotch e lei non fu da meno. Parlarono dei

suoi problemi scolastici e del suo progetto di studiare danza moderna dopo il diploma. Era una giovane donna intelligente, e molto interessata alle opinioni di lui. Prese anche nota di alcuni libri che lui le aveva consigliato, affannandosi a frugare in salotto in cerca di carta e penna.

"Devo proprio andare..." Hugh si alzò per congedarsi.

"Il bicchiere della staffa" lo pregò lei. "Preparo anche un po' di caffè e qualche panino. È così brutto stare qui tutta sola."

Lui la seguì in cucina, dove i resti della prima colazione erano sparpagliati nel lavandino.

Era in piedi dietro di lei; le passò le braccia intorno alla vita e cominciò a baciarle la schiena. Lei rimase passiva, senza opporre resistenza e senza collaborare, come se stesse cercando di prendere una decisione.

Hugh ricordò l'ondata di affetto che da sacerdote aveva provato per lei, la sua preoccupazione di proteggerla dalla sofferenza. Si costrinse a lasciarla andare, sciogliendo l'abbraccio con cui stringeva il suo corpo ansimante.

Lei gli prese le mani e se le premette contro la carne soda. "Ti desidero davvero. Mi piaci davvero."

Il mattino successivo, mentre tornavano dalla chiesa dopo la Messa, lui e Liz incontrarono Pat Cleary, che in seguito agli ultimi trasferimenti era stato assegnato alla parrocchia. Pat li salutò affettuosamente. Aveva conseguito il dottorato in psicologia e i suoi scintillanti occhi marrone e l'amichevole viso lentigginoso irradiavano più partecipazione e comprensione che in seminario, dove veniva considerato il tipo dell' "Io-me-ne-vado-per-la-mia-strada".

"Non vedo l'ora di lavorare assieme a voi." Lanciò un'occhiata a Hugh. "Sarà come ai vecchi tempi."

"Sarà bellissimo, Pat, davvero. Ovviamente, adesso ho un mucchio di impegni e di responsabilità..."

Capitolo XXVIII

1972

L'autunno e l'inverno del 1972 futono così frenetici in Borsa che Hugh fece appena caso alla rielezione di Richard Nixon e all'inizio dell'inchiesta sul Watergate. Il raccolto della soia era il più abbondante che si fosse mai registrato, e gli operatori avveduti non rinnovarono le scorte, in attesa di una nuova vertiginosa caduta dei prezzi. Poi, il diagramma di Joe Marshal assunse quasi il valore di una profezia: in settembre piovve tutti i giorni. La soia marcì nei campi.

Inoltre, accadde che la corrente di Humboldt cambiasse il proprio corso — una variazione impercettibile — portandosi via i banchi di acciughe dalle coste dove usualmente venivano pescati. Il risultato di questi due capricci della natura fu la penuria di olio da cucina su scala mondiale. I prezzi di tutte e tre le merci cominciarono a lievitare.

Quell'anno, poi, il grano scarseggiò in tutto il mondo. In Russia il raccolto era stato un disastro, ed essa si affrettò ad acquistare il grano americano prima che la notizia si diffondesse. Acquirenti accorti, i russi visitarono le varie ditte americane che esportavano granaglie — la Continental, la Bunge, la Cargill — e se le accaparrarono a prezzi di svendita, mantenendo segreto ogni acquisto mentre erano in corso le trattative per gli altri.

L'amministrazione Nixon, pateticamente ansiosa di assicurarsi i voti degli agricoltori, aveva accettato senza reagire queste transazioni economiche, le quali in pratica costringevano i consumatori americani a finanziare gli errori commessi dall'agricoltura dei paesi socialisti.

Al contempo, il prezzo dell'argento cominciò a salire, e la sua ascesa irregolare fu resa ancor più instabile dalla volubilità dei mercati delle granaglie.

I posti alla Borsa Merci, che solo qualche anno prima si vendevano per trantacinquemila dollari, ora ne costavano più di centomila. Le famiglie abbienti, accorgendosi che la compravendita di generi di consumo era divenuta un gioco da ricchi, li acquistavano per i figli più turbolenti; i vecchi rapporti di apprendistato fra operatori economici, impiegati e fattorini si spezzarono. Marijuana e cocaina si aggiunsero alle altre merci trattate nei locali della Borsa, quantunque nessuno avesse suggerito di includerle nel mercato a termine.

Hugh Donlon rimase saldo come una torre nei giorni e nelle settimane di panico che si ebbero in settembre. Più il mercato si faceva turbolento e maggiore la posta in gioco, più lui riusciva a rilassarsi.

Aveva studiato con attenzione il diagramma di Joe, e a settembre, dopo i primi tre giorni di pioggia, aveva comprato un milione di bushel di soia.

"Il tuo amico Ben Fowler oggi ha finalmente liquidato la sua posizione nella soia" disse Tim un pomeriggio della fine di settembre, mentre la pioggia continuava a cadere incessantemente. "Pensi che i diagrammi di Joe siano come le bambole del vuduismo? E se lasciassimo capire a Ben che possiamo anche fargli il malocchio?"

"A quanto si è ritirato?" Era venuto il momento di dare il colpo di grazia a Ben Fowler, facendone un esempio per chiunque avesse osato ostacolare Hugh Donlon.

"Tre dollari e novantacinque." Tim sembrava considerarsi personalmente responsabile per la pioggia che aveva causato l'impennata delle quotazioni. "È rimasto senza a tre e quaranta."

Hugh fece un'annotazione sul suo diagramma e lanciò un'occhiata all'orologio. "Due milioni di bushel... una perdita di un milione di dollari. È un mucchio di denaro anche per Ben."

Tim cambiò la posizione delle gambe accavallate e poi le accavallò di nuovo. I suoi occhi piccoli e duri erano iniettati di sangue. "Molto di più; sospetto che come tanti altri della vecchia guardia abbia un paio di conti a nome di qualcun altro. Potrebbe andar sotto di sei milioni."

Hugh, pensieroso, picchiettava con la penna a sfera. "Ben può far fronte a una cosa simile?"

"Non per molto; probabilmente spera in un ricupero, ma se questa pioggia continua..." Guardò fuori dalla finestra. La cortina di pioggia, che come una tenda opaca impediva il passaggio della luce, era così spessa da render difficile intravedere La Salle Street. "...E sembra che continuerà, quindi non sarà con la soia che potrà rifarsi."

"Come farà fronte ai suoi impegni...?" Hugh serrò i pugni.
"Comincerà ad attingere qua e là?"
"Dai fondi dei clienti? Probabile. Lo ha già fatto senza conseguenze. Lo fa anche qualcun altro, quantunque sia pericoloso. Pensa se dovesse arrivare il CEA per un controllo a caso?" Tim scrutò meticolosamente Hugh, come faceva spesso in quei giorni, preoccupato dalla smania di suo fratello di distruggere Ben Fowler.
"Non tener separati i fondi dei clienti è un peccato mortale in Borsa."
"Se ti colgono" rispose Tim. "Ma non c'è modo di sapere per certo se lo fa."
"Scommetto che riesco a scoprirlo."

Il sesso non aveva avuto importanza per Helen Fowler all'inizio della sua relazione con Hugh; gli anni trascorsi in orfanotrofio le avevano insegnato a contenere le emozioni per timore di soffrire. Aveva simulato il piacere con lui come con Ben, e per lo stesso motivo — nella sua vita in cui le era sempre mancato l'affetto il contatto fisico con un uomo era più importante del piacere.

Poi Hugh aveva invaso i più intimi recessi del suo corpo e della sua anima impadronendosi completamente di lei. Là non vi erano più segreti, non luoghi in cui rifugiarsi, non barriere da innalzare per proteggersi. Con Hugh, quindi, era sempre nuda, sempre esposta al dolore.

E indicibilmente felice.

Lei sapeva che un giorno la loro relazione sarebbe finita, e che la vita sarebbe continuata in modo diverso. Già ora lo vedeva meno spesso che in passato. Tuttavia, intendeva godere l'avventura romantica fino a quando fosse durata e conservare il ricordo della dolce paralisi che si impossessava di lei ogni qualvolta udiva la sua voce o vedeva il suo viso o sentiva il tocco della sua mano.

Continuava ad amare suo marito come aveva fatto sempre, un amore tranquillo e passivo nel quale i conflitti quasi non esistevano e la passione era occasionale. Ben entrava nel suo corpo come se stesse compiendo un dovere, non tanto verso di lei quanto verso la propria immagine, nello stesso modo in cui durante i mesi estivi entrava ogni tanto nel club di golf sebbene il gioco non gli piacesse più e giocasse male.

A letto e fuori, era stato un marito più dolce dopo l'esplosione ai tempi della battaglia di St. Jarlath. Non si era scusato per averla picchiata, ma nemmeno l'aveva rifatto. L'eccesso di attenzioni e di generosità era agli occhi di Ben il modo ovvio di scusarsi, ed egli l'aveva inondata di regali come se avesse ricominciato daccapo a corteggiarla.

Lei lo aveva perdonato, dicendosi che forse aveva meritato la punizione. Il loro affetto non aveva un andamento né preciso né costante; era paragonabile a quello di due colleghi in un ufficio legale che, in due scrivanie sistemate l'una di fronte all'altra, lavorassero a pratiche diverse. Non era colpa di Ben se il sesso era uno degli ultimi valori della sua vita. Una volta era stato così anche per lei stessa, e certamente si sarebbe ripetuto. Affetto coniugale con un uomo, passione con un altro — era questo, Helen riteneva, il modo in cui ogni adultera giustificava il suo peccato.

Era fra le braccia di Hugh nell'appartamento ch'egli aveva preso in affitto per i loro incontri nel vicino North Side, al secondo piano di un vecchio ed elegante edificio a due piani con soffitti alti e lunghi corridoi. Era arredato con pezzi d'antiquariato di fine Ottocento che armonizzavano con lo stile dell'edificio — Hugh aveva la mania dell'arredamento, e la sua impossibile moglie rifiutava di condividere il suo interesse. Fuori la pioggia continuava a tamburreggiare contro le finestre. Helen era esausta e appagata.

"Hai qualche cointeressenza nel mercato della soia?" lui le domandò mentre giacevano soddisfatti.

"Non delle vere e proprie cointeressenze; Ben ha qualcosa a nome mio, ovviamente; lo fa sempre. È denaro suo, comunque."

"Molto..."

"Due milioni... due milioni e qualcosa.. non so..."

"È preoccupato come lo siamo tutti?"

"Chi... dici Ben? Non penso. Dice che forse dovrà attingere... qualsiasi cosa significhi. Comunque è una pratica corrente e non c'è da preoccuparsi."

Poi Hugh l'amò di nuovo, inondandola di tenerezza.

Dopo che Helen se ne fu andata, Hugh cambiò le lenzuola del letto e lo rifece come gli avevano insegnato in seminario. Attese nell'appartamento per un paio d'ore, leggendo parecchi numeri arretrati del *Wall Street Journal* e del *New York Times*. Poi una chiave girò nella serratura.

Era Linda, bagnata di pioggia e meravigliosa nel suo entusiasmo per i corsi di letteratura che stava seguendo su suggerimento di Hugh. Egli era padre, madre, mentore, confidente e amante di questa superba giovane bellezza, che lo idolatrava e lo adorava.

Mentre sua madre era un'amante passiva, Linda era atletica e aggressiva, non esattamente il cimento di cui Hugh aveva bisogno dopo l'ora d'amore del primo pomeriggio.

Quando Hugh entrò in casa sua a Kenilworth aveva finito di piovere. Liz stava leggendo un libro d'argomento religioso di un certo Henri Nouwen.

Non mostrò interesse né per il fatto né per l'ora del suo ritorno.

"È un buon libro?"

"Hmm..."

"Oggi in Borsa è stata un'altra grande giornata."

"Ah sì?" Voltò pagina.

"Ben Fowler è nei guai fino al collo."

"Ben gli sta. È un porco capitalista." Ora sembrava che ogni argomento di conversazione esigesse un pronto e definitivo giudizio morale da parte di Liz.

"Potrebbe venire incriminato."

Lei alzò gli occhi dal libro per la prima volta. "Hugh, ti ho già detto che questo è l'unico momento della giornata che posso dedicare a me stessa. Non puoi concedermi un po' di privacy e di pace?"

"Certamente" rispose lui contrito. "Mi dispiace di averti interrotta."

"Attinge, eccome," affermò Hugh Donlon "e non domandarmi come faccio a saperlo. Lo so e basta."

"Non te lo domanderò" rispose Tim. O la moglie, o la figlia, o entrambe. Tu mi metti una paura d'inferno, fratello caro. Nella nostra giungla, sono ben pochi gli animali costretti a odiare come fai tu.

Erano nei loro uffici prima dell'inizio della giornata di contrattazioni. Fuori, la luce — forse addirittura il sole — minacciava di penetrare attraverso le nuvole cariche di pioggia che sovrastavano La Salle Street.

"Come possiamo farlo?" Hugh aggrottò le ciglia.

"Semplice. Telefono a un amico al CEA e chiacchierando lascio cadere un'allusione... abbastanza incomprensibile perché debbano pensarci su, ma non tale da passare inosservata. Loro ci rimugineranno sopra durante la giornata e probabilmente domattina compariranno negli uffici della Fowler & Company con le loro calcolatrici. Domani pomeriggio riceverai dal Business Practices Committee una telefonata urgente con cui ti convocano per una riunione confidenziale.

"Brutale."

"È ciò che vogliamo o no?"

"È ciò che vogliamo."

Hugh raccolse i cartoncini dove aveva annotato gli affari in cui si era impegnato, se li cacciò nella tasca della camicia, e a grandi passi uscì dall'ufficio.

"Faresti lo stesso con me se mi mettessi sulla tua strada, vero?" disse Tim alla camera vuota.

L'operatore anziano si agitò a disagio, sistemandosi la giacca gialla che indossava durante il lavoro. "Non è che Ben sia il primo a fare una cosa simile. È con noi da un mucchio di tempo. Forse potrebbe riuscire a mettersi a posto. Diavolo, chi di noi, un giorno, non sarebbe grato di aver avuto un'altra possibilità?"

Il Business Practices Committee era in riunione confidenziale in una stanza senza finestre poco distante dalla biblioteca della Borsa Merci. Tutti sapevano ufficialmente che c'era in corso un controllo della contabilità di Fowler e soci; non ufficialmente erano al corrente di tutto, e stavano concertando una reazione per la stampa e per il pubblico.

"Certo, Mike," gli rispose un operatore più giovane. "Avere una seconda possibilità piace a tutti. Ma non quando il pubblico segue la Borsa così da vicino come in questo momento. Stiamo facendo un sacco di soldi qui — beh, alcuni di noi, per lo meno" — si corresse con un ghigno; un paio di membri del comitato erano disastrosamente a corto di grano o di soia — "e il pubblico e la stampa stanno subodorando lo scandalo. Al Congresso non pensano che il CEA sia in grado di vegliare sulla Borsa, così come stanno le cose."

Fino a questo punto della discussione Hugh non aveva aperto bocca.

"Non abbiamo scelta. Un anno di sospensione è il minimo che possiamo fare. Comunque non penso che dovremmo rovinarlo."

"Dovrà liquidare la sua società per restituire i soldi ai clienti. Come farà a vivere per un anno?" protestò l'operatore anziano. "Mio Dio, ha una moglie e una famiglia."

"Forse qualcuno potrebbe rilevare la sua società e tenere Ben come socio minore" propose l'operatore più giovane, grattandosi la testa con aria pensierosa. "Si salverebbe la faccia a tutti, lasciando a Ben un piccolo capitale e la possibilità di operare attraverso la ditta."

"E chi farebbe una cosa simile?" replicò sbuffando il più vecchio. "Bisognerebbe amare la Borsa in un modo sviscerato per prendersi Ben."

"Non c'è fondamentalmente nulla che non va nell'organizzazione di Ben, forse è un po' antiquata, non si è tenuto al passo con la tecnologia dei computer, e via dicendo. Tuttavia è una buona base, specialmente sotto una gestione nuova e più energica... Hugh, fermami se ciò che dico non va bene... Ho sentito che tu e Tim pensereste di aprire un'azienda commissionaria di medie dimensioni. Un affare come questo non ti interesserebbe?"

Hugh non voleva apparire troppo ansioso. "Dovrei pensarci. È un po' fuori del comune, sai. L'azienda di Ben è più o meno delle dimensioni giuste... non è che questo sia il momento ideale... però, se non ci sono altri modi e Ben vuole... Io non voglio deludere nessuno. La Borsa ha fatto tanto per me negli ultimi tre anni."

Era proprio il tono giusto: conscio delle possibilità, non ansioso di sacrificarsi, disposto a esporsi per il bene comune.

La riunione si sciolse con l'impressione generale di aver trovato una soluzione al problema Ben Fowler.

"Dite a Ben che ci vediamo" furono le ultime parole di Hugh.

Si augurò che gli altri membri del comitato non lo avessero visto leccarsi le labbra.

"Hai lasciato intendere che avresti rilevato l'attività di quel figlio di puttana?" Tim domandò incredulo a suo fratello il mattino successivo. "È una pazzia, Hugh, una pazzia! Nemmeno io me ne sarei saltato fuori con una trovata simile!"

"Risolve un mucchio di problemi, Tim."

"Fowler e Donlon." Tim stava assaporando il nuovo nome della società.

"Donlon, Fowler, e Donlon," lo corresse Hugh con un gran ghigno.

"Quale dei due Donlon è il primo?" domandò Tim curioso di vedere come Hugh si sarebbe comportato.

"Qualsiasi dei due stia parlando."

"Merdaccia" disse Tim. "Ci aspettano tempi maledettamente belli."

I due Donlon andarono nell'ufficio di Ben per definire i dettagli. Tim dava per scontato che suo fratello sarebbe stato garbato e comprensivo. Così si facevano le cose nel loro giro. Non si prendeva a calci uno che era già a terra.

"Non sono sicuro che si possa farlo" iniziò Hugh senza tante cerimonie.

Un muscolo sotto l'occhio di Ben si contrasse. Il suo viso era dello stesso colore della sua giacca verde da operatore di Borsa. "Mio Dio, Hugh, devi riuscire a farlo... Pensavo che fossimo d'accordo. Tu come socio più importante..."

Hugh scosse la testa con espressione triste. "Tempi duri, Ben, tempi duri; non c'è ragione di rischiare il mio capitale. Sei dentro più di quel che pensavo. Tutti quei conti a nome di Helen. E di Linda."

"Colerò a picco, forse finirò in prigione." Ben posò il sigaro spento in un portacenere a forma di cabinato; la sua mano tremava così violentemente che il sigaro rotolò via come un delfino ributtato in mare. "Pensa alla mia famiglia..."

"Avresti dovuto pensarci tu, Ben, quando hai cominciato ad attingere."

"Per favore," esclamò Ben con aria melodrammatica "farò qualsiasi cosa. Non voglio finire in prigione."

"Questo non è probabile; quand'è stata l'ultima volta che hanno mandato in prigione un operatore di Borsa? Dovresti essere in grado di onorare i tuoi contratti." Hugh si alzò, pronto a lasciare i lussuosi uffici di Ben.

"Non sono in grado. Sono finito. Dio del cielo, Hugh, non farmi questo."

La sua faccia sgradevole era rigata di lacrime.

Hugh si strinse nelle spalle. "Fammi un'offerta."

Ben tossì. "Perché non..." Poi uno spasmo di tosse.

"Non ho tutta la giornata." Hugh si avviò verso la porta.

"Controllo totale..." disse Ben con voce strozzata.

"D'accordo. Fai un affare. Studieremo i dettagli coi nostri avvocati. Oggi."

"Come si chiamava quel prete di St. Jarlath?" domandò Tim in ascensore mentre scendevano ai loro uffici.

"Gus Sullivan. Perché?"

"Hai intenzione di metterti alle sue calcagna, adesso?"

Negli occhi di Hugh comparve una strana luce. Disappunto. "Non posso. È morto."

Capitolo XXIX

1973

Una domenica di gennaio Hugh e Liz stavano guardando il notiziario televisivo della tarda serata. I bambini erano a letto e Liz tentava di leggere il nuovo libro di Hans Küng sull'infallibilità del Papa, un argomento che a Hugh appariva lontano dal suo mondo quanto un pianeta di un'altra galassia.

Improvvisamente sullo schermo comparve Maria.

"Qual è la prima cosa che farà quando il Capitano McLain tornerà a casa, signora?" domandò il cronista.

Maria, felice e in gran forma con un abito azzurro di maglia che si accordava coi suoi occhi, era in piedi fra due bei ragazzi ordinati e compiti di poco più di dieci anni, e teneva in braccio un bambino di tre anni.

"Per prima cosa cucinerò delle lasagne con la mia ricetta originale, e poi me ne mangerò almeno la metà."

"È il piatto preferito del capitano, signora McLain?"

Sorpresa simulata. "Perbacco, non lo so. Ma è il mio piatto preferito, e sono io che festeggio. Giusto, ragazzi?"

"Giusto" approvarono a gran voce i due, a cui evidentemente le luci della ribalta piacevano quanto alla madre.

"Quella donna dovrebbe vergognarsi," sbottò Liz "mettere in vista se stessa e la sua famiglia per un criminale di guerra. Dovrebbe confessare la colpa della sua famiglia invece di pensare ai festeggiamenti."

"Forse lei non lo considera un criminale di guerra."

"Ma è ovvio che lo è. Ha ucciso bambini innocenti. Questo non ne fa un criminale?"

Hugh pensò all'alto, distinto ufficiale che aveva incontrato tanti anni prima.

"Forse lui ritiene di aver protetto bambini innocenti dai Vietcong."

"Sentimentalismi. I Vietcong sono il Popolo. Non uccidono

donne e bambini innocenti ma solo i nemici del Popolo, e solo quando è necessario."

Hugh lasciò cadere la discussione.

Anche Tom e Peg Donlon videro il programma sulle famiglie dei prigionieri di guerra. "Non pensarci, Peggy" disse lui con aria decisa. "Non era la volontà di Dio."

"Ti figuri Hugh che vive una vita così frenetica e inutile con Maria per moglie invece di Liz?"

"No," disse lui "non riesco a immaginarmelo." Con una moglie come Maria Hugh non avrebbe avuto avventure sentimentali. Non due volte, in ogni caso.

"Non doveva essere, immagino. Non mi piace pensare che dovrò giustificare dinanzi a Dio la parte che ho avuta. Ero così convinta che avesse la vocazione... che stupida..."

"Non esser dura con te stessa, Peg. Forse aveva davvero la vocazione. Forse come sacerdote ha fatto tutto il bene che Dio voleva e ora fa qualcosa di buono alla Borsa Merci."

Peggy non rispose.

Hugh celebrò il suo quarantesimo compleanno portando suo padre a pranzo al Trader's Inn, di fronte alla Borsa Merci. La festa vera e propria era fissata per la domenica successiva al condominio dei suoi genitori.

"Per Liz sarà possibile venire?" domandò suo padre ansiosamente. "I Wentworth arrivano dall'Irlanda in aereo la sera prima."

Come ogni altro, il giudice aveva soggezione di Hugh. Aveva scelto le parole con molta cura, in modo da non urtare l'acuta sensibilità di suo figlio.

"Sì, me l'ha detto la Mamma. Sarà meraviglioso rivederli. Immagino che non riconoscerò le bambine. Certo che Marge ha avuto una bella fortuna"

Volevo che i miei *nemici* mi temessero, non la mia famiglia.

"Oh, sì." Suo padre si asciugò con discrezione le labbra col tovagliolo. "E Liz verrà alla festa domenica?"

"Penso di sì, se Brian e Lise stanno bene. Abbiamo passato un brutto inverno fra raffreddori e influenze. Tu sai quanto prenda seriamente le sue responsabilità di madre."

Vi fu una pausa. Suo padre si schiarì la voce come se si accingesse a esprimere un'opinione in tribunale.

"Mentre venivo qui in taxi stavo fantasticando. Tu nascesti il Venerdì Santo del 1933; le banche stavano cominciando a riaprire;

noi cantavamo "Happy Days Are Here Again" anche se — per essere più precisi — in realtà lo si fischiettava al buio. Alla radio ascoltavamo la voce magica di Roosvelt. Hitler era salito al potere in Germania. Se quel giorno in cui le uniche cose che m'importavano erano la tua salute e la sopravvivenza di tua madre qualcuno mi avesse raccontato gli eventi che sarebbero accaduti in questi quattro decenni, avrei pensato che era matto."

"Formulasti qualche progetto per me quel primo giorno? Intendo dire, dopo che sapesti che Mamma si sarebbe rimessa."

Suo padre esitò impercettibilmente. "No... assolutamente nessuno..."

E così, era stato destinato al sacerdozio fin dall'inizio.

Dopo pranzo salirono ai nuovi uffici gelidamente moderni della Donlon, Fowler e Donlon.

Una festa a sorpresa lo stava attendendo. Il giudice lo aveva distolto con la colazione, mentre sua madre sistemava la torta di compleanno e lo champagne e sovrintendeva alla decorazione dei locali con bandierine e palloncini.

Non appena Hugh e il giudice furono entrati, i nuovi dipendenti di Hugh, gli amici del recinto delle contrattazioni, alcuni parenti e parecchi fattorini e impiegati attaccarono un sonoro "Happy Birthday".

Sua madre era in piedi accanto a Kathy Marshal mentre lui tagliava la torta. Kathy era snella e aveva gli occhi splendenti, e dopo la nascita del piccolo Joseph Hugh era radiosa.

Liz non era presente. Era stata invitata, ma ovviamente — si disse Hugh — aveva rifiutato, bollando il tutto con l'epiteto di "poco appropriato".

Il povero vecchio Ben era come un pesce fuor d'acqua, ora senza un posto preciso in quelli che solo fino a pochi giorni prima erano stati i suoi uffici. Fra non molto si sarebbe trasferito in Florida per rimanerci, a quanto sembrava.

La testa di Ben Fowler su un piatto d'argento — ecco il regalo per il mio quarantesimo compleanno, meditò Hugh. E la moglie di Ben Fowler su un lettone immenso. Guardò prima Helen e poi sua figlia. Bisogna ammetterlo, rifletté, entrambe hanno classe.

Dopo che i famigliari e gli amici di Hugh se ne furono andati, uno degli operatori più giovani gli offrì una fiutata di cocaina.

Hugh lasciò l'ufficio per andare all'appuntamento con Helen in uno stato di meravigliosa esaltazione.

Il grido di dolore di lei lo riscosse dallo stordimento. Si scostò da Helen, la sua potenza svanita all'istante, l'intero corpo in preda al tremito come fosse stato improvvisamente colto dalla febbre alta.

"Mi dispiace, Helen, mio Dio, mi dispiace... quella maledetta cocaina..." gemette inorridito alla vista del rivoletto di sangue che le colava giù per il seno. "Non volevo farti male." Helen gli mise un braccio intorno alla vita e lo accarezzò maternamente. "Sei un uomo violento, Hugh" disse con tristezza. "Una donna che ti ama sa di correre il rischio..."

"Perdonami" implorò lui.

Lei rise allegramente. "Certo, ti perdono."

Per quarant'anni Hugh aveva pensato che fossero gli uomini a dover proteggere le donne, come suo padre aveva protetto Peggy. E ora aveva festeggiato il suo quarantesimo compleanno infliggendo dolore a una donna. E, con grande sorpresa e grande spavento, aveva provato piacere.

Con dolcezza e impegno lei risvegliò di nuovo la sua passione, e il loro amore fu tenero e affettuoso. Lui l'accarezzò e la tranquillizzò, dicendole che mai più le avrebbe fatto del male. Poi le coprì di baci il corpo offeso, mentre lei, soddisfatta, faceva le fusa.

Ma la sera, tornando a casa in treno, comprese che i demoni di Monsignor Martin dovevano essere in festa.

L'esultanza per il suo potere di farle del male e poi lenire il dolore aveva il sapore di un raro vino bianco. Alcuni degli articoli della sua collezione erano destinati a subire un affronto fisico e poi a essere risanati in modo che potessero subire un altro affronto.

Rabbrividì.

Al pari dell'argento in una giornata favorevole ai ribassisti, chiudeva su valori infimi.

In fondo alla voragine.

Quando la governante si avvicinò alla tavola dove Pat Cleary consumava la sua cena annunciandogli che il visitatore era Hugh Donlon, egli si alzò e si avviò verso la sala privata della canonica.

Hugh gli raccontò di getto la sua storia.

"Hai sempre avuto un debole per tutto ciò che è spettacolare, vero, Hugh?" commentò Pat quando Hugh ebbe terminato il lungo resoconto delle sue relazioni sentimentali degli ultimi due anni.

"O per ciò che è grottesco."

Pat sospirò. "Cosa pensi che accadrebbe alla categoria degli adulteri se la Chiesa annunciasse che era stato solo un peccato veniale?"

Hugh trasalì. "Immagino che non cambierebbe quasi."

"Giusto, la morale del peccato non funziona. Non sto affermando che tu non abbia peccato. Ciononostante, capirai solo quando avrai trovato ciò che cerchi."

"Che è...?" domandò lui.

Pat Cleary sembrò sorpreso. "Dio... chi altri?"

Capitolo XXX

1973

Dal giugno all'agosto del 1973 il prezzo dell'argento venne congelato per disposizione governativa. Hugh era irrequieto e annoiato. La gioia squisita della vendetta si era dissolta presto. Ben Fowler ora non aveva più importanza, era una seccatura che valeva a malapena il pensiero. E del resto non vi erano nuovi nemici da umiliare.

Aveva perso Linda, la quale gli aveva detto senza cerimonie: "Mi piaci moltissimo, Hugh, ma a scuola ho un ragazzo che vuole sposarmi ed è all'antica. Dice che dovremmo cercare di mantenerci casti fino al matrimonio. Se non posso dormire con lui, non dovrei dormire nemmeno con te".

Lei lo chiamava diverse volte al mese per chiedergli consiglio su corsi ed esami e per metterlo a parte delle sue eccitanti e spesso intelligenti scoperte letterarie. Egli non era più l'amante della figlia del suo nemico; solamente un mentore, un vecchio laido e ammansito.

Così vecchio, effettivamente, che i suoi ricordi di lei a letto si ridussero rapidamente a una sola parola — sfinimento.

La collezione finiva perché i costi di gestione erano troppo alti.

Spesso egli sognava di star contrattando in un nuovo recinto, non argento o soia, ma ghiaccio, qualcosa che somigliava molto al settimo girone dantesco — un recinto costituito da solitudine, paura e odio.

Voleva fuggire prima di rimanere dentro congelato — risalire dall'inferno. Ma non era ancora pronto a pagare il prezzo.

Una sera tornò a casa presto per trovare una forzuta governante polacco-americana che non voleva lasciarlo entrare. Era la baby-sitter, assunta per due sere e tre giorni la settimana. "La signora" non aveva detto che qualcuno fosse atteso a casa. I suoi figli confermarono la sua identità, un po' riluttanti, prima che lei chiamasse la polizia.

"La signora" aveva iniziato a frequentare un gruppo di presa di coscienza a Winnetka. "Sono stufa di essere un centro gratuito di assistenza diurna per te. Non lo farò più."

Con un severo taglio cortissimo dei capelli e un inappuntabile, austero tailleur marrone Liz pareva un agente doppio del KGB.

"Mi fa molto piacere che tu abbia trovato degli interessi fuori di casa, Liz" disse Hugh. "Abbiamo il denaro necessario per tutto l'aiuto di cui hai bisogno. Spero che il gruppo possa aiutarti a ottenere dei risultati."

"Gli uomini pensano che noi siamo tenute a passare la vita fra pannolini, febbri, nasi colanti e bambini nevrastenici. È tempo che si trovino a confrontare i loro obblighi riguardo all'allevamento dei figli."

D'impulso Hugh tentò di lanciare un'idea sulla quale stava rimuginando da parecchio tempo. "Non pensi che potremmo anche intraprendere una terapia familiare? Ci sono certe cose nel nostro rapporto che dovremmo essere in grado di appianare."

Lei esplose. "Io ho mostrato i primi segni di indipendenza fin dagli inizi del nostro matrimonio e tu vuoi trascinarmi dallo psicologo per costringermi a riprendere il mio ruolo."

E uscì dal salotto come una furia, lasciando a Hugh l'incarico di accompagnare in auto la baby-sitter alla fermata dell'autobus.

Nonostante l'andamento capriccioso del mercato, Hugh prese l'abitudine di tornare di soppiatto parecchi giorni la settimana nelle prime ore del pomeriggio, per giocare coi suoi bambini mentre erano affidati alla baby-sitter. Prevalentemente raccontava loro storie simili a quelle che aveva raccontato ai bimbi di St. Jarlath. Maxie il Monaco Pazzo e i suoi amici Erick l'Anacoreta, Warren il Misterioso Signore della Guerra, e Winnie la Strega Malvagia tornarono a vivere. A Brian le storie piacevano molto e piacquero anche a Lise quando Hugh imparò ad adattarle per la sua età.

Un pomeriggio Liz lo colse e gli fece una sfuriata dicendo che impediva ai bambini di fare il loro sonnellino. La baby-sitter venne licenziata in tronco e sostituita con una nuova che si impegnò a proteggere i bambini dal loro padre.

Hugh si sentì colpevole. Forse aveva davvero impedito loro di riposare come avevano bisogno. E forse Liz aveva ragione sostenendo che quelle storie li terrorizzavano.

Così si ritirò, piuttosto vergognoso, lasciandosi dietro un altro fallimento con i propri figli.

Quell'estate Liz ebbe paura di Hugh, non del potere su di lei che il piacere e l'intimità avrebbero potuto dargli, ma della rabbia non repressa che si nascondeva dietro le sue vuote proteste di interesse e cooperazione. Invece dei soliti goffi e ipocriti tentativi di alienare i bambini da lei, ora spaventava Brian con storie ridicole e terrificanti. Brian e Lise non solo non lo amavano, il che aveva senso, ma avevano anche paura di lui.

Lei riteneva che Hugh stesse perdendo la ragione. Come altrimenti spiegare l'idea folle che avessero bisogno di una consulenza matrimoniale?

Non c'è nulla che non vada bene in me. Lui lo sa. È lui che ha bisogno di aiuto. È lui che dovrebbe andare dallo psicologo.

Il gruppo di presa di coscienza e il suo nuovo lavoro a St. Rock erano un espediente per sfuggire all'ira di lui. Fra un paio d'anni, quando fosse stata in pieno possesso del proprio io, avrebbe fatto ancora in tempo a salvarlo.

Hugh andò a cena dai Marshal nella loro nuova casa. Liz aveva rifiutato di accompagnarlo perché l'invito "non era abbastanza interessante".

Joe e Kathy vivevano al piano superiore di un edificio di mattoni a due piani oltre Milwaukee Avenue, in Jefferson Park, in un appartamentino impeccabilmente ordinato e perfettamente pulito, quantunque già affollato di mobili.

Tutti orgogliosi, gli mostrarono il bambino che dormiva, una replica di suo padre con un simpatico faccino. Il piccolo si accoccolò tranquillamente fra le braccia di Hugh, molto più a suo agio di quanto non lo fossero stati i suoi stessi figli.

"Non c'è nulla che riesca a svegliarlo, signor Donlon" disse Joe. "Non ha bisogno di abbassare la voce. Penso che abbia i nervi saldi di un operatore di Borsa."

"Vorremmo che lei lo battezzasse Joe Hughie, signor Donlon" disse Kathy dopo cena mettendogli davanti la tazza di caffè. "Lei è il nostro prete, e vorremmo che fosse anche il suo prete."

La sua mascella marcata esprimeva determinazione, e gli occhi grigi una supplica commovente.

"Per favore..."

"Non posso farlo, Kathy. Non sono più nel sacerdozio attivo."

"Kathryn," le disse dolcemente suo marito "dovremmo rispettare i sentimenti del signor Donlon."

"Certo... mi dispiace. Sono stata egoista."

Il giorno seguente, alla fine della giornata di contrattazioni, la segretaria di Hugh lo informò che un certo Monsignor Martin desiderava vederlo.

Monsignor Martin era l'ultimo uomo sulla terra che avrebbe voluto vedere.

Guardando fuori dalle finestre della sala consiglio vide Xav Martin, capelli bianchi e aspetto vivace, il perfetto parroco post-conciliare vestito con cura estrema. Dopo aver servito come saggio e ragionevole rettore di Mundelein durante il tumultuoso passaggio al nuovo Ordine, Xav era stato recentemente premiato con la nomina a parroco di St. Mark. Era il nuovo superiore di Jack Howard.

"Felice, Hugh?"

"Abbastanza." Era anche il parroco di Maria. L'avrebbe ricordata dalla volta in cui, più di quindici anni prima, l'aveva incontrata all'uscita dal cinema al lago Geneva? Avrebbe detto qualcosa su di lei?

"Di certo, hai abbastanza successo. La vita è più competitiva qui che nel sacerdozio?"

Avrebbe dovuto confidare a Xav che la sua profezia si era avverata? Forse questo era il momento di cominciare la scalata fuori dell'inferno.

"C'è un certo tipo di competitività. Non riuscirai mai ad accettare che uno dei tuoi studenti lasci il sacerdozio, vero, Xav?"

Xav, ancora un bell'uomo, sospirò. "So di essere antiquato, ma no, no davvero. Se l'hai fatto, Hugh, era la cosa giusta per te, non lo discuto. Però... in un certo senso... non è... è strano pensarti fuori dal sacerdozio attivo. Non riesco assolutamente ad adattarmi al pensiero che commerci in forniture di carne di maiale o buoni del Tesoro."

Xav non mostrava di ricordare la propria predizione. Anche lui era a disagio in presenza dell'uomo arrivato. Mio Dio, che cosa ho fatto?

"E l'argento, non dimenticare l'argento..."

"Non lo dimentico."

"Più cambiato di quanto ti saresti mai aspettato quando, ai vecchi tempi, facevi entrare clandestinamente i libri in brossura, ancora intonsi, dei teologi francesi?" Hugh stava cercando di evocare ricordi nostalgici.

Il Monsignore non voleva aver nulla a che fare con la nostalgia. "Forse... bene, ma non è per questo che sono piombato qui senza appuntamento. Corre voce che non rispondi a telefonate di preti, e così Sean mi ha consigliato di farmi vivo qui, senza preavviso."

"Sean? Cosa vuole da me il nostro nuovo vescovo ausiliare?"

Xav Martin si contorceva nervosamente sulla sedia, incrociando e sciogliendo le gambe nei pantaloni confezionati dal sarto e meticolosamente stirati. "Sta costituendo una commissione di consulenti finanziari che esprimeranno il loro parere sugli investimenti della diocesi. Vorrebbe sapere se accetteresti la nomina a membro della commissione."

Anche Maria avrebbe fatto parte della commissione? Anche lei lo avrebbe temuto? No, ovviamente non ci sarebbe stata; doveva aver lasciato la banca per trasferirsi e riunirsi al marito.

"Un ex prete? E qual è il problema di Cronin?"

"Sostiene che sei il miglior operatore in beni di largo mercato della tua generazione. Il re dell'argento."

"Digli grazie, ma 'no grazie'. Non ho mai perdonato alla Chiesa cattolica la faccenda di St. Jarlath, e mai glielo perdonerò."

Xav Martin era palesemente sollevato dall'aver portato a termine l'incarico imbarazzante. "Posso riferirgli che nell'arco di qualche anno potrai riconsiderare la richiesta?"

"D'accordo, se questo può farlo contento."

C'era tristezza negli occhi neri di Monsignor Martin mentre si accomiatava. Forse lui, il vescovo e Jack Howard si erano consultati sul problema Donlon con l'intenzione di aiutarlo.

Ma Hugh non era pronto ad accettare aiuto.

Né dalla Chiesa né da chiunque altro.

Capitolo XXXI

1973

Durante la festività dello Yom Kippur le truppe di Anwar Sadat sciamarono senza preavviso attraverso il Canale di Suez. L'esercito israeliano, colto di sorpresa, venne travolto. Simultaneamente, i carri armati siriani si spinsero quasi al limite del Golan e per trentasei ore minacciarono di invadere le pianure della Galilea. Israele si riprese e respinse il nemico. I carri armati siriani subirono una pesante sconfitta e una parte dell'esercito egiziano rimase intrappolata nel Sinai.

Sadat seppe rivendicare la vittoria e i paesi arabi produttori di petrolio imposero un embargo agli Stati Uniti. L'OPEC, una chimera di un ministro venezuelano, si rivelò improvvisamente il più pericoloso cartello della storia umana, e il prezzo del petrolio salì alle stelle.

Il presidente Nixon era poco preparato a fronteggiare la crisi nazionale e quella internazionale poiché la rete delle varie inchieste sul Watergate stava lentamente stringendosi intorno alla sua presidenza.

In Borsa, la guerra dello Yom Kippur, l'embargo sul petrolio e le lunghe file davanti ai distributori di benzina crearono un clima drammatico, com'era accaduto l'anno precedente per la crisi della soia.

L'argento iniziò un'ascesa che entro la fine dell'anno doveva culminare con una quotazione a sei dollari; oro, granaglie, titoli garantiti dallo Stato divennero ricercatissimi. Come sempre, quelle che per gli altri erano cattive notizie erano buone notizie per la Borsa. Nello spazio di qualche tumultuosa settimana vennero ammassate, perse e ricostituite intere fortune.

Hugh Donlon accumulò più denaro di quanto avrebbe mai potuto sognare. Non vi erano altri traguardi nella sua vita. Abbandonò la sua collezione di donne e si isolò più che poté sia dalla famiglia che dagli amici.

Godeva commiserarsi in solitudine.

Per la fine di ottobre aveva più conti di clienti di quanti ne volesse. Ben Fowler, irrequieto e infelice perché bandito dai recinti, camminava su e giù per la sala consiglio della Donlon et al. — così si chiamava ora la ditta — come un padre in attesa della nascita del figlio, il viso ora permanentemente grigio, la giacca verde ora permanentemente sporca e i colpi di tosse che ricordavano lo stridore di un righello contro una lavagna.

Un giorno della fine di ottobre Hugh doveva pranzare con sua madre e vedere gli acquerelli dipinti durante il suo soggiorno di due mesi da Marge e Liam nell'Irlanda occidentale.

Hugh suggerì Crickets al Tremont Hotel, recentemente rimesso a nuovo, in Chestnut Street. Sebbene fosse un posto insopportabilmente pretenzioso, era lontano dal trambusto di La Salle Street, che la stordiva, e abbastanza comodo rispetto al nuovo condominio sul lago.

Il pranzo con Peggy, felice e radiosa dopo il viaggio, fu benedetto dall'allegria. Per lo meno, rimaneva una donna al mondo con cui poteva rilassarsi.

I suoi acquerelli erano su un verde brumoso, un'Irlanda di sogni e visioni e bonari fantasmi.

Tuttavia Peggy non sarebbe stata Peggy se non si fosse procurata un breve interludio di preoccupazione. Hugh le aveva spiegato come, nelle tre settimane precedenti, avesse guadagnato più di suo padre in dieci anni, che pure era ragionevolmente ben pagato.

"Fai qualcosa di disonesto, Hugh?" gli domandò quando ebbe finito.

"No" rispose lui prontamente. "Alcuni operatori sfiorano il limite della legalità e alcuni lo superano. Io non mi ci avvicino nemmeno; sono stato allevato da un severo giudice e da una coscienziosa madre irlandese..."

Peg sapeva che qualcosa non andava e voleva aiutarlo. Come spiegarle che il suo problema non poteva essere collocato in una delle ben definite categorie morali ch'ella si era costruita?

"... chi si preoccupa eccessivamente?" Peggy si sporse attraverso la tavola e lo baciò.

"Io sono a posto, Mamma. Quando lavoro in Borsa non contravvengo a nessun comandamento."

"Una brava mamma irlandese si preoccupa sempre" gli rispose Peggy strizzando l'occhio, cosa che non aveva mai fatto prima, e brindando alla sua salute col costoso Borgogna ch'egli aveva ordinato dietro suo suggerimento.

Hugh aveva mantenuto fede al proposito di evitare Helen fino alle feste di Natale, scosso com'era dall'ipotesi formulata da Pat Cleary che il suo impulso a farle del male poteva essere in qualche modo correlato a una reattività inconscia contro sua madre, che fisicamente Helen gli ricordava.

La vigilia di Natale, nel primo pomeriggio, lei gli telefonò a casa, cosa che non aveva mai fatto. "Ben è all'Old Orchard per qualche acquisto dell'ultimo momento. Potresti venire qui per un'oretta?" Nessun accenno alle settimane durante le quali lui non le aveva detto una parola.

A Liz, che stava correggendo i compiti dei suoi allievi, disse che doveva uscire per gli ultimi acquisti.

"Fa' come credi" gli rispose lei con indifferenza.

Hugh parcheggiò l'auto a due isolati dalla casa e percorse a piedi il tratto restante. La neve appena caduta scricchiolava sotto i suoi passi, il vento che durante l'inverno soffiava dal lago gli sferzava il viso, il cuore gli batteva rapidamente.

Helen era in jeans e maglietta, aveva i capelli in disordine e non si era truccata. Mostrava tutti i suoi quarantaquattro anni, ma ciò la rendeva in qualche modo ancor più desiderabile. Le sue labbra erano tiepide e morbide.

"Tu sei una malattia, Hugh" gli disse. Le mani di Hugh scivolarono sotto la maglietta e le sfiorarono i seni. Lei trasalì di piacere. "E non voglio guarire... Non qui, potrebbero arrivare Ben o Linda. Ho una stanza nel seminterrato."

Lo condusse al seminterrato. La camera da letto rivestita di legno di pino era impregnata del profumo pungente dei boschi del Nord. Era contigua a un'attrezzatissima camera dei giochi quasi interamente occupata da alcuni flipper e da un tavolo da biliardo. La camera, inoltre, confinava col locale della caldaia, e la temperatura era quella di una spiaggia in estate.

Presto i loro corpi si coprirono di sudore.

Hugh l'amò lentamente, con un senso di nostalgia in parte triste e in parte dolce, che sembrava accordarsi anche con lo stato d'animo di lei. I loro corpi sudati si fusero con facilità e naturalezza, e rimasero uniti — quasi fossero saldati — fino a molto dopo che la passione fu esaurita.

Quando ebbero finito Helen si acciambellò ai piedi del letto con la maglietta attorno ai fianchi, quasi a proteggerla, e si accese una sigaretta.

"È stato diverso, Hugh" disse pensierosa, esaminando con gli occhi il viso di lui con un misto di curiosità e di stupore.

"Sì?"

Lei soffiò via il fumo. "Spirito natalizio?"

"Mi crederesti se dicessi amore?"

Lei sorrise teneramente come una madre che avesse colto il figlio a dire un'innocua bugia. Gli accarezzò dolcemente il petto. "Sei terribilmente vulnerabile, Hugh." Gli si avvicinò, i seni che gli sfioravano il petto. "Ma non mi ami abbastanza da permettermi di esserti vicina mentre soffri."

Un momento di delizioso timore; una donna che ti è vicina mentre soffri.

"Ben tornerà presto" disse lui stancamente.

Lei spense la sigaretta con riluttanza, si asciugò con la maglietta, si infilò mutandine e pantaloni: gesti abituali di una grazia così naturale e spontanea che Hugh era quasi ipnotizzato dal loro ritmo.

"Qualcosa non va?" domandò allegramente, mentre si allacciava il reggiseno nero.

"Comunque non mi crederesti" osservò lui triste "Non posso biasimarti."

Lei gli diede un rapido bacio. "Ma è carino che tu lo dica... Forza, vestiti. Ho dei regali da incartare."

Hugh raccolse le forze per il ritorno in superficie e la seguì mentre lei gli faceva strada su per le scale con la maglietta ancora piegata sul braccio.

In cima alle scale lei si infilò la maglietta attraverso la testa e contemporaneamente spinse la porta e l'aprì.

In seguito Hugh avrebbe potuto dirsi che una maglietta infilata con un attimo di ritardo e la visione fugace di un po' di pizzo nero erano stati la causa della tragedia, ma ebbe il buonsenso di non farlo.

Helen lanciò un grido come se l'avessero pugnalata.

Ben Fowler era in piedi vicino all'albero di Natale, il sigaro in mano, il viso che pareva la maschera paonazza del trionfo. Alzò la mano che reggeva il sigaro per additare al mondo gli adulteri e mosse le labbra per pronunciare le parole di accusa che gli si affollavano confusamente in bocca.

Ma non una parola venne fuori. Un violento attacco di tosse accompagnato da un rantolo ripugnante lo colse contorcendogli il corpo in una parodia di orgasmo sessuale. La maschera del suo viso si fece all'inizio bianca e smorta e poi ancor più paonazza di prima.

Ben barcollò in avanti, oscillò nel tentativo di ritrovare l'equilibrio, poi cadde per traverso sul pavimento trascinando con sé l'albero di Natale.

Hugh prese in mano la situazione. Il corpo di Fowler giaceva a braccia spalancate sotto l'albero, circondato dai regali di Natale. Il suo viso era decorato di sempreverde e fili argentati, e la destra accusatrice, che ancora brandiva il sigaro, aveva sparpagliato tutt'attorno i personaggi del presepe e fatto a pezzi la mangiatoia e la piccola immagine che aveva contenuto.

Ben Fowler rimase fra la vita e la morte al Centro di Terapia Intensiva dell'Evanston Hospital fino alla prima settimana di gennaio, e poi iniziò il lento ritorno fra i vivi.

Il medico disse che se Helen non fosse scesa ad aprire la porta quando Hugh Donlon aveva suonato per consegnare i suoi regali di Natale, Fowler sarebbe certamente morto.

"Gli hai proprio portato via tutto, eh, Hugh?" gli disse Helen il giorno di Capodanno mentre aspettavano nel corridoio dell'ospedale. "La moglie, la figlia, gli affari, forse addirittura la vita. Giochi pesante, vero?"

Helen appariva vecchia e disfatta. Era abbattuta, le spalle cadenti, la voce che a tratti diventava quasi isterica.

"Oh, sì, so di Linda. Me l'ha detto il giorno di Natale. Lei non sa di me. Hai realizzato le tue fantasie stile Playboy. Ti sei divertito?"

"Questo non è del tutto corretto" implorò lui.

"E quando mai tu sei stato corretto?" ribatté lei. "Te ne sei sempre fregato di me. Io sono stata un mezzo per compiere la tua terribile vendetta."

La morte che si leggeva sul viso di Ben Fowler e il filo di saliva che gli colava sul mento rimasero indelebilmente impressi nella mente di Hugh, a ricordargli impietosamente la sua stessa mortalità.

Non aveva pensato a dare l'assoluzione a Ben. Non era un prete al capezzale di un malato. Anzi, era soltanto un amante colpevole che ancora una volta l'aveva scampata.

"Tu non le faresti più del male fisico, ma non ti sei preoccupato se la facevi soffrire psicologicamente?" disse Pat Cleary, che ancora una volta aveva dovuto lasciare la cena sul tavolo.

"Nessuno dei due si faceva illusioni."

"Palle, per non usare un linguaggio ancor più scatologico... Dimmi, Hugh, c'è mai stato nella tua vita un tempo in cui ti sei sentito libero da quei fardelli che ti porti dietro e che ti costringono a tenere un comportamento nocivo per te e per gli altri?"

"Fardelli?"

"Sai bene di cosa parlo" affermò Pat in tono imperioso.

"Beh, quando facevo vela con la *Pegeen* al lago Geneva... certe volte era quasi come un'esperienza religiosa."

"E hai venduto la barca? Tipico. Hai qualche ricordo?"

"Qualche sogno di tanto in tanto" rispose Hugh con cautela, pensando che mai prima di allora da sveglio si era pienamente reso conto di aver sognato la *Pegeen*. "Qualche volta sono sogni belli; altre volte incubi..."

"E hai sempre avuto quei momenti di pace mentre navigavi?"

Il tono di voce di Pat dava per scontato che la risposta sarebbe stata "sì". Hugh gli avrebbe dimostrato che aveva torto.

"Un paio di volte con Maria."

Pat si alzò di scatto dalla sedia. "La donna che incontrammo al concerto? Sei stato innamorato anche di lei?"

"Un'infatuazione estiva" mormorò Hugh, desiderando di non averla nominata... e che Pat non avesse ricordato l'incontro.

"E anche lei ti amava. Perché?"

"Non lo so." Mentiva. La ricordava nel momento in cui gli aveva detto quanto era bello come se le parole fossero state pronunciate solo ieri.

"Sei un miserabile bugiardo. Perché l'hai lasciata?"

"Perché avevo la vocazione... ritenevo di avere la vocazione."

Cleary si sporse attraverso la scrivania finché il suo viso non fu che a pochi centimetri da quello di Hugh. "Anche se non fossi stato in seminario l'avresti sfuggita. Lei rappresentava una minaccia a tutto ciò che ritieni di essere..."

Egli vide, o percepì, la dolce, inquietante luce che talvolta accompagnava il ricordo di Maria.

"Ti sbagli, Pat" insisté, ancora una volta chiudendo con violenza una porta.

Pat si lasciò cadere all'indietro sulla sedia. "Sei pieno di merda, Hugh."

"Mi dispiace," sospirò lui.

"Va' a raccontarlo al Gran Vecchio" ribatté Pat che non sembrava dell'umore di continuare.

"Non mi ascolta... forse non ascolta nessuno."

"Non mi interessano i tuoi problemi teologici, Hugh. La mia ipotesi è che per te è finita l'epoca in cui potevi tenere a bada le donne facendole morire di dolcezza e di piacere."

"Lo spero" disse Hugh con fervore.

"Forse, ma le donne sono solamente umane. Nella fase successiva, penso che ti isolerai da tutti, uomini, donne, bambini — tutti."

"Ma perché dovrei fare questo?" Hugh ebbe una violenta contrazione di stomaco.

"Perché stai ancora fuggendo" rispose Cleary scuotendo la testa. "Attraverso le notti e attraverso gli anni."

Capitolo XXXII
1974

"Tu e Liz," disse Pat Cleary battendo il colpo con cui mandò la palla nella quattordicesima buca "dovreste andar via per una lunga vacanza. Qualche posto del Pacifico meridionale... e ricominciare daccapo."

"Questo non ci aiuterà a superare i problemi fondamentali." Hugh mancò il colpo di un pollice. Maledizione, era fuori forma. I suoi peccati erano cessati. Il mostro dentro di lui era domato, per il momento. Hugh era fedele a sua moglie, clemente coi nemici, premuroso con gli amici, devoto verso i genitori.

Stava anche cercando di trascorrere più tempo coi suoi figli, quantunque Liz continuasse a dire che li rendeva nervosi.

"Chi parla di problemi fondamentali?" Pat si tolse il berretto arancione da golf, si passò una mano fra i capelli castani e si rimise il berretto. "Ti dò una nuova prospettiva di vita, lontano dai bambini, dagli affari, dalla famiglia, dai ricordi del passato. Non è sufficiente?"

Hugh si rese conto che c'erano due modi di considerare la sua vita, e che tutto dipendeva dal punto di vista.

A un estraneo poteva sembrare che Hugh avesse tutte le ragioni per essere felice. La sua ditta era un gran successo. Hugh e Les Rosenthal, prudentemente alleati perché troppo scaltri per mettersi l'uno contro l'altro, erano i due uomini più potenti della Borsa. Ed ora Hugh era famoso anche a livello nazionale. Come membro di gran rispetto della Commissione Trilaterale, era stato incaricato dal Dipartimento di Stato di rappresentare gli Stati Uniti a un'Assemblea generale degli Operatori di Borsa a Bangkok, ed era spesso chiamato a Washington come consulente. In breve, aveva raggiunto tutto ciò che aveva desiderato quando per la prima volta era salito sul treno di South Shore con lo stomaco contratto e una gran voglia di dar battaglia nel recinto della Borsa.

Sua moglie era attraente e i suoi figli avevano l'aspetto di bambini ben educati. Che cos'altro un uomo poteva volere dalla vita?

Ma era pura finzione.

Il matrimonio aveva assunto l'aspetto definitivo di una strenua lotta per la difesa dei propri diritti. L'ira si era esaurita, ma così anche la speranza. Il contratto di Liz con la parrocchia di St. Rock non era stato rinnovato a causa dei conflitti scoppiati sia col parroco che con i genitori. Si era ritirata dal gruppo di presa di coscienza. L'esercito di bambinaie e baby-sitter era rimasto, quantunque il personale cambiasse in continuazione perché spesso in conflitto con Liz — il che, secondo Hugh, era molto meglio che se Liz avesse litigato con lui.

Hugh non era più al corrente di cosa lei facesse durante il giorno, eccetto il fatto che in estate andava coi bambini alla casa di Lake Shore. Cosa piuttosto ironica, lei ed Helen erano diventate amiche intime, parte di un gruppo di signore che fra il tardo pomeriggio e l'inizio della serata sorseggiavano Martini in generose quantità sulla veranda della loro casa prospiciente il lago.

Di tanto in tanto lui e Liz facevano l'amore, talvolta per iniziativa di lei. In quelle occasioni Hugh si sforzava di rendere memorabile l'unione dei loro corpi, con la debole speranza di riaccendere una nuova fiamma.

Ma la sua abilità di amante l'aveva abbandonato. I risultati erano moderatamente soddisfacenti per entrambi, ma lontanissimi da quell'estasi da cui sarebbe potuto emergere un nuovo amore. Come ogni altra cosa nel loro matrimonio, la loro vita sessuale si era assestata su una consuetudine di modeste aspettative e di moderato coinvolgimento.

"Pensi che se Liz e io andassimo via assieme ci innamoreremmo di nuovo? Avremmo le stesse probabilità di litigare."

"In entrambi i casi sarebbe un passo avanti."

"Noi abbiamo bisogno di una terapia famigliare, non di una vacanza" disse Hugh battendo un colpo lungo.

"Una vacanza potrebbe essere il primo passo." Il colpo di partenza di Pat fu perfetto, duecentocinquanta iarde direttamente al centro del percorso.

"A Liz non interesserà."

Dopo la partita di golf Hugh trovò Liz e Helen — entrambe un po' sbronze a giudicare dalla caraffa di Martini che avevano sul tavolo — pigramente sdraiate sulla veranda di casa Donlon, che dava sul lago Michigan. Il bacio con cui Helen lo salutò fu allegro e cameratesco, come se fra di loro non vi fosse mai stata passione.

La sua bocca sapeva leggermente di vermut. "Hai l'aria di

aver perso di nuovo" disse piuttosto divertita. "Stavo giusto mostrando a Liz le fotografie del bambino di Linda. Rassomiglia al padre, direi."

Hugh assentì mentre baciava sua moglie. Assolutamente nessuna differenza fra i due baci. Esitante, le riferì ciò che Pat aveva detto sulla necessità che si prendessero una lunga vacanza dal lavoro di lui.

"Magnifica idea." Liz era estasiata. "Stavo dicendo a Helen questo pomeriggio — vero, cara? — che ho proprio bisogno di allontanarmi da tutto, e so il posto. Corfù. Secondo le guide la fine di settembre è il miglior periodo dell'anno per andare in Grecia." Liz stava leggendo guide turistiche.

Così Hugh venne a sapere che sarebbe andato a Corfù, dopo aver fatto tappa a Londra, e che ancora una volta aveva frainteso lo stato d'animo di sua moglie.

Prima di prendere l'aereo per Londra si fermarono una settimana a New York. Fu la più bella settimana del loro matrimonio dal viaggio estivo nel New England di qualche anno prima. Liz fu di nuovo Elizabeth Ann, felice, con gli occhioni sgranati, entusiasta, affettuosa. L'orizzonte della Big Apple cancellò anni di rabbia. Pat Cleary aveva ragione. Si poteva ricominciare.

Stavano percorrendo la Fifth Avenue dopo aver pranzato al Four Seasons. Hugh si fermò e prese Liz per le braccia domandandole: "Non ti dispiace se ti faccio una dichiarazione d'amore in Fifth Avenue, vero?".

I begli occhi azzurri di lei brillarono. "Sarà una gioia dal principio alla fine."

"Ci sono stati momenti belli e momenti brutti, Liz; una settimana come questa si porta via una quantità di momenti brutti." Si rese conto di aver detto la stessa cosa nel Maine. Déjà vu?

"Andiamo a St. Patrick a dire una preghiera" disse Liz. "A Dio non dispiacerà anche se pregheremo abbracciati."

Così salirono i gradini del grande, grigio monumento in stile gotico. Dentro, Liz fu di nuovo una suora piena di contegno e di misticismo che si inginocchiava eretta, a capo chino, in profonda comunione con la divinità.

Per quanto concerneva Hugh, Dio era fuori a pranzo. Dopo l'attacco di cuore di Ben aveva tentato di pregare. Le parole venivano fuori abbastanza facilmente, ma sembrava che non vi fosse nessuno ad ascoltarle. Era come se Dio si fosse stancato di aspettare che Hugh Donlon lo riscoprisse, e fosse sempre impegnato in qualcos'altro quando il ricco signor Donlon veniva a chiamarlo.

E fu così anche in St. Patrick.

"Aiutami, aiutala, per favore, Dio buono, aiutaci. Perdonami per averTi tradito durante il sacerdozio. Ho tentato. Sto tentando ancora adesso. Fino ad ora, fare del mio meglio non è stato sufficiente. Dammi la forza e il coraggio di fare di più."

Quella sera, al ritorno dal teatro, Liz insisté per telefonare ai genitori di Hugh e dir loro quanto bene la vacanza stesse procedendo.

"Se il resto del viaggio è come New York" comunicò tutta spumeggiante all'attonita Peggy, "potremmo star via anche un anno."

Il resto del viaggio non fu come New York. Il loro amore rinato a nuova vita subì un colpo terribile col cambiamento di fuso orario. Non appena ebbero preso alloggio al Grosvenor House, Liz si lasciò cadere sul letto in preda all'emicrania e dichiarò d'esser stanca di viaggiare.

Hugh implorò una grazia di qualche giorno per dar tempo al suo organismo di rimettersi. Liz rispose che non le piaceva la pioggia di Londra, non le piaceva né il modo di parlare degli inglesi né la condiscendenza del personale dell'albergo, e che più presto se ne fossero andati da Londra meglio sarebbe stato.

Marge e Liam arrivarono in volo da Shannon per cenare con loro nella vecchia sala da pranzo del Connaught dalla gradevole architettura. Liz rifiutò di muoversi dal letto.

"Peccato che la ragazza non stia bene" chiocciò Liam pieno di comprensione mentre si spazzolava un'abbondante porzione di Yorkshire pudding. "Si mangia bene qui."

"Quando ti deciderai a vivere per te e non per gli altri?" domandò Marge.

"Tutti dovremmo vivere per gli altri, a meno di non desiderare una vita egoistica e meschina" rispose Hugh con la consapevolezza che Marge pareva strappargli gli stessi devoti luoghi comuni con cui già la irritava al lago Geneva quando correva dietro a Joe Delaney.

"Sei diventato prete per Mamma, così potevi prenderti cura di Dio; operatore di Borsa per Papà, così potevi prenderti cura di Tim; marito di Liz, così potevi prenderti cura del suo bambino. Io non credo che tu volessi fare nessuna di queste cose."

"Sono parole forti." Liam vuotò il suo bicchiere di Bordeaux. "Si tratta della vita di Hugh."

"So che si tratta della sua vita, tesoro; ma intendo dire che Hugh sta vivendo gli impegni altrui, non i propri. E inoltre" — si voltò verso il fratello — "una volta mi promettesti, Hugh, che non

avresti mai dimenticato come si fa a ridere di sé. Quando lo hai fatto per l'ultima volta?"
Hugh non riuscì a ricordarsene.

Il giorno seguente Hugh visitò la Borsa Metalli di Londra. In bombetta e completo da mattina gli operatori della BML lavoravano nel "recinto" o "mercato ufficiale" per soli cinque minuti ogni mattina e ogni pomeriggio. Non a torto, essi presumevano di poter fare ciò che gli americani facevano negli ultimi minuti di una sessione senza il resto della sessione. Inoltre erano gravati da una regolamentazione molto meno complessa. Non vi erano limiti né alla posizione degli operatori nei recinti né all'oscillazione dei prezzi di giorno in giorno.
"Come mai avete una normativa così snella?" domandò Hugh a un operatore.
"In realtà, egregio signore, a noi pare che voi americani siate troppo attenti ed apprensivi riguardo alla questione dei limiti e cose simili. Non ritiene che possa dipendere dal vostro puritanesimo?"
"Non fra gli irlandesi. Non hanno mai avuto un atteggiamento puritano riguardo al denaro, solo verso il sesso."
"Non avrei pensato che gli irlandesi avessero l'indole dell'operatore economico di successo."
"Ce n'è uno proveniente da una famiglia di poliziotti irlandesi che in un mese ha fatto più di venti milioni di dollari."
"Davvero? Non riesco ad immaginare come possa aver fatto a metterne in salvo la maggior parte."
"Praticamente tutto" disse Hugh."Li ha investiti in riserve di gas naturale."

Quella sera presero parte a una cena in abito scuro offerta in onore di Hugh alla Grosvenor House. Liz, in abito da sera lungo di tessuto azzurro a rete, che le lasciava scoperta una spalla, era decisamente bella. Dimenticato il malessere causato dal viaggio, fu al centro dell'attenzione e questo parve deliziarla. Parlò del più e del meno con gli altri operatori e le loro mogli, e molti degli uomini ammisero in tutta franchezza di invidiare a Hugh una moglie così incantevole e intelligente.
Quando il discorso cadde sul lavoro, tuttavia, i londinesi si rivelarono inclini a minimizzare l'importanza delle loro attività tanto quanto gli operatori di Chicago erano inclini a esaltarla. A quanto pareva, erano dell'opinione che il mercato dei metalli

avrebbe avuto una tendenza al rialzo, se i prezzi non fossero scesi. Ma forse poteva capitare esattamente il contrario.

Non sapevano nulla più di quanto sapesse Hugh, quantunque apparissero più sofisticati ed esperti. I toni in cui ci si raccontano fesserie è diverso nel mondo, ma il messaggio è lo stesso. E, in questo, noi irlandesi di Chicago siamo i migliori di tutti, — pensò Hugh — perché sappiamo farlo in tutte le lingue.

"Non riesco a capire come fai a sopportare una conversazione così banale" si lamentò Liz buttandosi sul letto. "Ci può essere qualcosa di più noioso dei metalli preziosi?"

"È una questione di prospettiva, Liz; loro troverebbero noioso parlare di educazione religiosa."

"Io non ti obbligo a partecipare a riunioni sull'educazione religiosa" disse lei con aria sprezzante.

Hugh aveva fantasticato di abbracciarla e di ricostituire l'atmosfera magica della Big Apple. Ma, chiaramente, non era la serata adatta a provarci.

Forse, a Corfù, avrebbe avuto la sua ultima occasione.

Capitolo XXXIII

1974

Corfù era il paradiso subtropicale promesso da Liz, un'isola coperta di olivi argentei, nobili cipressi, lussureggianti sempreverdi. Piccoli villaggi di montagna dai mille colori delicati si appollaiavano lungo i pendii verdeggianti; le erte scogliere, i laghetti di un azzurro cristallino, le acque calme dello Ionio e la tranquilla risacca dell'Adriatico facevano apparire Corfù il posto più adatto per l'incontro del naufrago Ulisse con Nausicaa dalle bianche braccia (com'ella si definiva), narrato dalla leggenda locale.

L'Hilton di Corfù sorgeva nella borgata di Kanoni, a poche miglia a sud del capoluogo, in una penisola che a un'estremità dava su un monastero ortodosso di un bianco abbagliante e all'altra estremità, dalla parte del mare, dava su un'isola. Il sole si levava sulle montagne albanesi la mattina, splendeva sul placido Ionio durante la giornata e calava serenamente dietro alle montagne dell'isola la sera, tingendo d'oro le foglie argentee degli olivi.

Hugh si sentiva in paradiso.

Liz, dal canto suo, si lamentava aspramente per il rumore del vicino aeroporto e per la trascuratezza del servizio; il personale dell'albergo era originario dell'isola, gente piacevole ma un po' sorda alle esigenze della clientela prevalentemente americana e tedesca.

Hugh godeva delle acque tiepide dello Ionio e osservava incantato le barche a remi, con l'alto timone di poppa, che tagliavano pigramente le onde al largo della spiaggia.

Liz si lamentava perché il letto era scomodo e la spiaggia piena di sassi e pietre.

Tuttavia il fascino rilassante di quest'isola magica non andava completamente perduto nemmeno per lei. Un giorno attraversarono l'isola in auto per visitare Paleokastritsa, dei cui sette laghetti — nel secolo scorso — il governatore britannico fu così entusiasta da far costruire la più bella strada che l'isola avesse mai conosciuto affinché sua moglie, una nativa, potesse raggiungerli a cavallo quanto spesso desiderava. Liz era incantata dalla bellezza e dal mistero dell'Adriatico, che le appariva prezioso e senza età quanto un antico gioiello egizio di lapislazzuli. "Mi piacerebbe poter restare qui per l'eternità" aveva affermato.

In realtà, Corfù aveva evidenziato fino al ridicolo le ambiguità del suo animo tormentato. Un momento era dolce, affettuosa, pronta alla meraviglia, e un attimo dopo rigida, cerebrale, nazionalista e condannatoria, sprezzante nei confronti degli abitanti dell'isola per la loro trascuratezza e per lo squallore del cemento con cui avevano costruito gli alberghetti destinati al turismo popolare.

Hugh avrebbe voluto aiutarla ma, incapace com'era di aiutare se stesso, non sapeva nemmeno come aiutare lei, se non con la combinazione di pazienza e dolcezza, dovere e responsabilità che aveva caratterizzato tutto il loro matrimonio e che palesemente non era servita a nulla.

La mattina successiva al giorno in cui avevano attraversato l'isola, quando Hugh si svegliò il cielo stava facendosi grigio. Liz, in camicia da notte leggera, era in piedi accanto alla porta aperta del balcone della loro camera e osservava le acque calme dello Ionio. Lui uscì dal letto senza far rumore e la circondò con le braccia.

Liz aveva la pelle d'oca, quantunque non facesse freddo.

"Vuoi la vestaglia?" le sussurrò.

Lei rifiutò scuotendo la testa, e Hugh vide le lacrime che le rotolavano silenziosamente giù per il viso.

"Non so quali demoni stiano lottando dentro di te" disse con cautela. "Vorrei aiutarti se posso."

Lei gli appoggiò la testa sulle spalle. "Se solo tu potessi."

"Potresti dar loro un nome?"

Ancora un cenno negativo della testa e ora pure singhiozzi silenziosi.

"Posso fare qualcosa?"

Nessuna risposta.

"Vuoi tornare a letto e lasciare che ti scaldi?"

Lei fece segno di sì e gli si appoggiò per tornare verso il letto.

"Vuoi che facciamo l'amore o vuoi solo che ti tenga stretta?"

"Tienimi solo stretta."

Dopo che Hugh fu uscito silenziosamente dalla stanza per prendere l'autobus che lo avrebbe portato in città, dove voleva comprare dei souvenir e qualche regalo per i bambini, Liz fece una doccia, si mise in costume da bagno e ordinò la colazione sul balcone. Mentre sbucciava un'arancia osservando le evoluzioni degli appassionati di sci d'acqua, decise ancora una volta di riorganizzare la propria vita. Hugh stava facendo sforzi enormi per salvare il viaggio. Ma, in definitiva, non era in grado di abbandonare il proprio sciovinismo maschile. Lei e i bambini non erano esseri umani; erano un peso, una responsabilità, un obbligo. Tutto quanto lui faceva per loro, lo faceva perché obbligato. Anche il viaggio era stato un obbligo, una responsabilità impostagli dal benintenzionato Pat Cleary.

Così era Hugh. Non gli riusciva di fare nulla che non fosse un obbligo.

Era lui ad avere bisogno del suo aiuto, più di quanto lei non avesse bisogno di Hugh.

Quanto bene poteva fare a una donna ricevere della tenerezza se si rendeva conto che questa tenerezza era, per qualcun altro, il modo di assolvere un dovere?

Forse lui aveva segnato qualche punto a proprio favore per i tentativi compiuti. Ma non per il realismo. Lei era la più realistica dei due.

E sapeva che i loro sforzi sarebbero sempre stati una perdita di tempo.

Con la coscienza che gli rimordeva e un senso di inadeguatezza, Hugh attraversava la cittadina di Corfù a bordo dell'autobus che ogni mezz'ora partiva sobbalzando da Kanoni diretto al lungomare che costeggiava il porto.

Edifici color crema, chiesette col tetto a cupola, balconi coperti, viuzze strette, stradine secondarie e gradinate, folla che si spingeva, turisti rumorosi, uomini di bell'aspetto, donne non tanto di bell'aspetto — la cittadina di Corfù era in parte greca e in parte italiana, e rivelava sia le proprie origini etniche greche che il legame storico con Venezia. Hugh percorse su e giù le viuzze secondarie, evitando furgoncini a tre ruote e utilitarie e assorbendo — come le spugne che si pescavano nelle acque dell'isola — il colore e il rumore e l'intensità della gente e della loro comunità. Come i laghi e le colline del versante adriatico erano apparsi un paradiso a sua moglie, così per lui la folla di Corfù rappresentava i Campi Elisi.

Poi vide una donna intenta ad esaminare una maglietta su un espositore all'entrata di un negozio di souvenir — la sagoma dell'isola in rosso con la scritta "CORFÙ" in caratteri giganteschi. La mise da parte, evidentemente rendendosi conto che non avrebbe sopportato nemmeno un ciclo in lavatrice.

La donna indossava jeans neri e una maglietta nera con le maniche bordate di bianco. I suoi capelli biondi erano legati con noncuranza in cima alla testa.

Hugh la seguì lungo la strada mentre, con un'abile mescolanza di decisione e di grazia, si faceva largo tra la folla di Corfù. Le si avvicinò da dietro e la guardò al disopra della spalla. "Maria" disse incredulo.

"Mi stavo domandando per quanto tempo mi avresti seguita prima di decidere se dovevi parlare o scappare." Si voltò e lo abbracciò. "Sono felice che tu non sia scappato. Ora, per rispondere alle tue domande in ordine d'importanza, Steven e io siamo all'Agios Gordis dall'altra parte dell'isola, dopodomani lui avrà una riunione ad Atene, all'ambasciata e, sì, saremo felicissimi di essere con te e tua moglie — Liz, vero? — questa sera al Corfù Palace."

"Mi avresti lasciato scappare?" le domandò permettendole a malincuore di sciogliersi dal suo abbraccio.

"Sei stato tu il primo a vedermi e a seguirmi" disse lei, spingendolo verso la passeggiata a mare che si profilava invitante all'altro capo della strada. "E poi mi sei rimasto alle calcagna senza saper cosa fare, come se io fossi cieca e non ti vedessi riflesso nella vetrina. Ad ogni modo, ti offrirò la colazione... che cosa hai fatto ultimamente... da Walworth, Wisconsin, intendo? E non venire a raccontarmi che hai fatto soldi... *Quello* lo so, quantunque debba dirti che non sono mai riuscita ad accettare pienamente l'immagine di te nel recinto dell'argento."

"Sei nervosa quanto lo sono io?" domandò lui.

"Aha, un interessante espediente per dissimulare l'imbarazzo. No, non sono affatto nervosa. La borsetta mi si inzuppa di sudore fra le mani ogni qualvolta un bell'uomo mi segue per le strade di una città levantina... ti piace questa? Levantina... niente male per una contabile senza istruzione, vero?" Spinse Hugh sulla sedia di uno dei ristoranti all'aperto di fronte al mare e chiamò immediatamente il cameriere.

"Il pranzo te lo offro io" gli disse. "Sono una femminista militante incallita nonché vicepresidente di una banca in congedo temporaneo, ma puoi mettermi sul tuo carnet per la cena di questa sera. Ora, senza scherzi, e senza autocommiserazione o modestia fuori luogo, raccontami cosa hai fatto dal 1954."

Così Hugh e Maria discussero, risero, chiacchierarono, si abbandonarono ai ricordi, perdonarono — pur senza dimenticare — per tutto il pranzo, che durò due ore.

Mentre stavano per alzarsi da tavola, Maria gli sfiorò la mano. "Io ho avuto qualche dispiacere e molta felicità dai tempi del lago Geneva. Spero che anche tu sia stato felice."

"Sono pure felice di averti di nuovo incontrata" rispose lui con galanteria.

Sulla strada del ritorno verso Kanoni, il cuore di Hugh cantava. Era tornato il passato, era rinata una vecchia amicizia, e qualche fantasma era stato esorcizzato.

Liz non parve contraria a cenare con degli sconosciuti. "Sarà piacevole fare due chiacchiere con un'altra coppia di americani. Chi è questa signora? Non te ne ho mai sentito parlare."

"Una compagna di scuola di Marge. Del vecchio quartiere."

Il che era vero, anche se non era tutta la verità.

Per la cena, Liz indossò un vestito elegante di chiffon verde. Come sempre, Hugh rimase sbalordito dalla rapidità con cui, quando aveva voglia di impressionare qualcuno, Liz sapesse passare dalla sciatteria alla raffinatezza.

Era così sensazionale che Maria — a sua volta più che carina in un abito bianco di cotone con la giacca intonata, che ora portava sul braccio — quando vennero presentate annuì in segno di approvazione.

I capelli del Capitano McLain erano bianchi come l'abito di Maria e la sua espressione tesa. Cionostante aveva il fascino tranquillo di sempre.

"Vi piace stare dall'altra parte dell'isola?" domandò Hugh appena si furono seduti a tavola sul terrazzo del Corfù Palace che si affacciava sul porto splendente di luci.

"Mio marito sostiene che gli ricorda le isole al largo della South Carolina, il massimo complimento che un McLain possa fare. Ma non è bello da questa parte?"

"La sabbia è meravigliosa e la risacca ha un affetto ipnotico" aggiunse Steve a voce bassa. "Ma temo che non sia un granché per lo sci d'acqua."

"Non come dall'altra parte, posso assicurarvi" Maria parlava in continuazione come sempre quando si sentiva nervosa. "A un isolato dal nostro albergo le donne vanno in topless... In Spagna le metterebbero alla ruota e le squarterebbero. Non qui, comunque. Se indossi qualcosa di più di un tanga sei già esageratamente vestita."

"Sono contenta di abitare da questa parte" affermò Liz con aria virtuosa e, nervosa quanto Maria, bevve una lunga sorsata di Martini e vodka.

Maria cercò di darle garbatamente una lezione. "Una volta il padre di Hugh mi raccontò che nel Medioevo la gente usava fare il bagno nuda..."

"Falsa coscienza" sbottò Liz, e vuotò il bicchiere.

Maria parve momentaneamente confusa. "Beh, io credo che il tipo di coscienza che può andar bene per una donna possa magari non adattarsi a un'altra."

Buon Dio, Liz — pensò Hugh — non c'è bisogno di aver paura di lei. Non desidera altro che trovarti simpatica. Dalle una possibilità.

Ma Liz non avrebbe offerto nessuna possibilità. Bevve un altro Martini e lo fece seguire rapidamente da due bicchieri di vino greco prima ancora che servissero l'agnello.

"Va in Vietnam?" domandò improvvisamente a Steven.

"Non esattamente" rispose lui. "Sarò su una nave-appoggio col compito di evacuare il personale da Saigon in elicottero nel caso in cui la guerra si metta male, come probabilmente accadrà."

"È mai stato in Vietnam prima d'ora?" Le dita di Liz si strinsero attorno al bicchiere.

"Sì, due volte."

"Che cosa faceva?"

"Pilotavo un Phantom" rispose lui.

"Lei è un criminale di guerra, in altri termini." Liz era palesemente ubriaca.

"Qualcuno potrebbe pensarla così."

Maria chinò il capo — niente battute di spirito, niente ira, niente lotta. Un aspetto del suo carattere che Hugh non aveva mai conosciuto.

"Lei ha ucciso donne e bambini innocenti."

"Mi auguro di no. Ho fatto del mio meglio per evitarlo." Steven rimase calmo, controllato, per nulla intimorito.

"Chiunque sia stato dalla nostra parte è proprio un criminale di guerra."

Steven esitò. Era un vecchio argomento di discussione, e lui sapeva di non poter avere la meglio.

"Non sono stati i militari a cominciare la guerra, signora. Sono stati i leader politici liberali. Noi abbiamo sconsigliato questa guerra e abbiamo combattuto alle condizioni più difficili, in modo da non uccidere degli innocenti. Non sono certo che sia una guerra giusta. Ma non sono nemmeno certo che sia stata ingiusta. Di una cosa sono certo. I Vietcong non hanno risparmiato nessuno — né militare né civile — che ritenevano potesse essere d'ostacolo alle loro mire."

"Propaganda americana."

Maria tracciava linee sulla tovaglia col manico di un cucchiaino, senza che il suo viso mostrasse segni di emozione.

"Direi che basta così, Liz" disse Hugh.

"Vali poco quanto gli altri. Ti scusi senza nemmeno sapere cosa dici." Afferrò la bottiglia e si riempì il bicchiere di vino. Tuttavia non aggiunse altro, e il pasto arrivò alla fine fra monosillabi imbarazzati. Riuscirono a congedarsi abbastanza amichevolmente, ma questo fu tutto.

"L'hai amato molto un tempo?" domandò Steven mentre guidava attentamente l'auto noleggiata per la strada di montagna che portava alla costa adriatica.

"Una cotta da adolescente. Ti senti in pericolo?"

Lui le diede un colpetto sul ginocchio e rimise subito la mano sul volante. "Sarebbe piuttosto sciocco, vero, Maria?"

"Direi di sì." Lei gli mise un braccio intorno alle spalle. "Se incontrassi uno dei *tuoi* amori giovanili sarei follemente gelosa."

"No" rispose lui in tono pacato. "Ma ti sentiresti costretta a comportarti come se lo fossi."

Maria rise. "Mi conosci troppo bene... Povera Liz, mi dispiace per lei quanto per Hugh."

"Una donna molto turbata. Era una suora?"

"Così ho capito. Lui non avrebbe mai dovuto lasciare il sacerdozio."

"Forse per prima cosa non avrebbe dovuto farsi prete."

Steven era sempre così dannatamente preciso nei suoi giudizi.

"In questo caso io sarei all'Hilton stanotte." Maria lo baciò sul collo, confidando che un così bravo pilota di aerei non si sarebbe lasciato distrarre da una piccola affettuosità, nemmeno in una buia strada di montagna a Corfù.

Buon Dio, pregò, proteggimi il mio Steven.

E, mentre ci sei, se hai tempo, proteggi anche il povero Hugh.

Capitolo XXXIV

1974

Un libro stretto sotto il braccio, un ampio asciugamano da spiaggia drappeggiato intorno al collo, un'enorme borsa che le pendeva dalla spalla: Maria camminava sulla spiaggia di Agios Gordis, in direzione nord, in cerca di una duna appartata. Avrebbe voluto volare ad Atene con Steven, ma lui le aveva fatto notare con molto buonsenso che durante i due giorni di riunione all'ambasciata non avrebbe potuto stare con lei nemmeno la notte. E lei sarebbe stata più al sicuro a Corfù, dove non c'era criminalità, che ad Atene.

Trovò una zona piana fra due dune, stese l'asciugamano, sedette e vuotò i vari scomparti della borsa in cui aveva sistemato creme e oli solari. Da un lato propugnava la libertà di stare in topless in spiaggia, ma dall'altro non desiderava dare spettacolo di audacia.

Maria era orgogliosa della propria bellezza duratura e per nulla dispiaciuta del fatto che gli uomini continuassero ad ammirarla. E se volevano lanciare un'occhiata ai suoi seni nudi sotto il cielo azzurro cupo, anche quello andava bene.

Ma solo a distanza, s'intende.

Lasciò cadere gonna e maglietta, si unse di olio, si mise in testa il berretto da marinaio e si raggomitolò con una copia di *Computer Programming for Bankers* per vedere se la concorrenza si teneva aggiornata. Nel momento in cui si appoggiava il libro sulla pancia scommise con se stessa di essere l'unica donna mezzo nuda sulla spiaggia a leggere quel libro.

Ripensò alla cena coi Donlon la sera precedente. Strano.

L'ultima volta che aveva visto Hugh era stato all'Orchestra Hall. Allora era ancora un prete, e in dieci minuti di conversazione l'aveva gettata nello scompiglio. Lo stesso fenomeno si stava ripetendo ora. Lo avrebbe amato sempre, pensò. Peccato che la poligamia fosse fuori moda.

Rise fra sé. Era già abbastanza impegnativo essere sposata con un amante appassionato senza prendere in considerazione l'idea di averne un altro.

Il suo matrimonio si era trasformato dal momento in cui Steven era partito per la seconda volta per il Vietnam. Durante i lunghi mesi di incertezza trascorsi prima di sapere che era ancora vivo e poi nel corso dei successivi, Maria aveva dovuto sopportare pene che fino ad allora non avrebbe potuto nemmeno immaginare. Ed era anche riuscita a tenersi su di morale, non tanto per virtù, Dio ne era testimone, ma per necessità. L'alternativa era o sorridere o schiantare.

Lo Steven tornato dalla prigionia era irriconoscibile. La Marina le aveva avvertite che avrebbero trovato mariti e figli molto cambiati. Ma lei non ci aveva creduto. Non il suo Steven.

Il suo Steven più di ogni altro. Il patriota che aveva assunto la guida morale del campo di prigionia e che era stato torturato ma non piegato era tornato traboccante d'ira contro il nemico, contro il governo americano per essersi lasciato coinvolgere in una stupida guerra, contro chi protestava senza aver capito nulla, contro la stampa per aver dipinto come degli scellerati gli uomini che avevano dovuto combattere, contro Maria per non aver condiviso con lui la prigionia e contro i figli per essere cresciuti durante la sua assenza.

Maria non sapeva che fare. La personalità di suo marito, prima semplice e lineare, era ora complicata e contorta. Come avrebbe potuto farlo tornare se stesso?

Solo due doni poteva offrirgli: l'allegria e l'amore. Nessuna ritorsione di rabbia, nessuna lunga discussione, nessuna difesa di sé. Non avrebbe litigato con lui e non gli avrebbe permesso di litigare con lei. Si sarebbe limitata a ridere e a cantare, e avrebbe cercato di ricuperarlo.

Non aveva desistito, anche se i primi sei mesi erano stati ancor peggiori del periodo in cui era stato dato per disperso. Poi un giorno, tornata al loro appartamento di Alexandria, aveva trovato una lunga lettera di scuse: era stato crudele e senza cuore, punendo lei e i figli per ciò che i vietnamiti gli avevano fatto. Era un mostro, uno che aveva subìto danni permanenti e che non valeva più la pena di sopportare. La Chiesa le avrebbe certamente concesso l'annullamento. Sarebbe rimasto al Mayflower finché non avesse potuto trasferirsi negli alloggiamenti per gli ufficiali celibi.

Maria si mise in auto alla volta di Washington, in senso opposto al traffico dell'ora di punta, irruppe come una furia nella sua stanza e, trascinandolo, spingendolo e prendendolo a calci lo fece uscire, percorrere il corridoio e prendere l'ascensore; la giardinetta che aveva lasciata col motore acceso li aspettava davanti all'entrata dell'albergo, affidata al portiere. Se avesse mai rifatto una cosa simile, gli avrebbe torto il collo con le sue mani. E ora, gira intorno all'isolato finché non ho pagato il conto dell'albergo.

Era stato un momento decisivo, come Steven — pover'uomo — probabilmente aveva avvertito. Rise durante la corsa in auto verso casa e rise di nuovo quando fecero l'amore, dopo aver mandato a casa la baby-sitter. Il peggio era passato. La tecnica della scenata continuava a funzionare.

Da quel momento Maria aveva assunto la guida morale della loro vita coniugale. Lui aveva rifiutato di assumere nuovamente il suo ruolo e preferiva crogiolarsi al tepore della mescolanza di grazia e decisione che emanava da lei. La famiglia venne ulteriormente cementata dall'arrivo di Kenny, il bimbo di sogno della loro unione ritrovata, un bambolotto con cui una mamma che stava incominciando a invecchiare poteva giocare, una meraviglia che suo padre contemplava stupito per ore, e un esserino che il Fido Eddie proteggeva con tutte le sue forze.

La loro unione era ora più profonda e più rilassata. Gli alti e bassi erano meno vistosi e l'andamento generale più uniforme. Lei non sarebbe mai stata una brava persona come Steven, ma andava bene così. Non ce n'era bisogno.

Ed ora sarebbe tornato in Vietnam per la terza volta. Avrebbe potuto richiedere un'altra destinazione e nessuno avrebbe trovato da ridire. Non aveva in programma di restare in Marina a tempo indeterminato. Intendeva ritirarsi dopo la promozione ad ammiraglio. E non aveva bisogno di andare in Vietnam per la terza volta per essere promosso.

Questa volta, le diceva il suo superstizioso fatalismo siciliano, gli dirai addio e non lo rivedrai mai più su questa terra.

Cercò un fazzoletto di carta nella borsa e si asciugò gli occhi. Aveva il cuore spezzato, e nessuno con cui condividere la pena.

Perché il loro amore doveva essere messo alla prova ancora una volta?

Irritata contro di sé accantonò con decisione l'angoscia e tornò a concentrarsi sul libro.

Le onde andavano e venivano dolcemente e ogni volta spruzzavano la spiaggia. Una leggera brezza agitava l'aria azzurra. Il pungente odore di salmastro le stuzzicava le narici e la intorpidiva. Un paio di volte fu per appisolarsi.

"È un buon libro?" Era la voce di Hugh.

Uscì bruscamente dal torpore. Che stupida a non essersi aspettata di vederlo. Sei nei guai, Maria Angelica. Si infilò la maglietta e si tirò su a sedere. "Capitato qui per caso, eh?"

"Arrivo dalla direzione del tuo albergo, non l'inverso; in realtà, avevamo progettato di venire tutti e due qui, oggi. Ma Liz non sta bene... e io ho pensato che in questo paese vige la regola che tutto è permesso."

"Non con la gente del vecchio quartiere."

"Posso sedermi?"

"La spiaggia non è di mia proprietà."

"Vorrei scusarmi."

"Non è stata colpa tua." Oh, Dio, che pasticcio.

"Accetta comunque le mie scuse. È stata una serata proprio disgraziata. Non è sempre così. Mi perdoni?"

"Ma certo. Ora, se mi dài cinque minuti per finire questo capitolo, dopo puoi offrirmi il pranzo in quel ristorantino dipinto di rosa in fondo alla spiaggia."

"Dovrai pagare tu. Io ho lasciato il portafoglio in macchina. Te l'ho detto che non stavo cercandoti. Così, quando torneremo a Chicago ti dovrò due pranzi."

"Noi non andremo a pranzo assieme a Chicago, Hugh, e tu lo sai bene quanto me."

Decisa, un modello di autodisciplina e realismo; questa è la nostra Maria Angelica.

"Immagino che tu abbia ragione."

Maria finse di concentrarsi nello studio degli schemi di programmazione alla fine del terzo capitolo, pur sapendo che avrebbe dovuto tornarci sopra daccapo.

"E va bene, adesso ho la soluzione del nostro problema della riscossione degli assegni a vuoto... Innanzitutto, non bisogna lasciarseli rifilare. Qua, tu porti il libro e l'asciugamano e io il resto del bagaglio."

All'inizio il pranzo fu divertente. L'agnello arrosto non era più duro del solito e le verdure piene di spezie misteriose. Hugh le raccontò scandalose storie sul mercato dei generi di consumo e lei, mentre rideva, quasi dimenticò le rughe di stanchezza che gli solcavano il viso e la tristezza che si leggeva nei suoi occhi.

"Io ci provo, Maria." Hugh si prese la testa fra le mani. "Dio sa, se c'è un Dio, che ho provato di tutto. Ma sembra che non ci sia nulla che funzioni..."

Lei gli riempì il bicchiere di vino.

"E i bambini?" Maria non voleva sapere altro sulle sofferenze di Hugh Donlon, eppure non riusciva a smettere di fargli domande.

Hugh si agitò sulla sedia con aria colpevole, giocherellando con un pezzettino di legno portato dalla corrente sulla spiaggia, incapace di guardarla negli occhi. "Sono i suoi figli, Maria, mi ha completamente tagliato fuori. Loro non mi amano, e io non riesco a essergli più vicino."

"Questo non ha senso, Hugh" osservò lei vivacemente. "Sei il loro padre, e puoi sicuramente essergli più vicino."

Lui strinse il pugno. "Fin dall'inizio, Maria, ho fatto tutto il possibile, davvero tutto. Non so proprio cos'altro potrei fare."

Maria esplose. "Questo sì che è proprio tipicamente Donlon! Fare! Fare! Fare! Perché non cerchi semplicemente di *essere*, tanto per cambiare?"

"Non so di cosa parli." Sembrava arrabbiato. Peggio per lui.

"Non credo che tu l'ami, Hugh. Non credo che tu l'abbia mai amata. L'hai sposata perché era giusto farlo. Fai finta di amarla perché è ciò che dovresti. Cerchi di essere vicino ai tuoi figli perché questo è quanto ci si aspetta da un padre — ciò che il giudice ha fatto con te. Forse non avrebbe potuto funzionare comunque. Ma tu non hai offerto nessuna possibilità. Eri troppo indaffarato a attenerti a tutte le tue dannatissime regole per *essere* qualcosa per lei o per i tuoi figli, e ancor meno per essere un amante per lei. E non venire a piangere da me..."

"Non vengo a piangere da te" disse lui accalorandosi.

Lei gli sfiorò la mano. "Mi dispiace. Non volevo alzare la voce. Qua, prendi ancora un po' di vino, in sostituzione del purgatorio. Ma, Hugh, mio meraviglioso sogno giovanile, perché non provi a dimenticare tutti i tuoi obblighi nei loro confronti, specialmente verso i bambini, e non cerchi semplicemente di amarli e basta?"

Maria fece segno al cameriere di portare un'altra bottiglia di vino. Attenzione, Maria Angelica, potrà avere un sapore terribile ma è alcolico quanto il vino buono.

"Potresti aver ragione."

Ma lui non aveva capito. Forse non avrebbe capito mai. Lei gli aveva tenuto la medesima predica su una vecchia barca a vela vent'anni prima. Lui non aveva capito allora e non capiva ora.

Tornarono a piedi alla duna di Maria, di nuovo tranquilli e in pace.

Hugh chiuse gli occhi e si sdraiò al sole.

"Ho fatto un bel pasticcio della mia vita" disse.

Maria si strinse il libro sotto il mento, come per proteggersi dalla tristezza di lui.

"Pensi che non avresti dovuto lasciare il sacerdozio?"

"Non so. Non ero felice da prete. Poi ho provato a essere marito e padre, a far soldi e sentirmi potente. Nemmeno questo mi ha aiutato molto. E non mi hanno aiutato neanche certe intense esperienze sessuali che ho avuto."

"Ne ho sentito parlare" disse Maria indignata.

Hugh alzò gli occhi su di lei con un sorriso mesto. "Non posso dirti quanto ne sia pentito. Non so se continuo a credere al peccato, ma sono più dispiaciuto per quello che per ogni altra cosa, eccetto l'aver trascurato i bambini."

Hugh aveva la voce spezzata.

"Il problema non è il sesso, vero, Hugh? Non con Liz e nemmeno con le altre..."

"No", convenne lui con tristezza "non proprio. Potere, timore, io maschile, o comunque tu voglia chiamarlo..."

Le onde lambivano la spiaggia. Due ragazze mezze nude uscirono correndo dall'acqua. Hugh non le notò nemmeno.

Non c'era assolutamente nulla che Maria potesse fare; e non avrebbe nemmeno dovuto provarci, o si sarebbe trovata nei guai al pari di lui.

Tuttavia, il vino, il sole e l'eccitazione di essere in compagnia di Hugh la rendevano stordita e sconsiderata.

"Vuoi fare una nuotata prima di tornare al tuo albergo?" Si tolse la maglietta. Le magliette bagnate sono peggio che non avere nulla addosso, ragionò, e poi lui l'aveva già vista. Ridendo corse in acqua.

Hugh entrò dietro di lei. Si tuffarono in un'onda, si lasciarono trasportare fino alla spiaggia e poi si tuffarono di nuovo. Il vento e l'acqua parvero sgombrarle la mente dagli effetti del vino. Si sentì libera e rilassata. Dopo tutto non c'era nulla di cui preoccuparsi. Non erano che vecchi amici che giocavano allegramente su una splendida spiaggia del Mediterraneo.

Questo lo dici tu, Maria Angelica.

Una grossa ondata la gettò a terra e il risucchio, dolce e innocuo, la trascinò via. Hugh l'aiutò a rimettersi in piedi.

"Guarda quella barca... non è una bella vela?"

Hugh si costrinse a distogliere gli occhi da lei per guardare la barca. "Bellissima..."

"Mi ricorda la *Pegeen*." Lei lo cinse con un braccio e gli appoggiò il viso contro il petto. "Oh, Dio, Hugh, devo dirtelo. Nonostante ciò che di brutto ti è capitato e i legami sbagliati che ti sei creato, in te c'è tanta bellezza quanto quel giorno. Puoi ancora essere felice..."

Lui le sfiorò il viso e poi la gola, come aveva fatto tanto tempo prima. "Grazie, Maria" disse, ripetendo le parole del passato.

289

"Di nuovo un bicchiere di limonata, Hugh. Questo momento l'abbiamo già vissuto."

"Un bicchiere molto più attraente, se posso dirlo."

"Sarà bene che tu lo dica, anche se non è vero... Abbiamo avuto abbastanza acqua per oggi?" Lei gli sfuggì, allarmata dalla facilità con cui aveva provocato un'emozione così intensa. Una battuta di spirito, una risata e poi te ne torni alla tua duna, con più calma che puoi.

Al riparo della duna lei si stese sull'asciugamano e fece per prendere la maglietta. Lui gliela tolse dalle mani e le sfiorò leggermente i capelli con le dita.

Ti sei fatta i complimenti troppo presto, Maria Angelica, ora hai problemi grossi.

L'altra mano sul petto di lei, con tenerezza e con dolcezza; le loro labbra che si muovevano per incontrarsi, quelle di lei non meno ansiose di quelle di Hugh; poi i loro corpi che si premevano l'uno contro l'altro, i suoi capezzoli eretti contro il petto di lui; la mano di lui che si muoveva lungo il suo fianco verso la coscia, il corpo di lei che si preparava freneticamente all'amore.

Buon Dio, aiuto.

Fuoco dolcissimo.

Tocca a me smettere.

Gli si sottrasse con violenza e si appoggiò sulla sabbia, con la schiena voltata verso di lui nello stesso modo in cui tanto tempo prima la schiena di Hugh si era voltata verso di lei.

"Va' via, Hugh" disse a voce bassa. "Non voglio più vederti."

Udì il rumore lieve dei suoi passi svanire lungo la spiaggia.

Batté i pugni sulla sabbia.

Poi vennero le lacrime.

Liz lo attendeva sul balcone del loro appartamento all'Hilton, con accanto due lattine vuote di Pepsi e un portacenere pieno di mozziconi.

Quando le sedette di fronte lei allungò una mano per prendere la sua. La manica della vestaglia di nylon si sfilò. Forse Liz voleva che lui la rassicurasse facendo l'amore? Non gli restava più alcun desiderio, e non ve ne sarebbe stato per molto tempo.

E così, questa è la disperazione, pensò Hugh.

Libro V

"Tutto è compiuto."

Capitolo XXXV

1979

Un invito alla preghiera si diffuse al disopra della bruma del mattino che si alzava dal fiume maestoso. Sul balcone della residenza dell'ambasciatore faceva ancora piacevolmente fresco. Entro poche ore la calura avrebbe prostrato l'intera città. Per il momento Hugh Donlon, l'ambasciatore degli Stati Uniti d'America presso la Repubblica Democratica Popolare del Fiume Superiore, decise di ignorare gli odori e preferì fantasticare che i minareti e gli edifici scintillanti, il fiume e la giungla sull'altra riva, le canoe in lento movimento e la mite gente del luogo che vi viaggiava facessero tutti parte di un racconto delle Mille e una Notte.

Nelle Mille e una Notte, tuttavia, non vi sarebbero stati camion pieni di poliziotti armati di Uzi, nessuno stadio di calcio in cemento che andava in rovina, nessun microfono segreto installato dal KGB per spiare i discorsi scambiati con sua moglie al momento di andare a dormire — come invece era — e, ovviamente, nessuna ambasciata degli Stati Uniti.

Si strinse intorno al corpo il chimono leggero, se non altro perché i binocoli del KGB non scoprissero che pesava quasi sette chili più del dovuto. Il mestiere di ambasciatore aveva molto in comune con quello del viceparroco: la tua libertà d'azione era molto limitata ed eri spiato sia dai nemici che dagli amici. Era indubbio, infatti, che Royce, il suo primo segretario — un ufficiale di carriera addetto al servizio all'estero che aveva sperato nella nomina ad ambasciatore — riferiva su di lui al Dipartimento di Stato nello stesso modo in cui il residente del KGB, il quale abitava un po' più avanti sulla stessa strada, riferiva su di lui al Cremlino.

Hugh aveva accettato la nomina dal Presidente Carter perché riteneva che un periodo di servizio nella pubblica amministrazione, motivato dalla generosità se non proprio dall'idealismo, poteva forse essere un modo di espiare la propria avidità. Mentre non condivideva nessuna delle illusioni di sua moglie e dei suoi amici cattolici radicali sul Terzo Mondo, sperava fervidamente di poter contribuire in qualche modo a garantire la stabilità nell'Africa Orientale promuovendo nel frattempo cauti cambiamenti.

L'esperienza accumulata come demografo, l'argomento della sua tesi di laurea e gli investimenti fatti durante la corsa russa all'accaparramento del grano avevano fatto di lui un esperto riconosciuto di determinati aspetti dell'agricoltura internazionale. Certamente, le università erano piene di gente che ne sapeva più di lui, ma questi non avevano né il suo denaro né il suo potere nel mondo degli affari.

Era stato uno dei primi americani a pronunciarsi apertamente contro una modernizzazione troppo rapida e in favore di un'agricoltura intensiva ma non meccanizzata per i paesi in via di sviluppo. Questo era un paese in cui tale genere di agricoltura aveva dato buoni risultati per secoli. Forse sarebbe stato più saggio sostenere un tipo di economia così efficiente, invece di farla scomparire con la modernizzazione.

Avrebbe fatto ciò che poteva, per il bene di entrambi i paesi. Avrebbe espiato.

Ma l'espiazione, come la contrizione, non rende liberi. Hugh continuava a sentirsi prigioniero nella voragine che Dante aveva descritto come il settimo girone dell'inferno.

L'invito alla preghiera gli rimase nelle orecchie mentre tornava in camera da letto. Quando aveva pregato per l'ultima volta? Quando era andato in chiesa per l'ultima volta? Era così inquieto perché continuava a cercare Dio, come avrebbe sostenuto Pat Cleary? Probabile.

Forse sarebbe riuscito a guadagnarsi il perdono se avesse potuto persuadere il governo americano che il segreto per aiutare un paese meno sviluppato era quello di rafforzarne l'organizzazione in villaggi, che costituiva il nucleo della cultura indigena.

Il Capo Supremo, anch'egli un prodotto di uno dei villaggi dell'entroterra, era terrorizzato dalla sua stessa gente. Se mai avessero perso il loro superstizioso timore dei suoi poteri magici, sarebbe finito nel fiume, col corpo orrendamente mutilato, com'era accaduto ai suoi quattro predecessori.

Liz era ancora addormentata, il viso rilassato e attraente. Hugh formulò un pensiero erotico e poi abbandonò l'idea. Non aveva più importanza. Poteva costringerla a fare l'amore quando il suo desiderio si faceva impellente; anzi, come aveva scoperto a poco a poco, lei godeva a essere forzata. Ma ormai nessuno dei due provava più tenerezza per l'altro.

Liz avrebbe potuto essere una buona ambasciatrice, pensò. Ma nel caso specifico era stata un disastro. I suoi principi si erano parati fra lei e ogni minimo tentativo di avvicinarsi a qualsiasi paese e lo scoraggiamento aveva cominciato a manifestarsi sia nel suo modo di vestire che nel suo aspetto.

Aveva intrecciato un rapporto molto stretto col Nunzio Apostolico, un grasso italiano che amava lamentarsi in continuazione della politica papale. Evidentemente, il Nunzio non era un ammiratore di Giovanni Paolo, opinione condivisa da Liz che lo considerava reazionario e sciovinista. Le obiezioni del Nunzio erano di destra, non di sinistra, ma finché Liz riusciva a tenersi informata sulle nomine dei vescovi negli Stati Uniti — che disapprovava tutte — aveva la sensazione di mantenere i contatti con "la vita della Chiesa", come lei la chiamava.

Le sue lamentele si facevano sempre più stridule. In America aveva cantato le lodi del Terzo Mondo. Qui trovava ridicola l'inefficienza della gente del luogo. La condizione delle donne nel paese la lasciava sgomenta, ma ciò non le impediva di trattare il personale di servizio dell'ambasciata con estremo disprezzo. Da un lato denunziava il razzismo e dall'altro deplorava le abitudini igieniche della gente del luogo.

Se lui avesse rifiutato la nomina ad ambasciatore, oppure se avesse tentato di lasciarla a casa coi bambini, le lamentele di Liz non sarebbero state meno aspre. Lamentarsi era nella sua natura, ora era chiaro. E lo era anche nella natura dei suoi figli, che all'età di otto e sette anni erano degli scontenti cronici. Hugh ricordava quanto fosse stato vicino a suo padre a quell'età, e si sentiva colpevole di non avere lo stesso tipo di rapporto con Brian. Tuttavia, era assolutamente impossibile sentirsi vicini a un bambino di cui Liz aveva già fatto un piagnone inveterato.

Di conseguenza aveva impostato i suoi rapporti con la famiglia nell'unico modo possibile, su un insieme di tolleranza e autoritarismo. Funzionava, o per lo meno funzionava abbastanza bene. Nessuna gioia, ma dolore solo di tanto in tanto.

Uno degli incidenti più dolorosi degli ultimi anni era accaduto quando aveva accompagnato al circo Brian e Lise e i tre piccoli Wentworth, tormentato dall'affermazione di Maria che avrebbe dovuto essere più vicino ai suoi figli se voleva che loro fossero più vicini a lui. I tre piccoli irlandesi erano entusiasti e si comportarono benissimo. I suoi due, inquieti e sgradevoli, si erano lamentati perché le panche del vecchio e cadente International Amphitheater erano scomode, si erano azzuffati fra loro, si erano rimpinzati di cibo e bevande lamentandosi poi di avere mal di stomaco, e non avevano goduto nulla del divertimento del circo.

L'ostacolo, rifletté, non era più Liz. L'eccessiva protezione esercitata da lei nei loro primi anni di vita, unitamente all'indifferenza mostrata da lui, avevano eretto un muro che non si sarebbe mai infranto. Maria aveva avuto ragione a dirgli che avrebbe potuto fare molto di più quando i bambini erano piccoli. Ma non si rendeva conto che quando si è impastoiati nei propri errori non c'è modo di uscirne.

Brian voleva vedere le tigri più da vicino. Seamus Wentworth, il robusto erede Wentworth dagli occhi verdi, era sempre disponibile a tutto. Così Hugh affidò a Fionna l'incarico di sorvegliare le due bimbe più piccole durante l'intervallo e, lasciati i loro posti, condusse i due maschietti alla gabbia della tigre.

L'odore degli animali, il sapore dello zucchero filato, la sensazione della segatura sotto le scarpe gli ricordavano le avventure vissute al circo nella propria infanzia.

I due bambini guardarono intimoriti gli animali dalla morbida e liscia pelliccia striata che sonnecchiavano.

"Ma guarda quant'è grossa, 'sta bastarda" mormorò Seamus.

Come se si fosse sentita offesa, una tigre femmina fece un verso di protesta scoprendo i denti e con un balzo si avvicinò alle sbarre.

I bambini, spaventatissimi, schizzarono via.

Seamus afferrò terrorizzato il braccio di Hugh, che intanto aveva posato una mano sulla spalla di Brian per rassicurarlo.

Brian si divincolò. "Non ho bisogno del tuo aiuto."

Tornarono ai loro posti e Fionna, con gli occhi neri che danzavano di gioia, raccontò loro ciò che il clown aveva detto del suo accento irlandese.

Hugh riusciva a malapena a sentirla.

Stranamente, per gran parte del personale dell'ambasciata egli era sempre un prete; un Marine addetto al servizio di guardia gli aveva chiesto di confessarlo solo ieri l'altro, e una dirigente del servizio estero — una giovane donna molto più capace della maggior parte delle altre, profondamente legata a un intellettuale del posto — gli aveva chiesto consiglio solo una settimana prima. Si sarebbe liberata del suo amante dalla pelle scura possibilmente prima che finisse in una delle prigioni del Capo Supremo.

Tutta gente di mezz'età, grigia e malinconica. Ma poteva ancora trarre piacere dalla Cadillac dell'ambasciata, dal saluto dei Marines e da qualche occasionale viaggio sul fiume come momenti, seppure effimeri, di sollievo da quello che Fred Allen, il comico prediletto da suo padre ai vecchi tempi della radio, chiamava il tedioso cammino verso l'oblio.

I suoi affari erano un'altra faccenda; in quel campo non aveva alcun controllo.

Inoltre, le ultime notizie dall'America sul mercato dei beni di vasto consumo erano preoccupanti. Bunker Hunt, con la sua famiglia e gli amici arabi, stavano giocando sull'argento. Quindici dollari l'oncia troy era un prezzo troppo alto eppure, se Bunker e soci stavano davvero accaparrando argento, poteva salire ancora parecchio. Hugh si sentì un po' rimescolare per l'eccitazione.

Tim, probabilmente, stava cercando di approfittare della situazione e si sarebbe rovinato con ambiziosi e strambi progetti al settantacinque per cento sensati e al venticinque per cento scriteriati. Nell'ultima lettera sua madre gli aveva raccontato la mostruosità di una casa che Tim stava facendosi costruire a Oakland Beach. Stava persino progettando una piscina all'interno. Poiché il denaro proveniva dalla recente speculazione in Borsa, Tim l'aveva soprannominata "la mia piscina placcata d'argento". Peggy, invece, la chiamava "la pazzia di Tim". Sarebbe sempre stato così con lui.

Hugh aveva cessato l'attività prima ancora di prestare giuramento al Senato durante la seduta in cui era stata confermata la sua nomina; inoltre, aveva liquidato tutti i suoi interessi e dato i suoi beni in amministrazione a una società fiduciaria in cui non compariva il suo nome. Così le bizzarrie di Tim non gli sarebbero costate un soldo, anche se avrebbe potuto mandare in rovina la ditta. Ebbene, lui non sarebbe intervenuto. Non sarebbe stato etico, e in ogni caso dai suoi interventi non era mai scaturito alcun bene per Tim.

"Perché non hai chiuso la porta?" Liz aprì gli occhi. "Sai bene cosa significa cercar di rinfrescare un po' questo posto una volta che sia troppo caldo. Non riesco a capire come il governo non possa far avere alle ambasciate un impianto di aria condizionata che funzioni."

Capitolo XXXVI

1979

Maria McLain percorreva La Salle Street con lunghe e vivaci falcate, godendo sia l'aria frizzante di ottobre che gli sguardi ammirati degli uomini che incrociava. I suoi abiti costosi e la sua camminata sicura parlavano di lei come di una donna straordinaria che aveva successo nel mondo degli affari.

Lei profondeva abbastanza tempo e energie nella cura del proprio viso, del proprio corpo e del proprio abbigliamento per giustificare quel po' di vanità, una delle semplici gioie della vita, pensava, delle quali era bene godere finché si poteva.

La visita allo studio del suo avvocato era stata una faccenda piuttosto triste, un appuntamento con la propria mortalità durante il quale aveva studiato col suo legale la stesura di un testamento che provvedesse ai figli nel caso in cui le fosse accaduto qualcosa mentre erano ancora minorenni.

"Da quando sei presidente di una banca sei troppo in alto per far caso a un modestissimo operatore di Borsa?"

Maria guardò l'uomo socchiudendo gli occhi. "Inutile che mi infili gli occhiali, Timmy Donlon" disse ridendo di sé. "Che felicità vederti. Come sta la tua famiglia? Com'è il mercato dell'argento di questi tempi così agitati? E l'ambasciatore?"

"La famiglia sta bene. I miei genitori sono in Irlanda. L'argento mi diverte più del popcorn e dell'ambasciatore non ho notizie. Che effetto fa essere la più giovane presidentessa di banca di tutta la contea?"

Maria e Tim si erano incontrati di tanto in tanto alle riunioni e ai ricevimenti degli operatori finanziari. Lo spirito di Tim continuava a divertirla, quantunque i suoi occhi iniettati di sangue, i suoi abiti in disordine e i racconti dei suoi guai coniugali di cui in città erano a conoscenza la deprimessero.

"È una bella sensazione, Tim, per dirti la verità. Dimmi dell'argento di Bunker Hunt."

Un bagliore misterioso apparve lentamente negli occhi arrossati di Tim.

"Gli Hunt sono gente capace. Hanno fatto impantanare Bache e stan facendo morire di angoscia i fratelli Jarecki. Si sono comprati dodicimila contratti senza far alzare il prezzo oltre i dodici dollari. Si sono serviti pressoché di ogni azienda commissionaria del mondo, compresa la nostra, mantenendo il segreto. Ed ora si metteranno tranquilli a contemplare il prezzo che raddoppierà e forse si triplicherà prima che decidano di uscire."

"Sette o otto milioni di dollari?"

"Esatto. Vuoi entrare anche tu nell'affare?"

"La mia banca non si mette con gli Hunt. Sono scaltri, Tim, ma a quanto sento non sono molto pronti. Dovrebbero vendere a venticinque all'oncia. Eppure, sta' a vedere: non molleranno. Quelli che perdono non sono né i ribassisti né i rialzisti, ma gli avidi."

Tim si infilò le mani in tasca. Probabilmente non era tornato a casa ieri notte.

"Si muoveranno quando il prezzo arriverà a trenta. Così gli operatori avveduti venderanno allo scoperto a ventidue o giù di lì. Entro marzo il prezzo scenderà di nuovo a dieci, che è il valore reale. Sarà il trionfo dei ribassisti."

Maria sapeva che gran parte di coloro che investivano, anche gli accorti operatori della Borsa Merci di Chicago, erano rialzisti. Amavano il gioco al rialzo e detestavano quello al ribasso anche quando dava loro da guadagnare. Quando esaurivano le scorte lo facevano con un senso di colpa, come se fosse antiamericano trarre profitto da una recessione economica, particolarmente se di vasta portata. Hugh Donlon, da quanto aveva sentito, era un classico rialzista, quantunque sapesse quando abbandonare il gioco.

Suo fratello era esattamente l'opposto. Tim amava il piacere perverso di approfittare delle cattive notizie. Per sua natura era il ribassista ideale, ma probabilmente era troppo avido per mettere a frutto nel modo migliore le sue capacità naturali.

"E che cosa succede se invece non lasciano a trenta? Non si diventa miliardari abbandonando anzitempo."

Tim ammiccò. "Questo non è quanto sostiene Hugh. Ad ogni modo la Borsa Merci di Chicago e il Comex non glielo permetteranno. Aumenteranno a tal punto i versamenti a garanzia delle perdite che la cricca degli Hunt dovrà vendere prima che la quotazione raggiunga i trentacinque dollari l'oncia. Vuoi magari anche un solo contratto, intendo dire, personalmente?"

Maria scosse la testa. "I miei soldi, quel poco che ho, li investo

nel mercato finanziario. Ho un paio di ragazzi da far studiare."
"Il più grande è alla Difesa, mi pare di aver capito. Una buona cosa. Come suo padre."

Maria trasalì, come quasi sempre quando Steven veniva menzionato. Erano passati cinque anni da quando l'elicottero era sparito in una sfera infuocata durante l'evacuazione di Saigon, ma Maria continuava ad avere incubi sul disastro che la sera successiva aveva visto sullo schermo del televisore.

"È vero, gli piace, come a suo padre. E, Tim, promettimi che se sei dentro a questo affare dell'argento, prenderai le tue precauzioni."

Il ghigno di Tim si fece ancora più largo. "Ho sempre le spalle al sicuro, Maria, sempre. Non farei mai un grosso investimento se non avessi qualcosa da parte per difendermi in caso che il mercato prenda un andamento sfavorevole. Lo sai."

Maria era gelata nonostante il sole di ottobre. Tim Donlon era stato un fannullone per tutta la vita. Ora il bagliore misterioso comparso nei suoi occhi quando si erano messi a parlare del mercato dell'argento sembrava esprimere la passione di un mago folle sul punto di venire distrutto dalla propria folle magia.

"Non lasciare che ti facciano del male" disse in tono leggero.

"Ho mai permesso che mi facessero del male?" rispose lui in tono altrettanto leggero.

"E Hugh?" domandò Maria.

"Oh, lui non ha nulla a che fare con questa faccenda. Ha trasferito tutto a una società fiduciaria in cui non compare il suo nome. Nessun conflitto di interessi. Probabilmente non sarebbe stato necessario farlo. Ma sai com'è Hugh. Rispetta tutte le regole. E poi le infrange tutte. Io so che tu gli vuoi bene, Maria, ma non è nient'altro che regole. Alcune rispettate e alcune infrante."

Maria terminò la sua giornata al Loop con una visita al club ginnico femminile che era, così come lei l'aveva messa, il rifugio in cui poteva nuotare in piena città. Mentre si infilava il costume da bagno e si immergeva nella piscina pensò al testamento e a Steven. Poi, con la ferrea disciplina che aveva imparato ad imporre alle proprie emozioni dalla morte di Steven, scacciò queste fantasie morbose; ora la sua vita era dedicata ai figli. Un altro marito? Forse. Fino ad ora nessuno aveva retto il confronto con Steven, che per quindici anni aveva rappresentato tutto per lei.

Tim era un piccolo pescecane che nuotava nelle acque dei pescicani grossi. Hunt e la sua cricca erano gente che veniva da fuori, ricchi zoticoni del Texas che vestivano abiti confezionati in serie, prendevano il taxi invece di avere la limousine e quando erano a Chicago alloggiavano al Palmer House invece che al Whitehall. Ciononostante, erano i più grossi speculatori d'America nel campo dei beni di largo consumo.

Passò dallo stile libero al dorso che sembrava far bene ai muscoli della pancia.

Conosceva abbastanza bene come andavano le cose del mondo per immaginare il resto del progetto di speculazione sull'argento. Gli Hunt volevano fare incetta; non fantasticavano di riuscire ad appropriarsi di tutto l'argento del mondo ma ne avrebbero potuto controllare i due terzi. A quel punto quelli che vendevano allo scoperto, come la potente Moccata Metals e la Englehart Metals sarebbero stati costretti ad acquistare l'argento degli Hunt con perdite enormi.

Se fossero stati scaltri, gli Hunt sarebbero usciti dall'affare prima che ciò si verificasse, ma, mentre erano ricchi, decisi e sotto un certo aspetto persino astuti, non erano abbastanza avveduti ed esperti da sapere che chi deteneva il potere finanziario non avrebbe permesso loro di andarsene con tutti quei soldi. Le Borse avrebbero aumentato a dismisura le richieste di depositi a garanzia delle operazioni, gli Hunt si sarebbero improvvisamente trovati ad aver bisogno di un mucchio di denaro, il mercato dell'argento avrebbe avuto una flessione e il governo sarebbe intervenuto per costringere alcune banche a scaricarli, con grossi prestiti probabilmente a favore dello loro compagnie petrolifere. L'establishment li avrebbe prima puniti e poi salvati. La salvezza non sarebbe venuta per amore, ma per paura che il panico nel mercato dell'argento potesse trasmettersi agli altri beni trattati in Borsa e poi al mercato azionario e di qui a tutta la complessa e fragile struttura finanziaria del paese.

Tim contava sugli Hunt per realizzare un guadagno e portarselo via, come d'altronde avrebbe fatto qualsiasi speculatore con gli occhi aperti.

I potenti avrebbero protetto gli squali grossi perché appartenevano alla loro stessa cerchia. Non avrebbero salvato uno squalo piccolo come Tim, che ne era fuori.

Completate le sue cinquanta vasche Maria uscì dalla piscina e rabbrividì nell'asciugamano. Nel branco degli squali gli Hunt erano i furfanti d'alto bordo, mentre Tim era piccino e senza importanza. Inutile domandarsi chi sarebbe stato divorato vivo.

Rabbrividì di nuovo, quantunque la doccia fosse caldissima. Poi le venne in mente Corfù.

Si era resa terribilmente ridicola.

Non ha senso, Maria Angelica, continuare a ripeterti che quando si tratta di Hugh Donlon diventi una stupida. Lo sai da quando avevi sedici anni.

Maria, madre di Dio — si mise a pregare come spesso faceva sotto la doccia — non permettere che qualcuno dei Donlon resti irretito coi pescicani.

Il giudice Donlon mise da parte le bozze del suo libro su misticismo e diritto nel Medioevo. Al correttore della Cornell University Press erano sfuggiti tre errori di stampa nelle prime cento pagine. Prima di diventare "giudice anziano" — in pensione, ma non completamente, in quanto continuava a prender parte di tanto in tanto a qualche riunione di esperti — aveva prestato ben poca attenzione agli errori di battitura delle segretarie. Ora che lavorava per soddisfare il proprio orgoglio e per il proprio piacere, tuttavia, esigeva la perfezione. Vecchio rimbecillito.

Peggy stava discutendo della sua prossima mostra con Padre Waldek Bronowski, il giovane esperto d'arte dell'arcidiocesi.

"Sono degli acquerelli meravigliosi, signora Donlon," diceva il prete dal viso rotondo e dalla corporatura bassa e tozza "da cui traspaiono vitalità e tensione erotica — corpi bellissimi elegantemente atteggiati — e questi colori pastello incredibilmente morbidi accrescono la grazia delle scene."

"Spero solo che non siano peccaminosi, Waldek" mormorò lei versandogli un secondo bicchiere di sherry. Ora Peg serviva sherry in casa sua e chiamava i preti più giovani col nome di battesimo.

Il sacerdote fece una risatina contenuta — era contenuto e urbano in tutti i suoi atteggiamenti. "Quelli che vogliono vedere oscenità possono comprarsi *Playboy* o *Penthouse*. Quelli che vengono ad ammirare le sue opere resteranno impressionati piuttosto dalla purezza della forma umana."

"Io non so da dove mi vengano queste immagini." Peg si infilò gli occhiali per riconsiderare i propri acquerelli più attentamente e criticamente.

Waldek agitò le mani come se stesse impartendo la benedizione papale. "Vengono dalle sue esperienze carnali benedette dalla grazia di Dio, signora Donlon. Da dove viene la visione del corpo di ogni artista? Queste immagini le fanno grande onore."

Tom Donlon si trattenne dal ridere con una certa difficoltà. Il giovane prete confermava i peggiori timori di Peg dicendole che la sua sessualità si rivelava nei colori che esprimevano tensione ed estasi e poi aggiungendo che da essi traspariva una grande virtù. Finalmente Peg aveva trovato un prete che rispondeva ai suoi ansiosi interrogativi, pur senza rendersi conto che lei stava ponendo interrogativi.

A sessantaquattro anni Peg era così bella che quando compariva in pubblico uomini e donne si voltavano per ammirarla. Tom l'amava come l'aveva sempre amata, forse ancor di più. E la loro vita sessuale, ora apertamente celebrata nella pittura di lei, era fonte di un piacere ancor più intenso di quanto non lo fosse mai stata.

Peg aveva superato la prova del tempo, dei cambiamenti, del dolore più profondo e di una Chiesa rivoluzionaria meglio della maggiore parte dei suoi coetanei. Continuava a portare il rosario di perle, tuttavia ora distribuiva la Santa Comunione durante la Messa.

Il terribile dolore lacerante che lei e Tom si erano inflitti l'un l'altro al tempo del matrimonio di Hugh non era stato dimenticato, ma nemmeno veniva menzionato. Mai una volta Peg aveva assunto l'atteggiamento del "l'avevo detto, io", a proposito di Liz.

Peggy avrebbe sempre avuto l'impressione che l'ostilità delle sue due nuore e il disamore dei bambini dei suoi due figli maschi fosse una punizione di Dio. "È così difficile abbandonare la concezione teologica della punizione, all'apparenza veritiera" aveva detto Waldek una delle volte precedenti. I piccoli Wentworth, d'altra parte, l'adoravano e le facevano visita spesso, ma Killarney era così distante da Chicago. Anche quella distanza fisica talvolta le appariva come una punizione.

Ciononostante, Peggy era desiderosa di esibire le vaghe cosce e natiche, braccia e gambe, seni e gole che popolavano i suoi acquerelli. Dio poteva sempre punirla, ma avrebbe potuto adirarsi ancora di più contro di lei se avesse continuato a tenerli celati. Come Padre Waldek aveva una volta accennato con delicatezza, Dio avrebbe potuto dispiacersi che lei nascondese quel talento che Lui le aveva elargito.

"... quindi, non posso prendere impegni per il cardinale." Il prete accennò a un sorriso. "Non lo può fare nemmeno il segretario addetto agli appuntamenti. Ma può essere certa che visiterà la galleria e se è possibile sarà presente all'inaugurazione."

"Una cara persona ma, poveretto, è così occupato" protestò Peg.

"Lei gli è molto cara, signora Donlon" affermò il sacerdote in tono distaccato.

"Non riesco a immaginarmi il perché" osservò il giudice, non più capace di dissimulare l'ilarità.

"Nemmeno io, davvero" convenne Peg, ridendo e arrossendo allo stesso tempo.

"Fra tre anni festeggeremo le nozze d'oro, Padre" disse il giudice, non poi così a sproposito, mentre il sacerdote stava congedandosi.

Un momento dopo Peg lo abbracciava e si stringeva contro di lui, che trovò la sensazione altrettanto piacevole di quando l'aveva stretto per la prima volta sul retro del Red Barn, a Twin Lakes.

"Non meritiamo una simile felicità" disse lei attraverso le lacrime.

"Godiamocela ugualmente."

Lei fremette nel suo abbraccio. "Oh, Tommy, ho una sensazione spaventosa..."

"Quale?" Lui le aveva nascosto il viso fra i capelli e l'ascoltava appena.

"Da giorni ho la sensazione che stia per accadere qualcosa di terribile."

"Non succederà nulla di terribile, Peg, finché tu avrai me e io avrò te." Ma nei recessi più oscuri della propria anima Tom Donlon temeva che lei avesse ragione.

Capitolo XXXVII

1979

"E così, tratti argento allo scoperto? Rischioso. Hugh lo sa?" Ben Fowler aggrottò le sopracciglia sgradevolmente. "Credi che risponderò a una domanda simile? Credi che ti dica, sì, ci telefoniamo tutti i giorni? Credi che dica che sto davvero investendo i suoi soldi perché lui, finché lavora per il governo, non può farlo personalmente?"

Ben posò lo sguardo sulle luci lampeggianti del tabellone delle quotazioni fuori dell'ufficio di Tim. "Non dici sul serio, ovviamente." La sua pelle era abbronzata, ma non appariva sano. L'abbronzatura non riusciva a nascondere il suo pallore come il trucco non nasconde la bianchezza di un cadavere.

Tim agitò la mano con aria noncurante. L'argento era salito di un altro mezzo dollaro all'oncia. Il salone su cui il suo ufficio si affacciava pulsava di attività frenetica. "Non molto" disse.

Fowler annuì gravemente. "Capisco."

Il Capo Supremo ricordava a Hugh suo fratello. La stessa corporatura minuta e scarna, lo stesso ghigno permanentemente dipinto sul viso, lo stesso sguardo furtivo, la stessa passione per l'inganno e per il rischio. Più pazzo di Tim, questo era certo, e infinitamente più pericoloso, ma fondamentalmente lo stesso tipo.

Il negro accarezzò il machete col quale si diceva che mutilasse i suoi nemici. "È estremamente spiacevole che le forze di polizia locali abbiano trovato dei motivi per mettere posti di blocco vicino al villaggio di mir Hassun" disse con una sguardo vago. Anche lui drogato? Probabile. O dai russi o dai cinesi.

"Sono certo che hanno i loro motivi, Eccelso" rispose Hugh. "Tuttavia, come lei sa, noi siamo interessati a quel villaggio. Ci era sembrato il posto in cui il nostro piano comune per un'agricoltura intensiva non meccanizzata avrebbe avuto le maggiori probabilità di successo, un risultato che avrebbe fatto piacere a tutti."

Il capo agitò il coltello e sorrise. "Quest'anno nessuna meccanizzazione, il prossimo anno di nuovo i trattori. Che differenza fa, signor Ambasciatore? L'importante è che i nostri popoli siano uniti nella resistenza al comunismo."

Probabilmente, una visione della politica estera americana più realistica della mia, pensò Hugh tristemente. "Anche noi siamo preoccupati per il nostro personale a mir Hassun. Da una settimana non riusciamo a comunicare."

"L'adorabile signorina Kincaid?" Le carezze al coltello si fecero più tenere.

Hugh annuì. Laura Kincaid prestava servizio volontario nel Corpo di Pace, nello stesso paese a cui lui era stato assegnato. L'angosciosa telefonata che aveva ricevuto il giorno precedente da Hank e Jean continuava a ossessionarlo.

"Non c'è nulla da preoccuparsi." Il Capo mise da parte il coltello. "La signorina Kincaid sta bene. Questo è un paese civile. La polizia toglierà i posti di blocco fra un paio di giorni. E allora lei potrà tornare." Si alzò dalla sedia con maestosa lentezza, come un ricco capotribù che si alza da un trono d'avorio, per indicare che l'udienza era terminata.

Hugh se ne andò rassicurato solo in minima parte. Stava imparando, come il personale di Teheran aveva scoperto, che servire gli Stati Uniti all'estero poteva essere rischioso, specialmente se tirava aria di rivoluzione. Avrebbe voluto essere di nuovo a Chicago, nel recinto dell'argento.

Tim si appoggiò comodamente allo schienale della sua sedia spaziosa. Per brevissimo tempo, il mercato aveva segnato il passo a ventidue. Fuori cadeva la neve. La Salle Street aveva assunto il suo aspetto prenatalizio scintillante ma un po' cinico. Fra Natale e Capodanno il prezzo dell'argento sarebbe di nuovo salito vertiginosamente, forse di un dollaro al giorno. Appena dopo il Capodanno gli Hunt si sarebbero disfatti di tutto, ed entro marzo o addirittura febbraio il prezzo sarebbe tornato a meno di quindici dollari. Gli amministratori della Borsa Merci stavano già brontolando che la Borsa era più importante di Bunker Hunt, e che bisognava aumentare i fondi a garanzia delle operazioni. Les Rosenthal, il presidente, era più scaltro e più duro del clan Hunt. Li avrebbe costretti a metter fine a quella vertiginosa salita di prezzo.

E così, adesso era il momento di fare la sua mossa.

Uscì dal suo ufficio e si avviò verso la scrivania di Norma Austin, una dei vicepresidenti della ditta e sua prima assistente, nonché amante occasionale.

"Mettiti in moto per il nostro miglior contratto di Borsa, Norma. Per me personalmente... cento contratti per l'argento di aprile, distribuiti fra ventuno e cinquanta l'oncia e ventitré e cinquanta."

L'alta, elegante brunetta trattenne il fiato. "Fa quasi quattro milioni di dollari, signor Donlon."

Era il signor Donlon dovunque, eccetto che a letto.

Tim sorrise felice. "Dacci sotto."

"Acquistare cento contratti." Norma prese diligentemente nota mentre Tim stava voltandosi per andarsene.

"No." Tim sorrise beato. "Vendere!"

Maria McLain percorreva l'elegante Near North Side Gallery in Oak Street, a due passi da Rush Street, come se fosse stata nella cattedrale per la Messa solenne. Peggy Donlon era una donna speciale, di quello era sempre stata certa; ma questi dipinti erano superbi.

Dio, ho la stessa età che aveva lei quando ero loro ospite al lago Geneva, pensò.

Ordinariamente Maria evitava i Donlon anziani, quantunque frequentassero gli stessi ambienti. Li vedeva occasionalmente a Butterfield dove, cedendo, alla fine si era iscritta al club, più che altro per vedere i suoi genitori che attraversavano la sala da pranzo raggianti di piacere come una distinta coppia di duchi che faceva il proprio ingresso nel nuovo palazzo dell'imperatrice loro figlia.

Nei confronti dei Donlon continuava a provare sentimenti opposti: amava il loro potere e il loro fascino ma il caos che vedeva nelle loro vite non la convinceva. Inoltre, non voleva che le si ricordasse Hugh. Maria aveva amato solo due uomini nella sua vita. Uno era morto, che riposi nella pace di Dio, e l'altro era sposato con quella donna acida e stupida.

Le labbra le si serrarono per l'ira, e poi rise di sé. La solitudine la faceva pensare spesso alle due settimane al lago Geneva, un magico ricordo della sua vita, prima che il mondo diventasse complicato. Sarebbe stato possibile ricuperare parte della gioia giovanile del primo amore?

Ovviamente, no. Sei un'adulta, Maria Angelica. Doveva cacciar via Hugh Donlon dal suo intimo. Era ora di sposarsi di nuovo. Cinque anni di vedovanza erano sufficienti. Tuttavia, come aveva detto a suo figlio Eddie quando aveva fatto la medesima considerazione, non ci si sposa perché si ha bisogno di un marito e nemmeno perché lo si vuole, ma perché non si riesce a fare a meno di quell'uomo in particolare.

Ma un uomo simile non era ancora comparso, quantunque i

pretendenti non le fossero mancati. Forse non sarebbe comparso mai.

E se Hugh Donlon avesse chiesto l'annullamento del matrimonio con Liz? Sarebbe stata interessata?

Dannazione, sì. E pensieri simili non dovrebbero nemmeno sfiorarti la mente.

Ci pensò ugualmente.

Peggy stava parlando con un prete alto, di mezz'età, molto attraente, di fronte a un dipinto in cui Maria ravvisò la propria immagine.

Prese Ed per il braccio e lo trascinò verso il quadro.

Quando fu vicinissima al quadro, Ed le tirò una manica.

"Mamma, non penso..."

"Non sono io, Ed. Non sono mai stata così bella."

"Io non..."

"Peggy Curtin Donlon, quel dipinto mi ricorda una ragazza che conoscevo tanto tempo fa. Peccato e vergogna."

Peggy l'abbracciò con lacrime di gratitudine. "Maria, tesoro, sono così contenta che tu sia potuta venire. Non ti vediamo quasi mai. Il quadro non raffigura nessuno. Padre Waldek afferma che dipingo basandomi sui miei ricordi. Sono certa di avere dei ricordi di te, ma non intendevo..."

"Lo compro" disse Maria entusiasta. "E dirò a tutti che sono io, anche se non è vero."

"Forse dovrei dipingere dal vivo" disse Peg pensierosa. "Tommy ti dirà che infatti ero io quella che voleva andare allo spettacolo di Sally Rand alla Fiera Mondiale..."

"Mi piace davvero..."

"Meraviglioso, Maria, ma io insisto per regalartelo."

Maria fu sul punto di protestare, ma poi abbandonò l'idea. Non c'era modo di avere la meglio su Peggy. "Peg, questo è mio figlio Eddie."

"Rassomigli moltissimo al nonno," disse Peg "e questo è un complimento, giovanotto... suppongo che entrambi conosciate il Cardinale Cronin?"

"Sì" disse Ed impacciato.

Maria si sentì arrossire. "Come sta, Eminenza? Non mi aspettavo..."

Sean Cronin era una persona davvero affascinante. "Io penso proprio che il dipinto le rassomigli, signora McLain. E se mi chiama ancora Eminenza, la carriera di suo figlio al seminario è finita."

Per una volta, Maria si trovò senza parole.

Capitolo XXXVIII

1980

Natale era passato. Era l'inizio di gennaio e il gruppo di Laura Kincaid continuava a essere isolato nell'entroterra del paese. Poco prima di Natale era arrivato un messaggio, un biglietto scritto frettolosamente in cui si diceva che erano tutti salvi e che presto tutto sarebbe finito. Se non altro, Henry e Jean sapevano che la loro adorata Laura era sempre viva.

L'ambasciatore e la sua famiglia stavano cenando. Lise si lamentava perché Brian l'aveva picchiata, e Brian si lamentava perché avevano avuto una discussione sull'aborto — lui era rimasto scosso dal fatto che una devota madre cattolica approvasse l'assassinio.

Royce entrò nella sala da pranzo dopo aver bussato con discrezione, come sempre.

"Il Ministro dell'Interno ha chiamato per dire che se domani mandiamo una barca potremo riportare indietro il gruppo di mir Hassun. Io dovrò partire domattina, comunque, e Lei dovrà guidare la spedizione. A me pare strano."

"Royce, abbiamo a che fare con un pazzo; certo che guiderò la spedizione." La responsabilità di quella gente era sua. "Provvedi all'organizzazione."

Venerdì 11 gennaio, all'una e trentacinque, l'argento di aprile chiuse a trentaquattro e mezzo. In India si fondevano preziosi cimeli di famiglia. A New York i ladri portavano il bottino direttamente ai mercati dell'argento. A Chicago chi trattava argenteria di seconda mano faceva affari d'oro. I dentisti giunsero a togliere otturazioni d'argento sostituendole con altro di materiale acrilico.

Gli avidi Hunt stavano suicidandosi. Disgraziatamente, pensò Tim, stanno uccidendo anche me.

"I suoi fondi non sono sufficienti a soddisfare le richieste del Comitato di Compensazione lunedì mattina." Norma era pallida e impaurita. Tim stava stancandosene, quantunque questo non fosse un momento propizio per metter fine alla loro relazione. "Domani mattina alle otto e mezza la Continental Bank glielo comunicherà, e per noi saranno guai grossi."

"Nessun problema." Non c'era davvero nessun problema, perché Tim aveva ancora un mucchio di difese. "Trasferisci i fondi dai conti separati."

"Il denaro dei clienti?"

"Lunedì a quest'ora non ci sarà nessun problema. Ma non dirlo a nessuno."

Norma esitò e poi, accennando appena a un'alzata di spalle, si voltò verso il terminale del computer per fare il trasferimento. Tim Donlon era contento che Hugh fosse tranquillamente ai tropici.

La giungla odorava di fiori dolciastri e di corpi in decomposizione. Hugh, Liz — che aveva insistito per accompagnarlo — il terzo segretario — un giovane innocuo e inutile che proveniva da un centro di formazione per insegnanti dell'Arkansas — due autisti e i cinque componenti del gruppo di mir Hassun procedevano sobbalzando per sentieri segnati da solchi profondi verso la relativa salvezza del fiume, sentieri che una volta portavano alle miniere d'argento, abbandonate da tempo, oltre mir Hassun.

Dopo sei settimane di isolamento e tre finte esecuzioni inscenate con gran cura di dettagli, i componenti del gruppo erano abbattuti e nervosi. Le "forze ribelli" avevano spazzato via le nuove fattorie ch'essi avevano impiantato, terrorizzato gli abitanti dei villaggi che avevano cooperato e tenuto il gruppo nel terrore ogni giorno della prigionia, pur senza infliggere loro alcun danno fisico. Everson, il capo, era sfinito dalla febbre e ora Laura Kincaid, il membro più giovane, in pratica aveva assunto il comando. Smagrita e stanca, ma sempre bella, Laura aveva accolto la squadra di soccorso con la sicurezza di una regina guerriera.

Gli uccelli emettevano alte grida di protesta e gli animali non cessavano di agitarsi al loro passaggio lungo la tortuosa via verso il fiume. Ancora un anno e la foresta avrebbe cancellato ogni traccia del sentiero. Non vi sarebbero stati altri esperimenti agricoli a mir Hassun; il messaggio del Capo Supremo era chiaro e netto.

"I soldati ribelli appartenevano all'esercito del Capo?" domandò Hugh a Laura, che sedeva accanto a lui nella jeep.

"Uniformi da combattimento e berretti di colore diverso" rispose lei scuotendo la testa con aria affaticata. "E avevano armi russe. Ma erano ai suoi ordini, altrimenti saremmo già morti."

Hugh si rilassò un pochino. Se il Capo indulgeva a qualche

giochetto coi suoi alleati americani, allora erano al sicuro nella giungla. Il gruppo che stava giocando a rimpiattino lungo il sentiero alle loro spalle, in realtà li seguiva per proteggerli e per accertarsi che la rappresentazione giungesse all'epilogo prescritto. Dopo parecchie altre giravolte, finalmente raggiunsero il fiume e trovarono la loro lancia ancora ben legata al molo cadente. Dio sia ringraziato.

Appena scesi dalla jeep, mentre si affrettavano verso la lancia, un vecchio camion si avvicinò sobbalzando lungo il sentiero e si fermò immediatamente dietro di loro. Ne uscì una dozzina di soldati di colore armati di fucili e pistole automatiche, che li circondarono.

Il Capo Supremo aveva cambiato copione, alla fine.

Uno dei soldati sferrò un pugno nello stomaco a Hugh mentre un altro lo colpiva alla testa col calcio del fucile. Mentre barcollava all'indietro Hugh percepì odore di alcol. Pensò a tutte le cose che i soldati ubriachi facevano ai prigionieri bianchi, e particolarmente alle donne, in questa parte del mondo.

E per la prima volta in vita sua rimase impietrito dalla paura.

Per prima cosa i soldati percossero gli uomini e li legarono agli alberi. Poi fu la volta delle donne, che tennero contro un albero sotto la minaccia della baionetta finché tutti i soldati furono pronti. Il sottufficiale di turno abbaiò un ordine in un dialetto che Hugh non capiva, in seguito al quale parecchi degli uomini si gettarono su Liz e Laura strappando loro i vestiti. La stoffa più resistente venne tagliata con le baionette. Nude e terrorizzate, le due donne vennero spinte da soldato a soldato, e ricevettero pacche, carezze, pizzichi e strette violente. Quando cercarono di resistere vennero picchiate, ma solo quel tanto che bastava a riportarle alla passività. Dita nere malmenarono la loro carne bianca, divertendosi, indugiando, prolungando quanto più possibile il loro piacere e il dolore e l'umiliazione delle donne. Tortura come preliminare erotogeno, a quanto pareva.

Hugh assisté alla scena come in un incubo. Questo era il Terzo Mondo di Liz. Sperava che ne fosse soddisfatta.

Il diciotto di gennaio, dopo la chiusura delle contrattazioni alla Borsa Merci di Chicago, Tim Donlon sedette alla propria scrivania come congelato. L'argento aveva chiuso a quaranta dollari e cinquanta l'oncia, con un aumento di diciotto dollari rispetto alla sua vendita di un mese prima, un aumento, quindi, di novantamila dollari a contratto. Chi aveva comprato a quel prezzo aveva realizzato profitti enormi; chi aveva venduto allo scoperto aveva sofferto una perdita gigantesca.

Tim era uno di quelli che avevano perso — più di nove milioni di dollari. Non gli restava un centesimo. Il Comitato di Compensazione gli avrebbe richiesto il pagamento il mattino successivo, e lui non sarebbe stato in grado. Entro le nove e mezza avrebbero avuto intorno revisori dei conti innervositi e impauriti da uno scandalo capace di scuotere la BMC fino alle fondamenta. Avrebbero scoperto che aveva usato il denaro dei clienti per quasi cinque milioni di dollari. Prima di mezzogiorno avrebbero fatto intervenire un mediatore di Borsa il quale avrebbe liquidato i suoi contratti, e la ditta sarebbe stata spazzata via. La Donlon, Fowler e Donlon non sarebbe più esistita. I clienti avrebbero avuto la sua pelle e Hugh sarebbe tornato a casa per pagare i debiti con le sue risorse personali.

"Ancora un giorno, solo un giorno, e il mercato crollerà" disse sconsolato a Norma.

"Non puoi farti prestare il denaro da tua moglie?"

"Stai scherzando? Abbiamo immobilizzato una fortuna con la casa nuova. Abbiamo persino le maniglie delle porte placcate d'oro — o d'argento, comunque." Rise come se avesse appena detto qualcosa di terribilmente spiritoso. Era stanco di Norma, ma avrebbe avuto bisogno di lei in futuro, specialmente se la Commissione per le Operazioni a termine avesse incominciato a parlare di incriminazione. Ordinariamente, quando i clienti riuscivano a ricuperare il proprio denaro, la Commissione si accontentava di infliggere una sospensione, ma non si poteva mai essere certi.

Tim era spaventato. Aveva pensato di ricorrere alla sua difesa estrema, un'elegante e ironica protezione contro il disastro presente. Ma la sua difesa estrema era economicamente insufficiente a coprire la richiesta di fondi a garanzia delle operazioni. Il denaro si sarebbe esaurito in pochi giorni e a lui non sarebbe rimasto nulla.

E se gli fosse accaduto qualcosa? Tim si soffermò un attimo a pensare. Si girò verso la macchina da scrivere e iniziò a stendere una dichiarazione:

Io, Timothy Donlon, dichiaro con la presente che mio fratello, Hugh Donlon, non ha mai preso parte alle attività della nostra agenzia d'investimenti durante il periodo in cui ha servito come ambasciatore, che durante tale periodo non ha mai discusso con me i nostri contratti sull'argomento, che non è stato col suo denaro che ho acquistato metà di tali contratti, e che durante tale periodo egli non mi ha mai consigliato di cessare di tener separati i conti dei clienti per far fronte al pagamento dei depositi a garanzia dei contratti. Dichiaro altresì di aver persuaso Benedict Fowler e

Norma Austin a credere esattamente l'opposto. Non mi scuso con nessuno.

Ciononostante, rilascio il presente affidavit, che Norma Austin provvederà a far legalizzare dal notaio, nel caso in cui mi accada qualcosa prima che l'inchiesta sia conclusa. Non rivelerò il luogo in cui si trova la mia ultima risorsa contro l'attuale andamento del mercato dell'argento poiché intendo servirmene per un onorevole collocamento a riposo.

I "ribelli" si godevano i loro giochi con le due donne, giochi che, rispetto alle consuetudini della soldataglia locale, si potevano quasi definire moderati. Quando le mettevano le mani addosso e la malmenavano Liz urlava istericamente; Laura digrignava i denti e gridava solo quando le facevano male.

Il peggiore dei loro tormenti non era ancora cominciato. E avrebbe potuto anche non cominciare affatto. Hugh era distaccato e scettico. Le percosse inflitte agli uomini del gruppo erano state una finzione. Le donne erano state degradate e umiliate, ma non avevano subito danni fisici gravi. Hugh tornò alla sua prima spiegazione: si trattava di una farsa inscenata dal Capo, un trucco disgustoso.

In caso contrario, avrebbero potuto morire. Hugh non voleva morire, anche se non avrebbe saputo dire con certezza il perché. La sua vita era così inutile: prete fallito, marito fallito, padre fallito, fallito anche come essere umano. Dio l'avrebbe mai perdonato? Esisteva un Dio? Lui aveva cercato di fare del proprio meglio... cosa su cui Maria aveva trovato da ridire. Fare, fare, fare, aveva detto. Che altro c'era?

Il sottufficiale diede un altro ordine.

Hugh cercò nel proprio intimo il coraggio e la forza di fare qualcosa. Avrebbe dovuto essere in grado di reagire. Passivo fatalismo, distaccata disperazione, questo non era da lui. Non trovò nulla.

Dio buono, salvaci.

Le due donne erano stese al suolo, trattenute dai soldati per mani e piedi, la punta della baionetta alla gola. Il sottufficiale avanzò con aria spavalda e si fermò sopra di loro, come cercando di decidere quale avrebbe goduta per prima.

Indicò Liz. I soldati che la trattenevano per i piedi le divaricarono le gambe con uno strattone. Il sottufficiale si slacciò il cinturone delle munizioni, abbassò i pantaloni e si inginocchiò fra le sue gambe. Liz urlò tentando di divincolarsi. La baionetta le punse la gola. Un rivolo di sangue le rigò il collo.

Un altro soldato si inginocchiò davanti a Laura.

"Dammi l'assoluzione, Hugh, per favore" urlò lei.

Strano che pensasse a Dio in un momento simile. Dio? Non c'era nessun Dio. Come poteva esserci?

"Per favore" Laura urlò di nuovo.

Un soldato la colpì ai seni col calcio del fucile.

Hugh pronunciò la formula. "Ti assolvo dai tuoi peccati, in nome del Padre e del Figlio e dello Spirito Santo." Un altro soldato lo colpì allo stomaco. Hugh vomitò.

A quel punto, a bordo di una potente lancia comparvero i gendarmi del Capo Supremo, esattamente — Hugh si rese conto — al momento prestabilito.

Hugh era pieno di vergogna per il terrore e la disperazione provati. Non avrebbe dovuto essere così ingenuo.

Il capitano dei gendarmi, un giovane intelligente e prestante, lo informò che i prigionieri "ribelli" sarebbero stati giustiziati. Fece un cenno al suo luogotenente e i prigionieri legati vennero allontanati a passo di marcia verso la giungla, sotto la sorveglianza di un paio di possenti gendarmi armati di Uzi. Laura, Everson e il ragazzo dell'Arkansas stavano vomitando. Liz giaceva svenuta nella lancia dell'ambasciata.

"Permettetemi di vederli morire" disse Hugh. "Hanno torturato mia moglie. Voglio vederli morire."

"Abbiamo evitato lo stupro" ribatté l'ufficiale sulla difensiva. "Non è consentito assistere all'esecuzione dei ribelli."

Mentre si avviavano verso la lancia udirono urla raccapriccianti provenienti dalla giungla, seguite dal crepitio mortale degli Uzi. Poi silenzio.

"Gli uomini che vi hanno feriti e umiliati hanno avuto ciò che spettava loro" annunciò il capitano solennemente. "Sono morti come cani. A nome del Capo Supremo, vi porgo le mie scuse."

"Fesserie" disse Hugh, certo che i rebelli stavano tornando a casa, pronti a ripetere la scena in un'altra occasione. "Fateci vedere i corpi."

"Non è consentito vedere i corpi" rispose il capitano.

Una sciarada, un trucco ingegnoso inscenato da un pazzo che credeva di essere Dio. L'Eccelso aveva preparato un copione che aveva divertito lui, gli aveva guadagnato l'apprezzamento delle sue forze di polizia e aveva inviato al governo americano un messaggio quanto mai persuasivo. Era una vicenda completamente fuori della realtà. Nient'altro che un film dell'orrore ad uso di uno sparuto gruppo di bianchi atterriti.

Capitolo XXXIX

1980

Harold Marks, il funzionario della Commissione per le Operazioni a termine che si occupava della Donlon, Fowler e Donlon arrivò nell'ufficio di Tim appena dopo i revisori dei conti. Fuori, nel salone, non era ancora scoppiato il panico; i mediatori e gli incaricati delle ricerche, le segretarie e gli addetti alle telescriventi, gli impiegati e i portaordini non avevano ancora capito quanto stava succedendo e che cosa tutto ciò avrebbe significato per loro.

"Questo è il signor James McConnell della Procura degli Stati Uniti, signor Donlon," disse Marks con tranquilla deferenza "e questi sono gli agenti speciali Scott e Harrison della Polizia Federale."

"Prego, accomodatevi" disse Tim cordialmente. "Qualcuno desidera del caffè?"

McConnell era un uomo asciutto e robusto dai capelli sottili, penetranti occhi marrone, il tono nasale caratteristico del Dakota. "Forse lei vorrà che sia presente il suo avvocato, signor Donlon, fin da questo stadio preliminare" disse.

"Il signor Gallagher sta per arrivare" disse Tim allegramente. "Ovviamente, mi dispiace per ciò che è accaduto, ma posso assicurarvi che la società rifonderà prontamente gli ammanchi di tutti i clienti."

"E allora perché il denaro della società non è stato usato per far fronte alle richieste di copertura?" domandò Marks con diffidenza.

"Problemi di comunicazione" rispose Tim disinvoltamente. "Come lei sa, mio fratello è ambasciatore, e non si occupa più attivamente della ditta. Egli mi ha consigliato di procedere in questo modo nel caso in cui si fosse presentata una grave situazione, con l'intesa che lui avrebbe provveduto alla copertura. Preferisce restare dietro le quinte finché presta servizio all'estero."

"Lei operava col denaro di suo fratello agendo secondo le sue istruzioni?" La voce di McConnell era ancora più sommessa.

Tim era esilarato dal proprio potere. "Non posso fare commenti al riguardo."

"E suo fratello" continuò "era d'accordo sul fatto di servirsi dei fondi dei clienti per far fronte alle richieste del Comitato di compensazione?"

"Non posso fare commenti nemmeno su questo" disse Tim.

"Le ha telefonato dall'ambasciata?"

"No, ovviamente" rispose Tim come se una simile possibilità fosse un insulto all'intelligenza di Hugh. "Non ho idea di dove abbia chiamato."

"Molto interessante. Immagino che non vi siano testimoni di questi accordi."

"Non vedo la differenza, vero, signor Marks? I rimborsi saranno effettuati non appena rintraccerò mio fratello. È su per qualche fiume dell'Africa nera."

"Potrebbe essere in una situazione ancor peggiore" commentò Marks a denti stretti.

"E così non c'erano testimoni?" indagò McConnell.

"Beh, se è così, certo che ce n'erano," rispose Tim ansioso di rendersi utile e di cooperare "quantunque non capisca perché si debba farla così grossa. Il signor Benedict Fowler, socio da tempo, ha preso parte alla colazione di lavoro durante la quale sono stati presi gli accordi prima della partenza di Hugh per l'estero. Egli, inoltre, gli ha parlato al telefono l'ultima volta che è stato qui. E la signorina Norma Austin, il nostro vicepresidente, ha preso parte a molte delle nostre conversazioni telefoniche. Io continuo a non capire quale sia il problema."

"Il problema, signor Donlon" — McConnell pareva uno sceriffo nell'atto di dare un ordine di impiccagione — "è che un dipendente del governo federale sembra aver partecipato al furto di cinque milioni di dollari — come minimo — di proprietà di clienti, e per di più aver forse violato le disposizioni sul conflitto di interessi. Anche se il denaro fosse restituito, la legge è stata ugualmente violata. Vi sono miniere d'argento in quel paese, se ben ricordo. Forse lei non se ne renderà conto, signor Donlon, ma il governo degli Stati Uniti non ama che le sue leggi siano infrante, specialmente da parte dei suoi dipendenti."

Povero Hugh, pensò Tim. Era bell'e fottuto.

Hugh e Laura sedevano nell'ufficio dell'ambasciatore. La giovane si era ripresa dalla sua durissima prova con notevole rapidità, mentre lo stomaco e le spalle di Hugh erano ancora dolenti, a ricordare che quando il Capo Supremo era in vena di giocare giocava duro.

"Ci mancherai," disse Hugh "ma indubbiamente sono contento che tu te ne vada. A casa avrai il tempo per decidere se davvero vuoi guadagnarti da vivere in questi posti."

"Ho già preso la mia decisione" disse lei senza esitare, con un sorriso radioso sul viso immacolato.

"Un uomo fortunato?" Quella radiosità non poteva significare che amore.

"Un fortunato c'è. Avevo quasi preso una decisione due mesi fa. Poi ho raggiunto la certezza assoluta durante il periodo in cui ci hanno tenuti prigionieri al villaggio. È importante per me, Hugh, che tu capisca." Sorrise di nuovo. "E desidero che tu sappia" riprese "che quanto è accaduto l'altro ieri non ha influito sulla mia decisione."

"Sono contento che tu mi consideri importante, Laura, ma chi è il fortunato?"

"Dio."

"Chi?"

"Voglio entrare nell'Ordine delle Clarisse. Il monastero di Chicago, così sarò vicina alla tua famiglia. Sono più di manica larga riguardo alle visite. Spero che qualche volta verrai a trovarmi."

Il fiume, che si intravedeva fuori della finestra dell'ufficio dell'ambasciatore, scorreva maestoso e indifferente.

"Perché?" fu tutto ciò che Hugh riuscì a dire.

"Qual è il perché di ogni amore, Hugh? Fin da quando ero piccina ho saputo che qualcuno mi ama e vuole me in particolare. Non so perché Egli voglia proprio me. Sono perfettamente felice nel mondo. Non sto prendendo una decisione affrettata, te lo assicuro. Lui non insiste. Non fa pressioni. Si limita ad attendere. Se io dicessi di no, non mi amerebbe di meno. Il fatto è che non voglio dire di no." Lo baciò sulla fronte, nello stesso modo in cui egli, una volta, aveva baciato sua madre.

Quando lei uscì dalla stanza, Hugh si sentì vecchissimo.

Il Procuratore Distrettuale dell'Illinois guardò James McConnell con un disgusto che sperava fosse evidente.

"Non riesco a capire, James. Finora non abbiamo mai trascinato in tribunale un operatore di Borsa. Quella gente ha le sue regole e i suoi giochi. I clienti ricuperano il loro denaro e il governo non ne spreca in un processo. Potranno esserci gli estremi per una causa civile, ma non riesco a capire il perché di un'azione penale."

"Sono stati rubati cinque milioni di dollari, signore. Non è una bazzecola."

"È stato davvero un furto, James? Un ritocco dei dati di un computer per qualche giorno con la consapevolezza che in un modo o nell'altro si sarebbe trovato il denaro per tornare indietro? Solo una questione tecnica."

"Ma c'è di mezzo un funzionario del governo."

"I tuoi due testimoni non sono del tutto degni di fiducia. Quella Austin si faceva sbattere da Tim Donlon, che è un individuo ripugnante. E mi è arrivato all'orecchio che Ben Fowler ha una vecchia ruggine con Hugh Donlon. Un buon avvocato difensore te li straccia appena salgono sul banco dei testimoni."

"Si potrebbe non arrivare a quello. Se le accuse di Fowler sono sufficientemente motivate, Hugh Donlon dovrà presentare istanza di libertà condizionata, e noi otterremo un verdetto di colpevolezza senza nemmeno doverci preoccupare di una giuria."

Lo stesso Procuratore degli Stati Uniti era ricorso a questo espediente in più di un'occasione, ma mai con un caso così inconsistente. "Un mucchio di denaro dei contribuenti per migliorare il nostro record."

"E per inviare agli operatori della BMC il monito di rispettare il denaro altrui, anche quando si è figli di un giudice federale."

Dunque era così. Il vecchio Donlon aveva espresso un severo giudizio negativo su uno dei casi in cui McConnell aveva combinato un pasticcio. Il Procuratore degli Stati Uniti prese mentalmente nota di sbarazzarsi al più presto di quell'uomo e di lasciarsi sfuggire qualche discreto commento la prima volta che avesse pranzato alla sede dell'Ordine degli Avvocati.

"Staremo a vedere cosa dice Washington." E mise fine alla conversazione.

Jimmy McConnell non cedette facilmente. Quello stesso pomeriggio chiamò un reporter dello *Star Herald*. Il mattino successivo Chicago si destò coi titoli, tipicamente distorti e disonesti, che annunciavano, "Diplomatico coinvolto in una truffa per dieci milioni di dollari".

Royce irruppe nell'ufficio di Hugh, incapace di nascondere l'esultanza. "Il Segretario è al telefono... vuol parlarle immediatamente."

Hugh non era impressionato né dall'importanza del Segretario né dal suo potere. Si avviò senza fretta verso il telefono.

"Donlon" disse.

"Voglio le sue dimissioni oggi stesso" disse brevemente il funzionario governativo.

"Qualche ragione particolare?" Hugh fu improvvisamente assalito dalla paura. Stava capitando qualcosa di terribilmente spiacevole. Forse uno scandalo intorno al pasticcio che era capitato al villaggio sul fiume?

"Penso che lei lo sappia già, Ambasciatore."

"No" rispose Hugh. "Io servo per desiderio del Presidente, e sono pronto a dimettermi quand'egli lo vorrà, ma se lei vuole che io me ne vada deve dirmi il perché."

"Perché lei è appena stato accusato di aver rubato dieci milioni di dollari, ecco il perché" disse il Segretario con aria di trionfo.

Capitolo XL

1980

Hugh sedeva nell'ufficio privato di Buck Phelan attendendo il ritorno del suo avvocato dall'ultimo consulto col Procuratore degli Stati Uniti, il quale era palesemente imbarazzato dalla situazione creata da uno dei suoi assistenti e dalla Stampa. Se Buck interpretava correttamente gli indizi, tutto si sarebbe concluso entro qualche giorno. A quel punto Hugh avrebbe potuto tentare di rimettere assieme i cocci della sua vita e della sua carriera.

Liam Wentworth, che durante la crisi gli era d'immenso aiuto in termini di denaro, consigli, incoraggiamento e affetto, si era battuto vigorosamente contro l'istanza di libertà condizionata.

"In tribunale avrai la possibilità di annientarli, vecchio mio" aveva sostenuto a gran voce. "Non hanno nulla su cui basarsi. Prenditi un altro avvocato; Phelan vuole essere troppo furbo. Tu meriti di essere pienamente discolpato, nell'interesse di tutti."

Ma lo spirito combattivo e lo spontaneo ricorso alle proprie risorse che si erano manifestati nelle crisi del passato questa volta non comparvero. Hugh era paralizzato sulla linea di meta col pallone fra le mani, incapace sia di calciare che di correre.

Di nuovo mir Hassun.

Così, era lì a contemplare il proprio sfacelo come fosse uno di quei vecchi film in bianco e nero che si vedono alla TV la sera tardi. Non poteva esporre la sua famiglia all'orrore di un processo in cui Tim avrebbe testimoniato contro di lui, e Tim aveva già accettato l'immunità, probabilmente calcolando che la minaccia della sua testimonianza avrebbe costretto Hugh a chiedere la libertà condizionata.

Tim aveva forse ragionato che in questo modo nessuno sarebbe stato danneggiato, o per lo meno che nessuno sarebbe finito in prigione. I genitori di Hugh invecchiavano a vista d'occhio. Il giudice si era immediatamente dimesso dal tribunale federale, nel quale aveva servito con onore e distinzione per più di quarant'anni. Peggy aveva accantonato i pennelli e sedeva davanti alla finestra del condominio sul lago a fissare le acque grigie, cercando nella cupa misteriosità del Michigan quella consolazione che Dio non poteva né voleva darle.

Se si fosse arrivati a un processo, sarebbe stato giudicato innocente. Ma che differenza avrebbero fatto sei mesi di libertà condizionata? Al pari del Capo Supremo, McConnell aveva ideato un copione che simulava la realtà ma era solamente una finzione drammatica.

Marge era d'accordo con Hugh. "Ha ragione, sai, Liam; i nostri vecchietti non reggerebbero allo spettacolo che Tim offrirebbe in tribunale."

"Sarebbe ora che pagasse."

"Forse hai ragione tu,"disse lei tristemente "ma ora è troppo tardi per cambiare. Abbiamo protetto Tim per tutta la vita. Questa è l'ultima volta."

"Maledettamente vero" commentò Liam, forse con un po' di nostalgia per i vecchi tempi in cui i traditori venivano scacciati dal forte inseguiti dai feroci cani addestrati alla caccia al lupo che latravano alle loro calcagna.

Hugh liquidò virtualmente ogni sua proprietà e restituì il denaro dei clienti. Poteva ancora esserci qualche causa civile per i mancati profitti, ma la Borsa Merci era così imprevedibile che non sarebbe stato difficile sistemare le cose fuori del tribunale. Si salvò solo la casa di Kenilworth, che era intestata a Liz.

Liz sembrava considerarlo più o meno come avrebbe considerato uno strano insetto trovato nella camera da letto dell'ambasciata. In tutta la loro cerchia, solo lei avrebbe potuto credere alla storia di Tim.

I giurati, tuttavia, gli credettero e in brevissimo tempo si espressero in favore dell'incriminazione per violazione di quattordici punti della legislazione di Borsa e per frode. Hugh comparve dinanzi al giudice Arnold Crawford e si dichiarò non colpevole. Un'ulteriore udienza venne fissata per la fine di marzo quando l'istanza avrebbe potuto essere cambiata, si sarebbe potuta emettere una mite sentenza con la condizionale, e tutta la faccenda sarebbe stata dimenticata.

Ma egli non avrebbe mai potuto dimenticare la vergogna: la sua fotografia sulla prima pagina del giornale, e lui descritto come un uomo che aveva rubato il denaro fiduciosamente affidatogli dai clienti; i giornalisti e le telecamere davanti a casa sua ogni mattina; le domande perentorie con cui i giornalisti lo tempestavano; l'espressione sospettosa e sprezzante sul viso dei passanti. Era uno sul quale pendeva un'accusa pesante e, quanto a loro, certamente colpevole.

"Ex prete accusato di furto di parecchi milioni di dollari" annunciò il *National Catholic Reporter*.

La vergogna era come un virus. Quantunque fosse un corpo estraneo intrufolatosi nel tuo sistema, diventava parte di te e aggravava l'infezione causata dal tuo stesso senso di colpa e di odio verso di te. Oh, se Dio avesse voluto prenderselo prima che dovesse comparire di nuovo in un'aula di giustizia!

Buck Phelan — un ometto scaltro che, nonostante il successo come legale esperto in questioni politiche ricordava a Hugh il genere di avvocato che si aggira per il tribunale delle infrazioni stradali occupandosi delle contravvenzioni — entrò di corsa nell'ufficio raggiante e trafelato.

"Siamo riusciti a dare un taglio, Hughie, ragazzo mio, è tutto sistemato. Al Procuratore degli Stati Uniti questo processo non è piaciuto fin dal primo giorno. Ci occorre solo un'istanza di nolo contendere. Loro accetteranno una multa e qualche mese di libertà vigilata. Per il primo di aprile sarai un uomo libero senza un pensiero o una preoccupazione al mondo."

"E Crawford? Nei miei confronti ha un vecchissimo rancore. Negli anni Quaranta diedi una lezione a suo fratello nel cortile della scuola, riducendolo all'obbedienza assoluta. Non dovremmo chiedergli di ritirarsi? Oppure vorrà continuare lui?"

"Ho accennato a questo problema al nostro amico al tribunale federale. È informale, ovviamente, come queste cose devono essere, ma Arnie giura di non ricordare nemmeno l'episodio, e che di suo fratello ha appena un vago ricordo. Sostiene che l'accordo gli pare veramente ragionevole e giusto."

"Sarà così, allora." Hugh era a disagio. Era disonorevole ammettere anche solo il nolo contendere riguardo a qualcosa di cui si era innocenti.

"Animo, Hugh" disse Buck cordiale. "Chiama la tua famiglia e dà loro la bella notizia."

In principio Tim si era rifugiato con Norma Austin nella grottesca nuova casa di Oakland Beach, completa di sauna e piscina interna. Ma la sua idea era di scaricare Norma e lasciare Chicago non appena fosse stata emessa la sentenza. Tim si era completamente messo nelle mani di Liz, e non aveva faticato a convincerla che Hugh aveva intrigato per accollargli le conseguenze di qualcosa che lui stesso aveva commesso.

Tutto ciò, d'altronde, appariva plausibilissimo agli occhi di

Liz, considerato che Hugh non av,eva fatto il minimo sforzo per discolparsi. Una settimana dopo il loro ritorno a Chicago prese i bambini e se ne andò di casa.

Diretto verso il tribunale federale dove, in una delle aule in cui suo padre aveva servito così spesso, sarebbe stata pronunziata la sentenza, Hugh percorreva Dearborn Street, assaporando le bellezze della sua città natale — la Daley Plaza con la sua scultura di Picasso e un Miró dall'altra parte della strada, la Bank Plaza col suo Chagall, e la Federal Plaza, ora proprio di fronte a lui, col più bell'esempio di outdoor art che a suo giudizio Chicago possedesse, il "fenicottero" rosso di Alexander Calder. Dearborn Street era la strada più interessante del mondo. Peccato che non avesse mai trovato il tempo di goderla. La Salle Street, invece, era troppo febbrile.

Il giudice Arnold Crawford accettò il cambiamento di istanza in nolo contendere senza commenti. "Signor Procuratore Distrettuale, ha qualche raccomandazione riguardo alla sentenza che sta per essere emessa?"

Il Procuratore degli Stati Uniti prese la parola personalmente, non contando sul fatto che McConnell avrebbe condotto le cose per il meglio. "Vostro Onore, il nostro ufficio ritiene che debba essere inflitta una multa come ammonimento indirizzato a quanti altri avessero in animo di violare la legge che regola le contrattazioni alla Borsa Merci; riteniamo inoltre opportuna una condanna da sei mesi a un anno, col beneficio della condizionale. L'imputato non è certamente un criminale incallito, il denaro impropriamente usato è stato restituito, e la lontananza del paese in cui al momento del reato egli coraggiosamente prestava servizio alle dipendenze del governo, costituisce senza dubbio un'attenuante. Noi riteniamo che l'ignominia di cui ha già sofferto sia una punizione sufficiente, tale da dissuaderlo dal commettere simili reati in futuro."

Crawford batté leggeri colpetti con la penna sul tavolo che aveva di fronte. I giornalisti presenti nell'aula si protesero ansiosamente in avanti, poiché la pausa ricca di suspense faceva loro sperare che la storia sarebbe andata ben oltre la semplice istanza di libertà vigilata di cui si era già riferito.

"Ordinariamente io rispetto l'opinione espressa dalla Procura degli Stati Uniti," disse il giudice con aria grave "ma nel caso in questione ritengo di dover rispettosamente dissentire."

"Hugh Thomas Donlon, lei è un uomo di grande talento e di grandi conseguimenti. È stato favorito sia dalla natura che dall'ambiente famigliare. Ha servito con ottimi risultati in parecchie e differenti professioni. Ma io sono dell'opinione, signore, che lei non abbia mai imparato né l'autolimitazione né l'integrità. Lei ha sempre dato per scontato di poter possedere qualsiasi cosa o qualsiasi persona volesse, con qualunque mezzo legale quando le è stato comodo, illegale se necessario. Accordarle una sospensione della condanna da scontare in un istituto di pena federale equivarrebbe a prendersi gioco della giustizia, significherebbe dire ai giovani di questa circoscrizione giuridica che un uomo che provenga dalla famiglia giusta e abbia gli amici giusti può violare impunemente la legge." Gli occhi grigi del giudice lampeggiavano nel trionfo della vendetta. "Di conseguenza la condanno a diciotto mesi da scontare presso il carcere federale di Lexington, Kentucky, raccomandandole vivamente di trascorrere quanto più tempo della sua effettiva detenzione le sarà possibile riflettendo sui modelli di umiltà che già le erano stati offerti perché lei li imitasse durante gli anni della sua preparazione al sacerdozio."

Quel giorno, all'una e mezza, le contrattazioni dell'argento di aprile chiusero a quindici dollari e ottanta centesimi l'oncia, e quelle di giugno a ventidue dollari e venti l'oncia. La grande corsa al rialzo orchestrata da Bunker Hunt si era esaurita.

Il mattino successivo il *Tribune* uscì con un articolo di terza pagina dal titolo "I marxisti al potere in un governo africano." L'articolo riferiva che il corpo mutilato del Capo Supremo era stato trovato in una canoa alla deriva sul fiume a dieci miglia a valle della capitale.

Capitolo XLI

1980

Il Federal Correctional Institution di Lexington, Kentucky, era — secondo la descrizione di Pete McQueen, il nuovo avvocato di Hugh — una prigione destinata a coloro che il governo sapeva di non dover segregare, nonché un posto in cui tutte le tecniche moderne applicabili ai penitenziari funzionavano in quanto non necessarie.

"I prigionieri che vengono inviati qui," gli aveva detto McQueen "sono colpevoli di reati che mai commetteranno una seconda volta. Il posto non è così brutto da dissuadere nessuno dal ricadere nello stesso reato. La società non trae alcun profitto dal fatto che queste persone siano in prigione, i contribuenti devono accollarsi tasse maggiori e i condannati non ne hanno certamente alcun beneficio. Una condanna da scontare qui rappresenta l'estrema vittoria del pubblico ministero sull'avvocato difensore. È pura e semplice vendetta. Anche se uno fosse colpevole, dieci mesi trascorsi qui non sarebbero un modo costruttivo di pagare il proprio debito verso la società."

La lista degli effetti personali che Hugh poteva portarsi rivelava le intrinseche contraddizioni di quella particolare prigione — due giacche sportive, una racchetta da tennis, un costume da bagno, un anello, un orologio, due lenzuola, un portafogli, due cravatte... non proprio l'equipaggiamento per un club sportivo ma nemmeno il genere di cose che ordinariamente si era autorizzati a portare in prigione.

Comunque, anche tenendo conto di una riduzione della pena per buona condotta, Lexington, un sinistro edificio di mattoni rossi ch'era stato in precedenza un centro di disintossicazione per tossicodipendenti, sarebbe stato la casa di Hugh per dieci mesi.

Sotto molti aspetti era quasi meglio del seminario cattolico degli anni Cinquanta. V'era maggiore libertà di movimento, minor censura della posta, nessun tentativo di coercizione mentale del condannato. Inoltre, i reclusi più ligi alle regole venivano premiati con periodi di licenza da trascorrere a casa, un riconoscimento che il seminario non aveva mai offerto.

Hugh venne "sottoposto ad analisi" mediante una serie di test psicologici, una conversazione con lo psicologo interno e uno scambio preliminare di idee con la "consigliera sociale" — il titolo evocava l'immagine della sorvegliante del dormitorio in un collegio femminile; evidentemente, "assistente sociale" era ritenuta una definizione offensiva —, la quale si prendeva cura dei suoi problemi con molto più garbo di quanto avesse fatto Padre Meisterhorst.

La sua "consigliera sociale" era un'esile georgiana di venticinque anni, Marilyn Henderson. I capelli biondi le cadevano diritti intorno al viso insignificante.

"Ho notato, signor Donlon, che lei lavora alla lavanderia. Con le sue capacità potrebbe entrare a far parte del personale della biblioteca, oppure occuparsi della contabilità, o anche tenere dei corsi. Qui, per esempio, abbiamo corsi di scienze sociali."

"Mi piace stare in lavanderia" rispose Hugh; era un lavoro faticosissimo, ma costituiva un rimedio eccellente contro i pensieri, ed era meglio che insegnare a un corso del tipo "Come venire a patti con voi stessi".

"Ho anche notato che lei non ha richiesto un secondo appuntamento con lo psicologo."

"È obbligatorio? Fa parte del buon comportamento per il quale mi si accordano i congedi?"

"No, ovviamente." Lei si scostò i capelli dagli occhi, un gesto inutile che esprimeva il suo nervosismo. "Lo psicologo riferisce che — a parte la depressione, che è la reazione normale — lei gode di una salute mentale migliore di quella di gran parte delle persone che entrano qui e che egli esamina."

"Qual è la depressione normale, signora Henderson?"

"Il genere di depressione che uomini e donne non internati provano quando sottoposti a forti tensioni."

"Capisco."

"Ho anche notato che lei ha affermato di non aspettare visite. Noi riteniamo che queste costituiscano una parte importante del nostro programma. Le famiglie sono sottoposte a controlli minimi e non vengono né molestate né... mortificate."

"Penso sia meglio vedere i miei famigliari durante la licenza che trascorrerò a casa, se me la concederanno. Forse, ogni tanto, verrà il mio avvocato."

"Dipende interamente da lei. E non deve dimenticare, signor Donlon" — ora ella citava uno dei suoi testi di studio — "che il personale non formula giudizi di sorta sulla posizione legale o morale di alcuno. Su quelle questioni si è già deciso in altra sede. Noi siamo qui per aiutare. Come lei può constatare, i controlli sono minimi. Non vi sono sbarre. Lei potrebbe persino uscire. Misure di sicurezza ridotte al minimo, quali sono queste, si fondano sul principio che è nel proprio interesse che il recluso controlla il suo comportamento. Di conseguenza, chi fa parte del personale — come me, per esempio — è davvero qui per facilitare il suo sviluppo durante il tempo che trascorrerà con noi. Lei deve considerarmi una persona al suo servizio, e non viceversa."

"Capisco perfettamente, signora Henderson."

Hugh non si sentiva vittima del sistema. In prigione non protestò mai la propria innocenza, né spiegò perché, prima d'ogni altra cosa, non aveva contestato l'accusa. Prima di entrare a Lexington si era completamente spersonalizzato, erigendo un muro fra le sue emozioni e i fatti della sua vita.

Non gli restava nulla che meritasse entusiasmo o impegno, né la Chiesa, né il Governo, né gli affari, né la famiglia. La vita che conduceva a Lexington era solo di poco più inutile della vita fuori di prigione.

Tuttavia, e stranamente, egli continuava a essere prete. Di tanto in tanto impartiva l'assoluzione a un prigioniero in preda all'agitazione o agli scrupoli e consigliava parecchi che, come lui stesso, avevano gravi, anche se comprensibili, problemi coniugali. Durante la seconda settimana di detenzione, nel giorno di libertà del cappellano, amministrò l'estrema unzione alla vittima di un attacco di cuore. La signora Henderson, un po' dubbiosa, gli trovò la chiave d'accesso all'olio santo. L'uomo si riprese e il cappellano cominciò a preoccuparsi che le autorità ecclesiastiche scoprissero che Hugh aveva amministrato il sacramento. Sdegnato, egli citò il canone del codice ecclesiastico pertinente al caso e si offrì di scrivere una lettera all'arcivescovo.

Il duro lavoro alla lavanderia, i faticosi esercizi nel cortile della ricreazione, la dieta accurata, il sonno in cui — stanchissimo — piombava la notte, queste furono le terapie cui Hugh ricorse. Scese di peso e riacquistò la forza fisica. Lasciò perdere i libri e si divertì coi film che la TV programmava in seconda visione in estate.

E cercò di fingere che il virus della vergogna non si facesse peggiore ogni giorno che passava.

Pete McQueen gli fece visita in una caldissima giornata di fine agosto.

"Tua madre e tuo padre stanno bene... sono certo che hai loro notizie. I Kerry o Wentworth... non so mai come chiamarli... trascorrono l'estate al lago Geneva coi tuoi genitori. I bambini sono così carini che ti restano davvero impressi; sembrano usciti da una saga irlandese. I tuoi tengono bene."

Hugh pensava pochissimo ai suoi genitori e niente affatto al lago Geneva. "Sono contento."

"Per la riduzione della pena, temo che non abbiamo avuto fortuna. Alla Corte di Giustizia ammettono che c'è stato un errore — bella la scelta dei termini, eh? — ma tu non ignori che il signor Carter è in corsa per la rielezione. E loro non vogliono far sembrare che si stiano dando da fare per uno del loro giro."

Pete McQueen era un irrequieto, giovane irlandese dai capelli castani che aveva l'aspetto e il comportamento di un peso leggero di successo. Se fosse stato l'avvocato di Hugh fin dall'inizio, probabilmente al lago Geneva ci sarebbe stato anche lui. Non che facesse una gran differenza.

"Hai notizie di tua moglie?" McQueen si comportava come uno che fosse saltato già da una scogliera domandandosi poi se non era stato un errore.

"No... nemmeno una parola. Perché?"

"Sta facendo le pratiche per il divorzio. Si è presa uno dei più agguerriti avvocati del ramo. Vuole tutto ciò che possiedi, Hugh, e un bel pezzo del resto della tua vita."

"Accuse?"

"Crudeltà, adulterio, abbandono, tutta la solita roba. Se contestiamo potrebbe venirne fuori un pasticcio."

"Il nolo contendere sembra proprio la mia istanza di routine. Fa' in modo che ottenga una percentuale sulle mie entrate e non una cifra irrisoria."

Pete alzò gli occhi dal taccuini degli appunti e aggrottò le sopracciglia. "Perché fai una cosa simile, Hugh? Quando uscirai rifarai un sacco di soldi. Lascia che debba ricorrere al tribunale se vuole di più."

"Immagina solo se trovo da insegnare a un corso biennale, magari in qualche scuola di campagna o in uno dei vecchi quartieri?"

"Tu non faresti una scelta simile, spero?" Il viso combattivo mostrava tutta la sua costernazione.

"Fàllo," disse Hugh con più fermezza di quanta ne avesse mostrata nei mesi passati "e fàllo con la massima discrezione. Non voglio causare altro imbarazzo alla famiglia."

"Pensi mai a te stesso, Hugh?" Pete McQueen chiuse il taccuino degli appunti.

"In quale altro modo credi che sia finito qui?"

"Non sono il tuo prete... oh, scusa... avevo dimenticato..."

"Nessun problema." Era la prima volta, dopo tanto tempo,

che gli veniva da sorridere. "Anche i preti possono avere il loro prete."

Due settimane più tardi la signora Henderson informò Hugh che c'era per lui una "visita straordinaria."

Oh, Dio, pensò Hugh fra sé, non Liz.

"Devo proprio vedere questa persona?" le domandò mentre lei lo conduceva via dalla lavanderia.

"No, se non vuole. Il suo nome" — lanciò un'occhiata alla scheda che aveva in mano — "è Cronin."

Il cardinale indossava una camicia bianca col collo aperto, pantaloni larghi grigi e giacca a vento nera — capi sportivi di sartoria nei quali poteva muoversi in incognito e che erano stati scelti da una sua cognata, senatrice degli Stati Uniti.

Senz'altri preliminari che una franca stretta di mano, il cardinale iniziò a parlargli della cognata senatrice. "Ho chiesto a Nora di vedere come funzionano le cose al Ministero della Giustizia. Un branco di ipocriti. Ammettono che si è verificata un'ingiustizia, ma non possono far nulla, perché è un anno di elezioni. Ti hanno incastrato, è vero?" L'espressione dura scomparve dai suoi occhi inquisitori.

"Questo è quanto dicono tutti gli esperti."

"Non mi interessano gli esperti. Io mi interesso di uno dei preti della mia diocesi."

"Io sono un ex prete. Non sono tenuto a rispondere alle domande di un vescovo."

Sean si appoggiò allo schienale della poltrona e si mise a ridere. "Oh, sarai prete per sempre, Hugh, fino alla morte. Teologicamente, è ovvio, ma anche sul piano personale. Dici la Messa qui?"

"Mio Dio, no. Ho somministrato l'estrema unzione una volta in cui il cappellano era via, e gli è quasi venuto un colpo."

"Farò due chiacchiere con lui prima di andarmene. Se un prete temporaneamente inattivo dice qualche volta una Messa privata, non lo spedirò certamente alle segrete del Sant'Uffizio. E ora rispondi alla mia domanda."

"Io non sapevo assolutamente nulla di quanto è stato fatto alla Donlon, Fowler e Donlon durante la salita del prezzo dell'argento. Tim ha mentito, Fowler ha mentito, Norma Austin ha mentito. Il giudice Crawford ha mentito quando si è dichiarato d'accordo sull'istanza di libertà condizionata, servendosi poi del proprio potere per concludere una vecchia faida famigliare. Nella mia inutile vita mi sono reso colpevole di un mucchio di cose, Cardinale, ma non di alcuno dei reati per cui mi trovo qui."

"Sono Sean" disse il cardinale con una smorfia minacciosa. "D'accordo, volevo solo accertarmi dell'esattezza dell'opinione che mi ero già formata. Tua moglie sta davvero lasciandoti?"

"Sì."

"Donnaccia."

"Potrei averle dato buoni motivi."

Il cardinale ignorò l'osservazione. "Sei al corrente delle nuove norme sull'annullamento? Potremmo fartelo ottenere immediatamente."

"Ho già mancato a una promessa nella mia vita. Non voglio mancare a un'altra."

"Lascia che sia Dio a punirti, se vuole. Non punirti da te." Hugh comprese. "Vuoi che torni al sacerdozio?"

"Sei sempre prete, Hugh. Semplicemente, sei inattivo."

"Dopo tutto ciò che ho fatto, mi vuoi nel sacerdozio attivo?" Emise un lungo sospiro attonito.

"Come dico sempre a quel mio amico polacco che sta al quinto piano del Vaticano, se si è potuto permettere il rientro del primo papa, si può permettere il rientro di chiunque... e poi, anche Pietro aveva moglie."

"Sean, sono profondamente commosso..." Lo era. Per la prima volta dopo mesi era scosso da autentiche emozioni — umiltà, gratitudine, forse addirittura un filo di speranza.

"Lascia stare" disse il cardinale alzandosi. "Devo essere in città entro le sette e mezza per una cresima. È un'offerta sempre valida, Hugh. Tornerò a trovarti."

Capitolo XLII

1980

Una domenica pomeriggio di metà novembre Marilyn Henderson comparve alla porta della sala di ricreazione, dove Hugh assisteva agonizzante a un'altra disfatta dei Chicago Bears. Gli fece un cenno.

Era inconsueto che lei lavorasse di domenica, e ancora più inconsueto che si trovasse nelle vicinanze della sala di ricreazione. Hugh la seguì in corridoio, notando — come sempre accadeva — quanto si aspettasse di ritrovare l'odore di disinfettante in quello ch'era stato il corridoio di un ospedale.

"Temo di aver cattive notizie, signor Donlon..."

Oh, Dio, non mamma o papà.

"Suo padre ha telefonato da Chicago. C'è stato un disastro aereo a Puerto Rico, un aereo che volava da St. Maarten a San Jun è precipitato atterrando nella tempesta. A bordo c'erano suo fratello, Timothy, la moglie e due dei loro figli. Non si sa ancora con precisione quali. Forse vorrà portare con sé qualche indumento. Il permesso d'uscita sarà pronto fra poco."

"Oh" commentò Hugh ottusamente, rendendosi conto di quanto si sentisse sollevato al pensiero che si trattava di Tim e non dei suoi genitori. Egoista, egoista, egoista. Povero Tim, che tragico destino.

"Desidera andare a casa per la veglia funebre e i funerali?" domandò lei imbarazzata.

Qualcosa del suo vecchio atteggiamento cavalleresco verso le donne si risvegliò. Povera bambina, stava facendo del suo meglio. "Signora Henderson, apprezzo enormemente il suo interessamento, particolarmente di domenica pomeriggio, quando sono certo che preferirebbe restare in famiglia."

Il suo sorriso ebbe l'effetto che sempre aveva sulle donne. Lei arrossì e gli ricambiò un sorriso radioso. "Mio marito sta guardando l'incontro di calcio, cosicché non gli ha dato nessun fastidio." Quando rideva non era priva di grazia. Renderle la vita difficile fu un peccato che si aggiunse agli altri.

Lei lo accompagnò in auto all'aeroporto di Louisville, in modo che potesse prendere l'ultimo volo domenicale per Chicago.

Jack Howard, che stava perdendo i capelli e la linea, ma non il vecchio, largo sorriso contagioso, era ad attendelo a O'Hare.

Il sorriso non durò a lungo. "Tuo padre mi ha chiesto di venire a prenderti, Hugh. Per loro è veramente difficile rimettere ogni cosa al proprio posto. Hai sentito le notizie?"

"Timmy ed Estelle e due dei bambini?"

"Allora non hai avuto le più recenti... io — suppongo di dover essere io a dirtelo." Jack sudava abbondantemente; si asciugò il viso col fazzoletto. "Estelle è viva, e anche i suoi figli. Sta facendo un baccano del diavolo per questo errore..."

"Ma la mia consigliera sociale... ha detto che le vittime del disastro erano il signor Timothy Donlon e sua moglie. Era Timmy o no?"

Jack, avvilito, fece segno di sì.

"E allora chi erano la donna e i bambini?"

Jack inghiottì. "Tua moglie e i tuoi due figli."

Maria non sarebbe voluta andare alla veglia funebre, ma i suoi due figli più grandi insistettero, come anche i suoi genitori. "Gli irlandesi ci tengono a queste cose" disse suo padre con molta semplicità.

Al giudice e a Peggy avrebbe fatto piacere vederla. La reazione di Marge era difficile da prevedere. E non voleva pensare a Hugh.

Egli era un estraneo, un uomo che non aveva mai conosciuto, solo il debole riflesso di un ragazzo per il quale era andata pazza un quarto di secolo prima, un sogno ormai relegato nelle profondità della sua mente, una fantasia per le notti in cui si sentiva sola e aveva bevuto un bicchiere di vino più del consueto.

Eppure.

Eppure, cosa, Maria Angelica?

Eppure, andrò alla veglia e starò a vedere cosa capita.

Nel parcheggio dell'impresa di pompe funebri poco mancò che non perdesse il controllo dei nervi.

"Non voglio entrare, con tutta la gente che c'è" insisté.

"Beh, noi andiamo, che tu entri o no. Giusto, Steve?" Eddie era pieno di vita come sua madre, e dal nonno aveva ereditato il bel viso dalla carnagione scura e l'intraprendenza alla Taylor Street.

Suo fratello, più alto di lui e così somigliante al padre, disse con voce sommessa, "senza dubbio."

"Statemi vicini" li pregò lei.

Alla porta si imbatterono in un personaggio temibile, Monsignor Muggsy Brannigan, il quale si vantava di aver totalizzato punti pari a due volte la propria età — ottantadue anni — l'estate precedente, e di aver superato i settanta una volta. "E questi due giovanottelli sono tuoi, Maria? Scommetto che hanno frequentato il Fenwick."

Maria presentò i due figli, disse a Monsignor Muggsy quale college frequentavano e aggiunse: "E Kenny, il più piccolo, è iscritto al St. Mark. È l'unico della famiglia che mi rassomigli".

Gli occhi di Muggsy, miopi e coperti da spesse lenti, danzavano divertiti. "Vostra madre continua a masticare chewing-gum, ragazzi?"

Eddie estrasse un pacchettino dalla tasca. "Li fa portare a me."

"Sono molto fiero di te, credimi Maria" disse cordialmente il vecchio. "Tieniti su... e prega per tutta quella gente laggiù. Ne hanno bisogno."

Dentro, vi erano tre gruppi di persone in lutto, diversamente disposti accanto alle quattro bare già chiuse.

All'estrema destra v'era la famiglia di Liz, gente dello Iowa, robusti e taciturni — i vecchi genitori, fratelli e sorelle, nipoti maschi e femmine, tutti quanti impacciati, silenziosi, arcigni. Non c'era nessuno in attesa per porgere loro le condoglianze, e ben pochi di quelli che facevano la fila per parlare con gli altri membri della famiglia rivolgevano loro la parola. Non erano di Chicago e non erano irlandesi; non appartenevano a nessun gruppo. Al centro c'era Estelle, il viso arrossato, grassa, aspra, circondata da madre, padre e figli; ignoravano deliberatamente i Donlon e si lamentavano a voce alta dell'organizzazione.

Poi, sulla sinistra, c'erano i Donlon — il giudice, scosso e disorientato; Peggy, col viso pallido e tirato; Marge, bella anche mentre piangeva; e Hugh, smagrito e incanutito.

"Chissà se la sepoltura partirà dalla chiesa?" Maria sussurrò a Ed mentre attendevano in fila.

"Perché no? Ah, ti riferisci a quella faccenda dei pubblici peccatori? Forse il parroco locale, che è un retrogrado, se ne stupirà. Telefonerà a Sean, riceverà le direttive, e tutto finirà così."

"È così che chiami il cardinale?" lo rimbrottò lei.

"Perché no? Non è il suo nome? Tutti lo chiamano Sean — i

seminaristi non ancora proprio in sua presenza, quantunque sia molto probabile che non gliene importi un bel niente. Comunque, se mai l'Apostolo Giovanni si facesse vivo, mica lo chiameremmo Cardinale Ben Zebedeo, ti pare?"

"Mai saputo che il suo secondo nome fosse Ben."

Peg e Tom stentarono a riconoscere Maria e i ragazzi. Solo quando si rivolse a Marge, Peg si rese conto di chi fosse.

Marge fu più pronta. "È stato meraviglioso da parte tua venire. Per me è più facile; ho Liam e le mie figlie."

Il lento, enorme sorriso di Lord Kerry diede a Maria un senso di calore. Le due ragazze che li accompagnavano erano creature fatate e incantevoli che gratificarono i suoi due figli di calorosi saluti, andando ben oltre il dovere di cortesia. Avrebbe dovuto metterli in guardia contro le ragazze irlandesi.

"Povero Hugh" disse lei goffamente. "Tutta la sua famiglia..."

Marge sospirò. "Penso che per lui sarà un sollievo avere la possibilità di tornare al sacerdozio... una benedizione, seppure sotto forma di disgrazia."

Maria non aveva considerato questa possibilità, e non le piaceva nemmeno un po'.

"Maria..." disse Hugh prendendole la mano. Oh, Dio, pensò lei, un simile dolore in quei meravigliosi occhi azzurri.

"Mi dispiace, Hugh."

"Tutto ha una fine." Sembrava distante, il sorriso non vuoto ma oltremondano. Che cosa gli stavano facendo in prigione?

Non rimaneva più nulla di Hugh Donlon, solo un uomo svuotat, vacuo, un uomo che aveva perso ogni vitalità.

Più che la prigione.

Era stato in prigione per tutta la vita. La prigione della famiglia Donlon, splendida, comoda, ispirata dalle migliori intenzioni. Ma ugualmente capace di distruggerti. E non potevi fare a meno di amare i tuoi carcerieri.

"Mio figlio Steve e mio figlio Ed" disse presentandogli i ragazzi.

"Intraprenderai la carriera militare, come tuo padre?" Una domanda di routine che gli salì automaticamente alle labbra, come recitando un copione imparato a memoria.

"Sì, signore. Tradizione di famiglia."

"Magnifico, va' avanti così. E Ed?"

Oh, mai avrebbe pensato una cosa simile.

"Niles College. Intendo farmi prete."

Hugh era scosso. "La figlia di Jean e Hank entra nelle Clarisse. È un avvicendarsi continuo... Mi dispiace, un'altra famiglia. Sono confuso. Buona fortuna."

"Pregheremo" disse Maria con un senso di impotenza mentre si tiravano in disparte.

Nel parcheggio Maria e i figli incontrarono il cardinale, il vescovo McGuire, la senatrice Nora Cronin — una bella donna dai capelli rossi, alta e cordiale, che gli faceva da vice — e suo marito, Roy Hurley, commentatore sportivo, anch'egli un bell'uomo. Il cardinale fece le presentazioni.

La senatrice conosceva Steven, che più di una volta, a Washington, aveva scortato sua figlia Noreen alle feste danzanti.

"Lui non mi racconta niente della sua vita sociale" rise Maria. "Fortunato Steve."

"Fortunata Noreen" la corresse la senatrice.

"Ed, Steve, potete lasciarmi vostra madre per un attimo?" domandò il cardinale.

"Certo, Cardinale" risposero i due giovani all'unisono, e si allontanarono dalla sua limousine.

"Una volta gli era molto vicina, vero, signora McLain?"

"Molto tempo fa, ero un'adolescente." Maria era stata colta alla sprovvista.

"Mi perdoni per aver fatto domande su di lei e sui Donlon. Mi era venuta una mezza idea."

"Sì?"

"Maria, spero non ti dispiaccia se ti chiamo col nome di battesimo, anche perché vorrei proprio che tu mi chiamassi Sean. Ora, non pensi che dovremmo lasciare il futuro nelle mani di Dio, e concentrarci nel compito di aiutare Hugh a tirarsi fuori dal baratro in cui è precipitato? Mi sono fatto dire la verità: lui non sapeva proprio nulla. Tim, che Dio abbia pietà di lui, ha mentito. E hanno mentito anche Ben Fowler e quella Austin. Non solo, ma ha mentito anche il giudice Crawford, che aveva promesso la libertà condizionata e poi si è rimangiato la parola."

"Non avevo pensato a nessuna di queste possibilià" ammise lei. "Sapevo che Hugh non aveva fatto nulla di male, e questo mi bastava."

"Trovami le prove e Nora penserà al resto." Gli occhi del cardinale brillarono di feroce combattività, un pirata irlandese dei tempi andati, una delle oche selvatiche della canzone.

"Perché proprio io?"

Sean Cronin sorrise con entusiasmo. "Non conosco nessun altro che si preoccupi per lui e sia sufficientemente in gamba da riuscire a tirarlo fuori di prigione."

Affaticatissima, come se non avesse chiuso occhio da mesi, Peg Donlon aprì la porta del suo appartamento. Era andata all'aeroporto a salutare i parenti di Liz che ripartivano per lo Iowa, un gruppo di gente chiusa e tetra che se ne andava piena di rancore, senza nemmeno darsi la pena di simulare la minima cordialità. Estelle e la sua famiglia, per lo meno, avevano affettato un po' di cortesia, pur assumendo un tono di urtante condiscendenza.

Anche Peg aveva sofferto una perdita, ma questo non sembrava importare a nessuno di loro.

Aveva lo stomaco in subbuglio — troppi pasti frettolosi nel corso dell'ultima settimana — e probabilmente in casa non c'era nemmeno una bustina di bicarbonato.

C'era un pacco davanti alla porta principale. Doveva averlo portato su il custode. Lo sollevò per posarlo sul tavolo dell'ingresso. Non era eccessivamente pesante, ma la costrinse a sforzare la spalla sinistra che già le aveva dato fastidio negli ultimi giorni. Invecchiava. V'erano momenti in cui gli anni non le pesavano per niente. Ora, però, si sentiva vecchissima.

Aprì il pacco. Che meraviglia! La Cornell aveva mandato le prime copie del libro di Tom. Avrebbe proprio dovuto cercare di rileggerlo, anche se era completamente digiuna dell'argomento. Sperava che i medievalisti lo avrebbero recensito favorevolmente.

E che meravigliosa fotografia del rosone della cattedrale di Chartres in copertina. Forse, dopo Natale, lei e Tom avrebbero potuto fare un viaggio. Quest'anno il Natale sarebbe stato gelido e solitario.

Posò con reverenza il libro di Tom sul tavolinetto del soggiorno e fece qualche passo indietro per ammirarlo.

Poi il dolore la colpì d'improvviso, il dolore più violento che avesse mai provato, come se un elefante le fosse salito sul petto.

Mi sta venendo un attacco di cuore, pensò mentre crollava a terra. Povero Tom. Avevo sempre pensato che sarebbe stato il primo ad andarsene. Dov'è il mio rosario?

Hugh era a casa, e frugava qua e là preparandosi a tornare a Lexington. Marilyn Henderson gli aveva offerto di prolungargli la licenza, ma lui le aveva risposto che avrebbe preferito avere qualche giorno a Natale.

In realtà, gli avrebbe fatto piacere ritrovarsi a Lexigton, proprio nello stesso modo in cui talvolta, durante le lunghe vacanze estive lontano dal seminario, gli era capitato di provare nostalgia della vita ecclesiastica e della beata noiosità della sua routine. A Lexington non ci sarebbero stati ricordi.

Nel piccolo scrittoio che lei aveva usato per il disbrigo dei suoi affari trovò cose che le erano appartenute, una quantità di preziosi ricordi sopravvissuti a trentanove anni di vita: diari scolastici delle superiori, un mazzolino di fiori pressati ed essiccati, ricordo di un ballo studentesco, pagelle scolastiche, lettere d'amore di un ragazzo dello Iowa che aveva virilmente accettato la sua decisione di farsi "sposa di Cristo" e persino lettere e biglietti di congratulazioni per il loro matrimonio.

La vocazione, pensò, era una faccenda diversa al giorno d'oggi. Giovani come Laura Kincaid avevano le idee più chiare su ciò che stavano facendo.

E quel giovanotto che voleva farsi prete... chi era? L'aveva incontrato alla veglia funebre. Ed e poi un cognome che non ricordava. Un bel ragazzo, pelle scura, sorriso radioso e occhi neri vivacissimi.

Ed McLain... Il figlio di Maria? Il figlio di Maria voleva farsi prete?

Scosse la testa. Strano.

Tornò ai ricordi di Liz: un tema d'esame che le aveva fruttato un premio, nel quale trattava dei segni della grazia nell'opera di Graham Greene, non male in effetti; una fotografia scattata al matrimonio di sua sorella, in cui era graziosissima nelle vesti di damigella d'onore; un'altra fotografia, in abito bianco lungo, presa il giorno in cui si era impegnata a farsi sposa di Cristo — quanto ritrito tutto ciò gli appariva solo quindici anni dopo — una lettera con cui il padre provinciale l'autorizzava, seppure con riluttanza, a frequentare un corso di specializzazione.

La dispensa dai voti, fotografie del loro matrimonio, fotografie del battesimo di Brian, non di quello di Lise — a quel punto era già troppo oberata di lavoro.

Hugh pensò alle prime settimane, a quella prima volta, all'alba del giorno di Natale, alla domenica pomeriggio successiva, al weekend al lago Geneva. Momenti radiosi e ricchi di promesse.

Quanto sono pochi i ricordi delle tue speranze e dei tuoi sogni dopo che te ne sei andato, testimonianze effimere che fra dieci anni non avranno più interesse per nessuno.

Più tormentoso del resto fu trovare una brutta copia della lettera con cui Liz chiedeva l'ammissione nell'ordine. Una bambina di diciotto anni, brillante e intelligente, piena di ideali giovanili —

servire Dio e gli altri esseri umani con tutto il cuore e al massimo delle mie capacità. Dedicare la mia vita a portare amore e bontà nel mondo, lavorare per Nostro Signore e la Sua Chiesa. Solo così potrò essere felice. Non meritevole di vocazione, ma ispirata dallo Spirito Santo a corrispondere a un dono così sublime.

Hugh spinse da parte i documenti.

Per quanto tempo aveva amato Tim? Quando era scoppiato lo scandalo, era diventata silenziosa ed estranea perché si era schierata dalla parte di lui?

Non aveva importanza. Aveva fallito sia con lei che con i propri figli. Ora erano tutti morti. Il dolore che si sentiva dentro era così profondo che non poteva né sopportarlo, né affrontarlo, né allontanarlo.

Avrebbe concluso la propria esistenza senza calore e senza emozioni, come le acque del lago Geneva imprigionate nei ghiacci invernali.

Raccolse dal letto sul quale aveva ammonticchiato i ricordi le ultime fotografie scolastiche di Brian e Lise, prese da un fotografo dei Marines nella scuola dell'ambasciata. Lise, crescendo, sarebbe diventata una bella donna. Brian aveva una buona coordinazione di movimenti, ma gli sport non lo interessavano...

Desiderava con tutta l'anima di provare dolore per la loro perdita. Carne della mia carne, sangue del mio sangue. Gli vennero in mente le rare volte in cui aveva giocato coi figli. C'erano stati degli inizi... ma non ne era scaturito nulla. Colpa sua...? Di Liz? Che importanza aveva?

Ricordò altri bambini, il bimbetto che aveva commesso adulterio dicendo "stronza" alla mamma. A quei tempi ci sapeva fare coi bambini.

E invece, tanto squallore...

Vi amo, vi amo tanto, miei bambini perduti. Perdonatemi, piccoli innocenti. Ho fallito con voi, senza nemmeno capire il perché, ma ho fallito. Se vi è un luogo in cui possiamo porre riparo ai nostri errori, sarà lì che potrò amarvi. Datemi un'altra possibilità.

Sedette sul bordo del letto nascondendo la testa fra le braccia ripiegate. Nemmeno ora sarebbero venute le lacrime.

Io che sono stato tanto amato dai miei genitori non ho saputo riversare questo amore sui miei figli.

"Qual è il suo problema?" domandò Ed McLain osservando Hugh Donlon che fissava ostilmente le telecamere mentre si allontanava dalla tomba della moglie e dei figli.

Maria alzò lo sguardo dal terminale sul quale stava fingendo di lavorare. Che cosa avrebbe pensato suo figlio di una storia d'amore con un uomo coinvolto in uno scandalo pubblico? E per di più un ex prete? È identico al resto della famiglia. Sua madre — l'hai incontrata — non è una donna affascinante?"

"Certo che lo è," rispose Ed con aria da intenditore "per una donna della sua età."

Il soggiorno dei McLain era arredato con modernissimi mobili scandinavi di tek e spessi cuscini di pelle bordeaux, abbastanza fuori del comune da lasciare interdetti molti degli ospiti. "I miei antenati normanni" era la spiegazione che lei forniva di solito.

"Questa sera niente discussioni sull'età delle donne" lo ammonì la madre. "È una donna meravigliosa, piena di energia e di calore. Non c'è da stupirsi che tutti i bambini se ne siano innamorati. Ma né lei né i bambini sono mai riusciti a capire come far fronte al suo sex appeal."

Ed si interessava di psicologia, e Maria, che da parte sua aveva letto qualcosa, cercava di esprimersi nel suo linguaggio.

"Dilungandosi sui riti di passaggio, come l'abbandono del capezzolo?"

"Eddie, questa è la peggior porcheria che ho mai sentito."

"Spiacente, Mamma." Le rivolse uno dei suoi irresistibili sorrisi. "Chiamala introiezione, se preferisci."

"E questo è anche peggio" aggiunse lei.

"Stai insinuando" — continuò lui senza badare alle sue proteste — "che i figli maschi coinvolti in un rapporto intimo con una madre sessualmente attraente sono destinati ad avere una vita tormentata?"

"Se non hanno imparato," ribatté prontamente Maria "che non c'è nessun bisogno di guadagnarsi l'amore della madre compiacendola, e se la madre non è in grado di amministrarsi la propria capacità di attrazione sessuale, sì."

"Sei innamorata di Donlon?" domandò Eddie.

Dunque, questo era il punto, ben chiaro com'era giusto che fosse. Come reagiva il giovane figlio maschio di una vedova alla prospettiva che sua madre potesse innamorarsi? Che cosa dicevano al riguardo i libri di Ed?

"Lo sono stata una volta e potrei esserlo di nuovo" rispose con cautela.

Non voleva ammettere né dinanzi a Ed né dinanzi a nessun altro che negli ultimi cinque anni aveva valutato ogni uomo che aveva incontrato confrontandolo con due modelli, Steve McLain e Hugh Donlon, e fino ad ora nessuno aveva superato la prova.

"Prenderai una decisione impulsiva, come fai sempre?"

"Non impulsiva, istintiva" si difese Maria. "E i miei istinti mi hanno reso ottimi servizi per tutta la vita. Qualcosa da obiettare?" "Io?" domandò Ed piuttosto sorpreso. "Buon Dio, no, Mamma. Mi fido dei tuoi istinti quanto te. Sembra un bravo ragazzo. Abbastanza duro da saperti tener testa quando attraversi uno dei tuoi terribili momenti di malumore siciliano."

"Nei sei certo?"

"Perché dovrei disapprovare?" Il giovane era perplesso. "Non pretendo il diritto di veto sui tuoi affari. Comunque, se c'è una donna che può aiutarlo a rimettersi a posto, quella sei tu."

"Oh, Eddie." Maria arrotolò la sua rivista e la batté sul palmo della mano. "Di' una preghiera per un'adolescente attempata, vuoi?"

Eddie si alzò e, attraversata la stanza, le posò un bacio leggero sulla fronte. "Puoi starne certa" assicurò.

Hugh cominciò a mettere i suoi vestiti dentro una valigia. Tutti sembravano dare per scontato che, non avendo più legami famigliari, sarebbe tornato al sacerdozio. Marge era stata esplicita al riguardo. "Non l'avresti mai lasciato se Liz non fosse rimasta incinta. Non sto dicendo che non avresti dovuto, ma ora sei libero di tornare. Farebbe così contenti Mamma e Papà."

Jack Howard, il vescovo Jimmy McGuire, persino quello strambo artista, Waldek, tutti, con molta discrezione, avevano alluso al fatto che Sean sarebbe riuscito a farlo rientrare.

Né suo padre né sua madre avevano fatto accenni precisi. Ma nei giorni della veglia e del funerale avevano ripetuto spesso, quantunque senza calcare la mano, che, per quanto questa tragedia fosse stata terribile, ora aveva la possibilità di ricominciare daccapo la sua vita.

Doveva pensare che Liz, e Lise, e Brian non erano stati nulla più dell'ostacolo a una vita nuova?

Ed ora c'era stata Maria, snella e aristocratica in un abito di crepe nero, il viso incorniciato dai capelli d'oro e argento, gli occhi alla Rembrandt che mandavano bagliori azzurro ghiaccio come il sole da dietro i suoi occhiali scuri in una giornata d'inverno; Maria, che ora mostrava la padronanza di sé delle persone votate al successo e alla tragedia.

Aveva seppellito sua moglie da pochi giorni e già stava pensando a un'altra donna, una donna della quale non sapeva davvero nulla. Ti amo, Maria. Non ho mai cessato di amarti.

Allungò la mano verso il telefono per chiamarla. Il telefono squillò prima che potesse sollevare il ricevitore.

"Sì, Waldek, sono sicuro che è in casa. Non risponde? Sì, preoccupa anche me. Chiamo subito mia sorella che è al Drake, ad appena un isolato di distanza. Niente affatto... grazie di avermi chiamato."

Il dolore era peggiorato. Respirare diventava sempre più difficile. Non le restava molto tempo. Le immagini della sua vita le passarono rapidamente davanti agli occhi... la Prima Comunione, le labbra e le mani di Tom a Twin Lakes, il terribile insuccesso della prima notte, le delizie successive, la nascita di Hugh, i quadri, la prima Messa di Hugh, la terribile lite con Tom.

Se solo riuscissi a trovare il mio rosario. È nella borsa in entrata. Non lo toccherò più. Non toccherò più nemmeno Tom. Buon Dio, dammi ancora una possibilità.

C'erano ancora tante cose da fare; doveva dire addio, riconfermare il proprio amore, chiedere perdono. Non c'era tempo. D'accordo, mio Dio, non sono preparata, ma puoi avermi. Solo, aiutami per favore a dire l'ultima preghiera prima di lasciare questo mondo.

Poi un'ultima, disperata parola strappata dal suo cuore a pezzi, per Tom, per Dio e per tutti...

"Amore!"

Ora c'era luce e qualcuno in attesa, poi rumore di passi, braccia forti, e poi più nulla...

Capitolo XLIII

1980-1981

Una lettera di Liz era ad attenderlo quando tornò a Lexington. Era stata impostata a St. Maarten il giorno del disastro. Hugh esitò ad aprirla. Non voleva messaggi dalla tomba, specialmente dopo il flirt di sua madre con la morte. Ora Peggy stava rimettendosi. Secondo i medici era fuori pericolo. Tuttavia, chi avrebbe potuto assicurare che non le sarebbe venuto un altro attacco l'indomani stesso?

Inoltre, come Marge aveva detto senza mezzi termini, la sua possibilità di vivere sarebbe anche potuta dipendere da Hugh. Marge gli aveva chiesto di prendere una decisione prima di tornare a Lexington.

Lui non si era impegnato, e le aveva risposto che, appena tornato, avrebbe scritto al cardinale.

Era stato Liam a salvare la vita a Peggy. Che scena doveva esser stata, l'enorme irlandese in maniche di camicia che, con la suocera in braccio, correva giù per Chestnut Street e attraversava Chicago Avenue in mezzo a una tempesta di neve e agli ululati del vento gelido del lago.

I medici del pronto soccorso del Northwestern Hospital avevano detto che se si fosse tardato ancora qualche minuto, Peggy sarebbe morta. "Non molti avrebbero avuto la presenza di spirito di fare ciò che ha fatto suo cognato" aveva osservato la cardiologa di turno.

Hugh aprì la lettera di Liz.

Penso di dover cominciare questa difficile lettera dal principio. Non porterò avanti la causa di divorzio a meno che non lo voglia tu. Se preferisci che mi tolga di mezzo, me ne andrò tranquillamente chiedendoti solo il denaro per provvedere ai bambini. Se li vuoi — ma non riesco a immaginarmelo — non te li contenderò.

Spero che non sia troppo tardi per noi, ma lascio a te la valutazione.

Sono qui ai Caraibi da una settimana con un amante, l'unica volta che ti sono stata infedele. Avrei voluto commettere adulterio molte altre volte, di conseguenza ho comunque peccato nelle intenzioni. Se vuoi riprendermi, non lo faro più.

Il mio amante è d'accordo su questa decisione.

La prima cosa che farò lunedì mattina sarà prendere un appuntamento da uno psichiatra. Tu sei una brava persona e un marito meraviglioso. Se non ho trovato la felicità nel nostro matrimonio, la colpa dev'essere mia. Non sono mai stata felice nella mia vita, né al tempo delle superiori, né nella vita religiosa, né all'università, non con te, e non sono felice nemmeno ora. Se uno non è mai felice, allora l'infelicità è nella sua anima. Strano che mi venga questa parola, che appartiene al nostro passato. Mi sento malata emotivamente e spiritualmente.

Cercherò di ritrovare la salute. Spero che vorrai darmi una possibilità.

Con affetto, Liz

Hugh mise da parte la lettera con mano tremante. Liz aveva sempre portato dentro di sé la donna che aveva scritto quella lettera, una donna lucida e coraggiosa. Ma lui non era mai riuscito a raggiungerla, non aveva mai provato a scorgerla, non aveva mai permesso a se stesso di essere conscio della sua esistenza.

Il ghiaccio che lo attanagliava si fece ancora più spesso.

Norma Austin attaccò la sua bistecca con entusiasmo. "Ultimamente ho dovuto tener d'occhio le spese; niente bistecche per una professionista disoccupata."

"E niente lavoro" disse Maria con genuina partecipazione.

"Come posso biasimarli? Mi sono lasciata coinvolgere in qualcosa di poco chiaro."

"Te lo dico chiaramente, Norma. Ho la possibilità di trovarti un lavoro, un lavoro piuttosto buono. Ma posso anche mandarti in galera per falsa testimonianza. Cosa preferisci?"

L'altra donna perse ogni interesse per la bistecca. "Hai trovato l'affidavit di Tim? Allora hai trovato anche le sue riserve segrete. Mi fa molto piacere. Lui desiderava che venissero trovate se gli fosse accaduto qualcosa. Sai com'era... per lui la vita era come un gioco."

"Abbiamo tutto ciò che ci occorre per ottenere una piena riabilitazione di Hugh." Maria inventava andando avanti nel discorso. "La tua testimonianza sarà senz'altro di aiuto, ma possiamo farne a meno. Nessuno muore dalla voglia di mandarti in prigione. Ma se non collabori..."

"Collaborerò" promise Norma ansiosamente. "Ce l'ho sulla coscienza... ero così impaurita."

"Hai solo da andare all'ufficio di Pete McQueen e tirar fuori tutto ciò che sai. Telefonami domani. Quando ti ho detto che avrei potuto procurarti un lavoro, parlavo sul serio."

Maria Angelica nei panni della dama benefica, si disse mentre andava in piscina per quell'esercizio quotidiano che le era diventato indispensabile. Oggi avrebbe dovuto abbreviare, solo venticinque vasche, perché la banca aveva bisogno di lei. Innamorata di una banca, alla fine.

Mentre nuotava ripensò all'affidavit di Tim e alle "riserve" che con quel documento aveva lasciato. Di quelle riserve Tim aveva parlato anche con lei. E probabilmente con parecchi altri. Gli piaceva moltissimo sparpagliare indizi qua e là. Dov'erano e di cosa si trattava? Era bene tentare di scoprirlo.

Hugh guardò fuori della finestra sul cortile della ricreazione, dove l'erba secca marrone era ricoperta da un sottile strato di neve. Ma in realtà aveva davanti agli occhi Twin Lakes verso la fine degli anni Trenta; il lago gli appariva come una lastra di vetro ammantata di nebbia, i prati grandi e verdi, il pergolato una fortezza e l'edificio del club un castello feudale. Stava correndo lungo il sentiero ghiaioso verso il lago e verso sua madre, una donna giovane e bella che lo attendeva a braccia aperte. Inciampò e cadde sulla ghiaia, scorticandosi un ginocchio. Sua madre lo prese in braccio e cacciò via il dolore, premendoselo al petto e dicendogli quanto lo amava.

Quando non era nella cappella a pregare o, meglio ancora, ad ascoltare, lasciava che l'immaginazione vagasse liberamente nel passato, esplorandone colori e immagini. Qualcosa che pareva collegarsi con ciò che per il momento era un abbozzo di preghiera.

Una parte del ghiaccio andava sciogliendosi sotto i raggi caldi di una felicità ancora inespressa, ma presente nel suo intimo. Stava iniziando la scalata per uscire dal baratro. Ma aveva dinanzi una lunga, lenta china da risalire prima di tornare alla vita.

Che cosa, se non il sacerdozio, avrebbe potuto rendergliela più lieve?

Ronald Harding si contorse a disagio sulla sedia enorme. Il suo viso affascinante si rabbuiò sotto la folta capigliatura bianca.

"Ho l'informazione di cui hai bisogno, Maria — o per lo meno quanto basta, penso, tuttavia non ti sarà possibile usarla in tribunale."

"Non sto cercando delle prove, Ron, voglio solo capire meglio come stanno le cose."

Erano stati quasi amanti per un breve periodo, ma poi Maria aveva deciso che il gioco della vedova allegra le dava più noie di quanto valesse la pena. Ron era uno dei più noti avvocati di Chicago, ma così a disagio nella propria notorietà da aver bisogno di adorazione incondizionata. Vale a dire che non aveva bisogno di Maria.

"Benissimo, allora. So di potermi fidare di te. I funzionari del Fisco non sono affatto convinti che Tim Donlon sia morto senza un centesimo. Ritengono che durante gli anni di assenza del fratello si sia indebitamente appropriato di milioni di dollari della ditta. È tipico di Tim aver lasciato indizi ed enigmi che gli altri troveranno virtualmente impossibile risolvere."

"Troppo abile."

"Alla fine, sì. E, se posso dirlo, tu sei più bella che mai."

"Te la sei sempre cavata bene a parlare, Ron." Maria gli restituì il sorriso. "Spero che tu e Roberta vi ricorderete di me quando farete la lista degli invitati." Roberta era l'amante ventiquattrenne che presto sarebbe diventata sua moglie.

"Ma certo" disse lui amabilmente.

"Col cavolo, che lo farai, ma va bene lo stesso" bofonchiò Maria fra sé e sé mentre scappava dal suo ufficio, un po' arrabbiata con se stessa per essere così brava a resistere alla tentazione.

Calore, è di questo che hai bisogno. Calore.

I ricordi di Hugh lo riportarono al lago Geneva. Lui e Maria navigavano sul dinghy. Maria stava lottando senza successo col fiocco, e rideva perché la vela le sbatteva sulla faccia.

Lui manovrò per prendere il vento e il boma si spostò. Maria cambiò rapidamente posizione, ma non fu abbastanza veloce; il boma la colpì allo stomaco e lei, ancora ridendo, venne catapultata fuori bordo. Per un secondo temette che si fosse fatta male e persino che potesse affogare. Ma prima che lui si tuffasse per salvarla, lei stava già arrampicandosi sul bordo della barca, coi capelli incollati alla testa, la maglietta del Fenwick inzuppata, senza smettere di ridere.

I colori dei suoi ricordi erano straordinariamente vividi, il bianco della vela, l'azzurro del lago, il bronzo dei capelli di Maria, il nero della sua maglietta, il tutto nelle tonalità brillanti dei primi film in Technicolor.

Era così bella mentre sedeva nella barca, rabbrividendo nel vento freddo, respirando a fatica, e ridendo.

Perché Dio gli inviava immagini di Maria nella cappella della prigione?

Maria aveva sempre rappresentato qualcosa che avrebbe potuto distoglierlo dal sacerdozio. E lo era tutt'ora.

Poi si rese conto, come se fosse stato la prima volta che gli si presentava un simile pensiero, che ora non vi erano ostacoli fra loro. Avrebbe potuto averla se voleva. Ricominciare dal principio, rievocare il lago Geneva.

La stessa scelta straziante.

Capitolo XLIV

1981

Liam Wentworth venne in volo da Londra per accompagnare Maria a Miami, dov'ella parlò con Ben Fowler. Aveva intrapreso il viaggio, ammise, con una certa esitazione. Marge voleva con tutto il cuore che Hugh tornasse al sacerdozio. Tutti lo volevano, in realtà, ma lei lo desiderava particolarmente.

"Il suo ritorno al sacerdozio aiuterebbe quella poverina di sua madre a rimettersi completamente" aveva spiegato Liam in una delle sue rare frasi complete.

"Non può tornare con questo scandalo che gli pesa addosso. Nemmeno Sean Cronin potrebbe aiutarlo a liberarsene."

Fowler aveva rifiutato di rispondere alle telefonate di Maria, e aveva acconsentito a vederla solo quando certi amici sudamericani di Liam Wentworth avevano accennato all'idea di trovarsi un altro consulente finanziario in Florida.

La casa dei Fowler sorgeva su un canale in un nuovo quartiere parecchio costoso. Venne ad aprire la porta Helen, una donna imperscrutabile che si difendeva con successo dall'età in ogni dettaglio, ad eccezione degli occhi.

Secondo i pettegolezzi che circolavano, era stata l'amante di Hugh. Maria si domandò che cosa egli potesse aver trovato in una donna simile. Una bella figuretta... Accidenti, Maria Angelica, non hai tempo per la gelosia. Piantala.

Ben Fowler, grasso e brutto nonostante gli abiti costosi, era ancor meno cordiale, quantunque facesse attenzione a non mancare di rispetto verso il potente signore.

"Non c'è nulla che io possa fare per aiutarvi. Mi dispiace per la morte di Tim. Mi dispiace che Hugh sia in prigione. Mantengo la mia versione dei fatti."

"E se noi le dicessimo che Hugh era a monte del fiume, in un posto chiamato mir Hassun nei giorni in cui, secondo la sua testimonianza davanti ai giurati, ci sarebbero state due delle telefonate?"

"Non ricordo di aver testimoniato una cosa simile" affermò Ben. Maria lo aveva colpito duramente simulando di avere quella prova, ma non abbastanza.

"Abbiamo anche un affidavit della signora Austin nel quale si nega che Hugh fosse coinvolto."

"Ci sarebbe la mia parola contro la sua, o sbaglio?"

"Inoltre abbiamo accesso a un affidavit dello stesso Tim, nel quale la si accusa di falsa testimonianza."

Fowler si soffermò a pensare. "Ci crederò quando lo vedrò."

"Certo che lo vedrà," esplose Maria.

"Non vogliamo metterla nei guai. Niente processo. Niente scandalo pubblico. Vogliamo solo discolpare Hugh." Liam ce la stava mettendo tutta per persuaderlo. "Una parolina qua, una là. Nessuno ne uscirà danneggiato."

Fowler annuì. "Capisco. Sono pronto a rendere qualche dichiarazione, in forma molto discreta, alle autorità competenti quando vedrò che le prove lasciano intravedere il riconoscimento dell'innocenza di Hugh. Ma temo che un documento rilasciato da quella Austin non servirebbe a nulla. Lei non è altro che una puttana."

"Non l'unica in questo caso" sbottò Maria, lasciandosi sfuggire la sua opinione per la tensione nervosa.

Liam fu pronto a rimediare. "Saremo tutti contenti quando sarà finita. Non abbandoniamoci alle emozioni. È il momento di star calmi. Ci rivedremo presto."

Helen Fowler li accompagnò alla porta. Lei e Maria rimasero sole per un attimo sulla banchina del canale, mentre Liam andava in cerca della limousine e dell'autista.

Le mani di Helen si muovevano nervosamente. "Non farete nulla a Ben, vero?" Guardava le acque placide del canale, non il viso di Maria.

"No, ovviamente" rispose lei, prendendo lì per lì una decisione impulsiva.

"Tim e Liz sono stati qui un giorno prima di partire per Saint Maarten. Hanno parlato tutto il giorno di un tesoro sotterrato."

"Un tesoro sotterrato?"

"In realtà, mi pare che dicessero 'sommerso'."

"Grazie" le disse Maria con calore. "Questo potrebbe essere di grande aiuto."

Non sapeva se davvero sarebbe stato di grande aiuto, ma Helen meritava un riconoscimento della sua generosità.

"Caro Liam, se non ci fossi stato tu sarei esplosa" gli disse in preda alla stanchezza mentre l'auto li riportava all'aeroporto. "Non ho la tempra dell'investigatore privato." "Parecchio strambo quel tipo. Mezza vittoria, comunque. Preso l'abbrivo."

Durante il lungo volo burrascoso fra il Miami International e l'O'Hare, Maria ripensò a Helen Fowler. Nessuna donna, ne era certa, avrebbe perso Hugh senza provare un dolore cocente. Bene, questa volta non lo perderò.

Il Procuratore degli Stati Uniti guardava fuori della finestra, apparentemente studiando il "mobile" di Calder sulla piazza sottostante. "Avremo la vostra testa per ciò che avete fatto" disse Maria, "o la sua o quella del giudice Crawford, scelga lei." "Non credo alle sue minacce, signora McLain." L'uomo tarchiato dal viso pieno si voltò per affrontarla, ma i suoi occhi esprimevano minor sicurezza di quanta il tono acuto della voce volesse far credere. "Ma lei non può permettersi di correre il rischio che invece siano vere. Lei spera che la nuova cricca rinnovi la sua nomina, per quanto non capisca perché qualcun altro debba volere la sua carica. Se vado a raccontare alla stampa che ha mandato uno in galera senza prove fondate, lei è finito." "Si trattava di un'istanza di libertà condizionata" sospirò lui. "È stato il giudice Crawford a mancare alla parola. Ho visto la dichiarazione della Austin. Lei mi porti anche solo un'altra piccola prova, e in particolare quel documento di Tim Donlon alla cui stesura la Austin afferma di essere stata presente, e prenderò i provvedimenti necessari."

"Per cosa prega?" domandò Marilyn Henderson. Aveva "notato" che Hugh trascorreva gran parte del tempo in cappella. Seppure con cautela, lei non perdeva occasione per parlargli, e in quel momento Hugh aveva bisogno di qualcuno con cui parlare. "Per il perdono" rispose lui prontamente. "Non so se vi sia qualcuno che possa perdonare, né se Lui voglia perdonarmi. Non lo merito, lo sa Iddio. Ma, come minimo, ne ho bisogno." Lei si allontanò i capelli dagli occhi. "Tutti abbiamo bisogno di essere perdonati. Penso che la sola questione religiosa che conta è se c'è realmente qualcuno che sa perdonare." Arrossì leggermente. "E se lui, o lei, lo fa, deve metterci un sacco di tempo, c'è così tanto da perdonare." Marilyn era diventata una specie di Padre Meisterhorst, quantunque, come direttore spirituale, fosse molto più capace di lui. Suo marito era un uomo molto fortunato. Hugh non provava per lei nessun desiderio sessuale. Ma non gli era sfuggito che, seppure in un certo suo modo poco appariscente, era una donna che piaceva molto. Il desiderio sessuale non faceva più parte della sua vita. Tuttavia, ora, la sua reazione a Marilyn gli suggeriva che forse, in futuro, non sarebbe stato permanentemente immune alle donne.

Il Fido Eddie mise da parte *Dio Esiste?* di Hans Küng.

"Buon libro?" Sua madre alzò gli occhi dal calzino che stava rammendando, un'abitudine inveterata della quale persino Paola rideva. "Sarà di sicuro un tipo affascinante."

"Mamma," disse Ed con disapprovazione "non si dicono queste cose dei teologi."

"Solo quando sono come Hans." Suo figlio era un ragazzo delizioso. Maria attendeva con ansia ogni suo ritorno dal seminario. Come sarebbe stato se Hugh fosse potuto tornare a casa altrettanto spesso?

"Sei in un vicolo cieco?" Ed aveva una misteriosa capacità di leggere i pensieri di sua madre.

"Proprio così."

"Forse stai considerando la faccenda da un punto di vista sbagliato. Forse sei talmente innamorata di Hugh che..."

"Niente affatto" ribatté lei furibonda.

"D'accordo." Ed si strinse nelle spalle come un fruttivendolo italiano. "Come vuoi tu. Comunque, il punto è che Tim doveva essere molto più interessato a costituirsi le sue riserve di argento che a nascondere qualche documento. Solo in un secondo tempo ha pensato di mettere l'affidavit con le riserve... ora, con che cosa ti costituisci una riserva per un contratto allo scoperto — è questo il termine giusto, non è vero? — con che cosa, se tratti argento allo scoperto?"

"Con l'operazione opposta" rispose lei prontamente. "Ma lui non aveva contratti, altrimenti li avrebbe liquidati e abbandonato la nave."

"Sotto che forma l'argento viene immagazzinato?" domandò lui protendendosi in avanti e posando il libro di Hans Küng sul tavolino del soggiorno.

"Normalmente in lingotti da mille once, once troy." Maria impostò qualche cifra sul suo personal computer. "E così fa circa settantasette libbre; cinque costituiscono un normale contratto della Borsa Merci di Chicago. Un lingotto dovrebbe valere, aspetta un po' " — altri calcoli, il suo calcolatore sarebbe stato in grado di farle anche i calcoli per la costruzione di un ponte, se avesse voluto — "al prezzo attuale fa circa diecimila dollari. Quattro volte il massimo valore raggiunto durante la salita del prezzo. Entro qualche anno potrebbero diventare ventimila."

"Così, se ammucchi da qualche parte duecento lingotti, sono due milioni di dollari adesso e un investimento piuttosto buono in futuro. Ma lo si può fare? Si può comprare qualcosa del genere e sistemarlo da qualche parte?"

"Certo, si potrebbe, nella camera di sicurezza di qualche banca... un ago da parecchi milioni di dollari nel pagliaio."

"Non il tuo amico Timmy; metà del divertimento era costituita dalla possibilità che qualcuno lo trovasse." E tornò a Hans Küng.

L'abbraccio entusiastico di sua madre lo distolse appena dalla lettura del grande pensatore svizzero.

La casa dei Marshal in Park Ridge era così pulita e ordinata che, al confronto, la meticolosità con cui Maria teneva la sua ora appariva trascuratezza. "Noi italiane abbiamo difficoltà a tener pulito" disse alla giovane coppia che l'ascoltava con aria grave. "Tutto quell'olio di oliva che ti esce dalla pelle..."

Entrambi sorrisero imbarazzati. Quello era un dialogo difficile. Joseph non riusciva a ricordare nessun accenno, nelle conversazioni di Tim Donlon, su dove avrebbe potuto tener nascosti duecento lingotti d'argento. I tre piccoli Marshal stettero a guardarla con occhi spalancati e gravi, come quelli dei loro genitori, finché non vennero spediti a letto.

"Lo sposerà quando uscirà di prigione?" domandò Kathy senza troppe cerimonie.

"Non immediatamente."

Kathy stava piangendo. "È una persona che significa tanto per noi. È il nostro prete, comunque sia." Si asciugò gli occhi, ma le lacrime non cessarono. "In tribunale era annichilito, quasi morto. Lei deve riportarlo alla vita."

"Riportare i morti alla vita è affare di Dio, tesoro, non mio."

"Se non sarà lei ad aiutarlo, chi lo farà?"

"La casa sul lago!" interloquì Joseph Marshal d'improvviso. "Il signor Tim parlava moltissimo della casa sul Michigan che sua moglie stava disegnando durante la salita del prezzo dell'argento. Il ritmo dev'essere salito da due volte al mese a dieci volte la settimana, il che fa più di 1,3 accenni alla casa ogni giorno."

Maria li abbracciò entrambi e corse alla porta. "Ci vediamo al matrimonio, ragazzi."

"Penso che sarebbe un errore, Hugh, tornare al sacerdozio appena sarai scarcerato." I capelli di Marilyn Henderson ora erano legati dietro alla testa in una coda di cavallo che la faceva apparire una graziosa adolescente.

"In quale altro modo potrò ottenere il perdono, se non riprendendo i voti?"

La giovane si alzò di scatto dalla sedia, con una manifestazione di passionalità che non era da lei. "Riprendere i voti, fesserie. Il rientro nel sacerdozio non è la risposta per te; non è né buona psicologia né buona religione."

Quand'era arrabbiata era graziosa tanto da turbarlo e da esercitare un'attrazione sessuale che la faceva classificare una tentazione assoluta. Ne era quasi innamorato.

Eppure lei non capiva quanto penosa sarebbe stata la sua ascesa dei sei gironi superiori.

E nessuno avrebbe potuto accompagnarlo nell'impresa.

Capitolo XLV

1981

La casa di Oakland Beach disegnata da Estelle Donlon era un palazzo volgare.

Dovrei proprio farmi la casa con piscina, si disse Maria ridendo tra sé. Si abbandonò su uno degli enormi divani del soggiorno col pavimento ribassato.

Aveva persuaso l'agente immobiliare a darle le chiavi col pretesto di star cercando una casa per l'estate. Non riusciva a trovar traccia né delle riserve né dell'affidavit. Se in quella casa c'erano duecento lingotti d'argento nascosti da qualche parte, lei non se n'era accorta. Una buona idea, ma era la caccia all'oca selvatica.

Per un attimo rimase impressionata dalla piscina ricavata nel seminterrato, con annessa sauna e bagno caldo e sedie a sdraio e lampade abbronzanti distribuiti nei diversi terrazzi interni. Sarebbe sembrata sibaritica — e come tale avrebbe esercitato un'enorme attrazione su Maria — se Estelle non avesse interamente coperto le pareti in legno di pino con fotografia di famiglia. Grossolana, avrebbero detto i ragazzi, ma meravigliosamente comoda, specialmente se ti piace nuotare nuda.

Nella piscina, la temperatura dell'acqua era, se bisognava credere al termometro, intorno ai diciassette gradi. Non esattamente quella a cui Maria amava fare il bagno, ma tollerabile. L'agente le aveva detto che dovevano tenere il riscaldamento acceso per evitare il congelamento dei tubi, e che non volevano prosciugare la piscina perché la casa era in vendita.

Maria era tentata dall'idea di una ventina o anche una trentina di vasche. Da un paio di giorni non faceva esercizio.

Non posso fare una cosa simile. Sarebbe volgare nuotare nella piscina del povero Tim Donlon.

Piscina!

Maria sedette su una sdraio. *Il tesoro sommerso!* Ma certo.

Si precipitò giù per le scale che conducevano al terrazzo circostante la vasca togliendosi il vestito. Accese i riflettori e corse verso il bordo. La piscina era in mattonelle e plastica, ma dalla parte dove l'acqua era più profonda c'erano dei mattoni verniciati, o a scopo decorativo o per proteggere le strutture della base dalle sollecitazioni.

Questo, almeno, era ciò che si pensava di primo acchito.

Lasciò cadere a terra il resto dei vestiti, respirò profondamente e si buttò.

Mio Dio, è gelata, non sono diciassette gradi.

Toccò il fondo, tastò i mattoni finché i polmoni non incominciarono a dolerle e tornò alla superfcie, respirando a fatica.

Si soffermò un momento a pensare, uscì e, senza curarsi dei brividi, frugò dappertutto finché in uno stanzino trovò una cassetta degli attrezzi. Poi si rituffò con un cacciavite tra i denti.

Le bastò graffiare leggermente la vernice per intravedere il metallo brillante.

Aggrappata al bordo della piscina, ansimante e infreddolita, pensò al da fare. Almeno centocinquanta mattoni, un milione e mezzo di dollari. Di chi? Secondo giustizia, di Hugh, ma Estelle glieli avrebbe contesi.

Si issò fuori, andò a cercare un asciugamano negli stanzini che si aprivano sulla parete, si avvolse in un enorme telo da bagno e sedette sotto una lampda abbronzante spenta, rabbrividendo e pensando.

Da qualche parte, in questa stanza...

Tenendo stretto l'asciugamano, rovistò negli armadietti, nelle cassette degli attrezzi, fra le pagine dei libri sparsi per i tavoli. Nulla. Perquisì la sauna. Nulla nemmeno lì.

Scoraggiata e ancora infreddolita, tornò al bordo della piscina. Forse Tim aveva ficcato in testa a Norma l'idea dell'affidavit come inganno finale. Poteva non esistere affatto.

Ho bisogno degli occhiali per pensare come si deve, si disse. Dov'è la mia borsa? Dannazione, mi comprerò un paio di lenti a contatto la prossima settimana, il tipo morbido che va così bene.

Con l'asciugamano stretto intorno al corpo salì le scale, ignorando i vestiti che prima aveva lasciato cadere, e trovò la sua borsa.

Se Hugh è interessato a me, senza dubbio farò un investimento in lenti a contatto.

Maria Angelica, dovresti vergognarti.

Scese di nuovo le scale, si mise gli occhiali, lasciò cadere l'asciugamano bagnato e si trascinò alla porta di uno degli stanzini per cercarne un altro.

Diede un'occhiata di sfuggita alla parete accanto allo stanzino,

c'era una fotografia della famiglia Donlon in costume da bagno —
moglie grassa e figli orribilmente grassi.

Mi domando...

Accantonò l'idea di trovare un asciugamano asciutto e tolse il
cartoncino dalla cornice. Nulla.

Sull'altra parete c'era una foto piccola. Si precipitò dall'altra
parte, rischiando di scivolare sulle mattonelle. Dannazione, proprio un bel posto per andare a rompersi l'osso del collo.

Guarda caso, il lago Geneva, i Donlon al completo e una bionda magrolina con una maglietta del Fenwick.

Sapeva che cosa avrebbe trovato ancor prima di tirar via la foto
dalla cornice.

La prima telefonata fu per il Cardinale Cronin.

Poi chiamò il Procuratore degli Stati Uniti. "O la sua testa o
quella di Crawford, su un piatto d'argento."

Solo allora si rese conto di esser corsa al piano di sopra completamente nuda. Stupida siciliana impulsiva.

"Lei scherza riguardo al piatto d'argento" disse il Procuratore
con un risolino imbarazzato.

"Non sono mai stata più seria in vita mia."

"Chi ti ha dato il diritto di interferire negli affari della nostra
famiglia?" esplose Marge non appena Maria ebbe sollevato il ricevitore.

"Eh?" domandò lei assonnata.

"Vuoi che mamma abbia un altro attacco di cuore? Che effetto
pensi che le faccia vedere i nostri segreti di famiglia nei titoli dei
giornali di tutto il mondo... *una seconda volta?*"

"Ma Hugh è discolpato."

"Gli risparmi più o meno due mesi di prigione al prezzo di in-
fangare la memoria di Tim e di mettere in pericolo la salute della
Mamma."

"Ma Peggy ha avuto un altro attacco?" Ancora assonnata stava cercando di capire cosa succedeva.

"Non ancora, ma non per merito tuo. E non ne avrai nessun
vantaggio. Hugh tornerà al sacerdozio." Marge riappese.

"No, se io posso far qualcosa" si disse Maria.

Il giudice Donlon venne introdotto nell'ufficio di Maria.

"Hai messo qui il quadro" osservò con aria un po' incerta, notando l'acquerello di Peggy sulla parete.

Maria sedeva alla sua scrivania, sicura, eretta, competente oltre che bella, le dita sulla tastiera del terminale. Non male per una

posa assunta all'ultimo momento. "E nessuno insinua che sono io. E questo è tutto sulla vanità di una vecchia signora."

"Sono venuto per scusarmi per la telefonata che hai ricevuto da Kilarney. Me ne ha parlato Liam. Era più arrabbiato di quel che avrei mai ritenuto possibile."

"Non c'è nessun bisogno di scuse." Mosse la mano come in un gesto di assoluzione.

"Sì, c'è bisogno. Marge è una passionale, come tutti noi. Ma, al contrario degli altri, è raro che si tenga dentro i suoi sentimenti. Persino quand'era bambina..."

"Non riuscirei a tener rancore, Vostro Onore. Lei lo sa. Siete tutti meravigliosi, anche Marge, ma le dica che la prossima volta che vuole urlare al telefono, per favore mi chiami durante il giorno, così anch'io potrò risponderle urlando. Ora, mi dia la copia del suo libro che mi ha portato. Non vedo l'ora di leggerlo."

Il giudice Donlon glielo porse con solennità.

Maria rispose come se le avessero regalato una rara opera d'arte.

"Come sta Peggy?" domandò infine, con la sensazione che lo scopo della visita non si limitasse al libro.

"Bene. Marge esagera. Mia moglie ha avuto un grave attacco di cuore, ma si è ripresa benissimo. Non c'è ragione di pensare che non vivrà ancora a lungo.Naturalmente, non c'è bisogno di dire che una felice soluzione della situazione di Hugh le sgombrerebbe la mente..."

Ah, si trattava di questo. D'accordo, anch'io le voglio bene. Ma non sono disposta a cedere così facilmente come l'ultima volta.

"Vorrà vedermi...? Intendo dire, avrei voluto andare a trovarla, ma non sapevo..."

"Certo che vorrà."

"Glielo domandi" insisté Maria.

Prima il cardinale, poi Monsignor Martin. Maria era sgomenta.

Sean Cronin non l'aveva certo risparmiata.

"Dovrebbe tornare al sacerdozio, Maria, a Lakeridge ha fatto un lavoro meraviglioso in circostanze impossibili. È stato un superbo studioso quanto un ottimo sacerdote. Non avrebbe mai dovuto lasciarci. Abbiamo bisogno di riaverlo fra noi."

Maria avrebbe voluto poterlo vedere in faccia. Le conversazioni telefoniche con le autorità la innervosivano.L'intuito siciliano non captava vibrazioni attraverso il telefono.

"Non ritengo che sia mai stato felice come prete, Eminenza —

Sean — e non rispondermi che non è detto che dobbiamo essere felici. Possiamo, io lo so."

"Io penso che sia stato felice gran parte del tempo. O forse no... Comunque, ti chiedo di dargli la possibilità di prendere la sua decisione. Combatti lealmente."

"Tu pensi di avere Dio dalla tua parte. E se sbagli?"

Il cardinale esitò. "Non sarebbe la prima volta, Maria. E Dio potrebbe anche essere dalla tua parte. Tuttavia, io lo rivoglio prete. Dacci una possibilità."

Maria non aveva fatto nessuna promessa, specialmente non quella di combattere lealmente.

Il loro modo di combattere non era affatto leale. Perché avrebbe dovuto esserlo il suo?

Uscita dalla banca, andò a St. Mark. Monsignor Martin aveva officiato la Messa funebre di Steven e l'aveva sostenuta negli anni più dolorosi. Al mondo, non aveva amico più caro.

Ed ora con lei era più crudele del cardinale.

"Come osi porre ostacoli sulle vie del Signore?" le disse protendendo drammaticamente le braccia.

"Come fai a essere sicuro che io non sia la via scelta dal Signore? Perché dovresti essere automaticamente dalla parte della ragione?"

"È stato ordinato prete per sempre, Maria."

Alla porta, mentre stava andandosene, un ultimo tentativo di difesa: "Se vinco, Monsignor Xaw, cesserai di amarmi?".

"No, Maria." Il parroco scosse la testa. "Ma resterò deluso. Terribilmente deluso."

A casa telefonò a Ed. "Xav è in parte della vecchia scuola, devi capirlo" disse lui evasivamente.

"E *tu*, sarai deluso?" Maria persisteva nella ricerca di rassicurazioni.

Ed ridacchiò sommessamente. "Io nessun modo potrai mai deludermi, Mamma."

Peggy appariva abbastanza in buona salute e realmente carina, seduta accanto alla finestra a osservare il lago e la città, con in mano pennello e tavolozza.

Era la città, d'un rosso splendente, non fuoco, non sangue, qualche altra tonalità di rosso.

"È ciò che di meglio sono riuscita a fare fino ad ora. Non aggiungo altro colore chiaro?"

"Strano colore, vero? Penso che potrebbe essere il colore dell'amore, ma è un'affermazione che suona un po' presuntuosa."

"Spero che mi perdonerai." Presidentessa di banca o no, Maria aveva perso il suo sangue freddo in presenza di questa gran signora.

"Non c'è nulla da perdonare, mia cara. Sono io quella che dovrebbe chiedere..."

"Forse noi madri tendiamo ad assumerci troppe responsabilità nei confronti dei nostri figli. Li abbiamo solo per pochi anni, poi li restituiamo a Dio." Era un sermone udito da Ed; perché non servirsene in questo momento? "Egli perdona i nostri errori."

Peggy taceva, guardando la città reale, non quella ardente di passione del suo acquerello.

"Spero che tu abbia ragione... sarebbe tanto più facile."

"Peggy," disse Maria obbedendo a un impulso "perché tu e io non diciamo insieme una decina di avemarie del tuo rosario di perle?"

"Che meravigliosa idea, Maria; tu hai sempre idee meravigliose. Mi tengo questo rosario vicino tutto il tempo. Non lo avevo proprio nel momento in cui ne avrei avuto più bisogno. Certo, Dio ha comunque mandato Liam, il che è stato interessante, non ti pare? Ecco, conduci tu..." Passò le perle a Maria.

In ascensore, mentre lasciava l'edificio, Maria si rese conto di non esser stata certo lei la protagonista. Rise fra sé. Che donna meravigliosa. Potrò perdere di nuovo contro di te, ma questa volta avrò combattuto.

E non intendo combattere lealmente.

Libro VI

"Padre, nelle tue mani rimetto il mio spirito."

Capitolo XLVI

1981

Hugh Donlon lasciò il Federal Correctional Institution a mezzogiorno di un grigio venerdì di marzo. L'erba incominciava a rinverdire nel Kentucky, quantunque fosse solo la settimana precedente la Domenica delle Palme.

Provò lo stesso timore che aveva sperimentato quando, prete giovanissimo, aveva lasciato il seminario: la vita in un istituto non era piacevole, ma era regolata e prevedibile. Il mondo esterno era incerto e rischioso.

La settimana prima del rilascio aveva avuto i nervi a fior di pelle. Gran parte dei progressi ottenuti con la preghiera e con le conversazioni con Marilyn erano svaniti. Il mantello di ghiaccio che attanagliava le sue emozioni si era ispessito. Quando lei, senza fiato, era andata a trovarlo congratulandosi per il riconoscimento della sua innocenza, lui l'aveva accolta con parole aspre. La loro ultima intervista era stata fredda e formale.

Aveva detto ai suoi famigliari di non venire ad attenderlo alla prigione, ma di mandare una limousine che lo portasse all'aeroporto di Louisville.

Due file compatte di operatori televisivi e giornalisti fiancheggivano il tratto fra lui e la Cadillac dai vetri schermati. Respirò profondamente. L'aria della libertà non aveva un profumo diverso.

Una donna di colore, giovane e graziosa, gli cacciò un microfono davanti al viso. "Che effetto fa essere fuori di prigione, signor Donlon?"

"È meglio."

"È contento che il suo nome sia stato riabilitato?"

"Sono spiacente che sia stata oscurata la reputazione di mio fratello." Si mosse lentamente verso la limousine.

"Tornerà alla Borsa ora che le sanzioni sono state ritirate?"

"Nessun progetto preciso. Forse insegnerò da qualche parte."

Nessuna domanda sul sacerdozio.

Un reporter con la barba rossa gli si parò davanti mentre raggiungeva l'auto. "Ha deciso di contestare le pretese di sua cognata sull'argento?"

"A che pro?" Aprì la portiera.

Sprofondò nel sontuoso sedile e chiuse la porta. Non aveva bisogno di vedere per sapere chi c'era dentro, in occhiali scuri, tailleur nero di taglio perfetto, camicetta bianca orlata di pizzo, capelli d'oro e d'argento.

"Mentre sei in vena di perdonare, pensi che io meriti l'assoluzione per averti salvato la reputazione?"

Lui le diede un leggero bacio sulla guancia. "Nessuno riesce a tenerti il broncio, Maria."

Come fare a dirle che sarebbe tornato al sacerdozio?

"Non c'è bisogno che tu parli" disse lei. "Non ho fretta di sentire come si sta dentro. Ti concederò ancora cinque minuti di musoneria prima di incominciare con le domande. Ti piacciono i miei occhiali? Sono firmati Mafiosa Carissima..."

"Ehi, ha sbagliato a svoltare."

La limousine si stava dirigendo verso il nord sulla I-75 invece che verso ovest sulla I-64 che portava a Louisville.

"Non andremo all'aeroporto fino a lunedì mattina" disse Maria, ora del tutto presidente di banca che aveva preso la sua decisione. "Questo è il paese dell'erba blu. C'è un posto di villeggiatura dove per i prossimi due giorni e mezzo farai il mantenuto. Mica puoi tornare a Chicago con quella faccia grigia da ex detenuto. Puoi telefonare a Peg di là appena arrivati."

Dietro gli occhiali scuri lo guardava ansiosa, la derelitta sotto le spoglie di Sua Grazia la Presidentessa.

"Ho scelta?"

"Proprio no." Si fregò le mani. "Non hai scampo. Sei rapito per il weekend."

Il luogo di villeggiatura non era l'orto di Getsemani, come avrebbe osservato Tim. Ma poteva andare: fiori primaverili, campi ondulati, un torrentello impetuoso, prati ben tenuti e zolle d'erba realmente blu.

"Vuoi scommettere che la tingono? Non preoccuparti, ho già provveduto alla registrazione in albergo."

Sistemati nel lussuoso appartamento, Hugh chiamò sua madre. Mentre parlavano lui osservava Maria che si muoveva per il salotto aprendo tende, controllando la bottiglia di champagne nel secchiello del ghiaccio posato vicino alla porta a vetri scorrevoli che dava sul terrazzo, si scuoteva i capelli davanti allo specchio dopo aver sostituito agli occhiali da sole un paio di occhiali da lettura di forma rettangolare, con la montatura dorata.

Oltre la porta, il sole, spuntato fra le nuvole, inondava colline, campi e interminabili staccionate bianche.

Mica tanto indecifrabile, Maria.

"Sto bene. Spero non ti dispiaccia se mi prendo il weekend di vacanza."

Gli occhiali armonizzavano coi suoi capelli. Nemmeno questo è indecifrabile, cara.

"Sì, sarà un indaffarato... sì, direi che siamo entrambi tornati dall'aldilà."

Maria fece una smorfia.

"Vivrai fino a cent'anni..."

Maria si tolse la giacca nera.

La camicetta orlata di pizzo era trasparente, come il reggiseno che indossava sotto.

"Sì, sarà meraviglioso vedere Fionna e Graine e il piccolo Seamus."

Ora completamente distratto, Hugh salutò sua madre e si voltò per considerare la sua rapitrice.

"Ci credi che lei e io abbiamo detto assieme dieci avemarie col suo rosario dietro mio suggerimento? Ad ogni modo, ci sono due camere da letto in questo appartamento. Da quella parte, signore, la sua stanza, e di qui la mia." Sorrise. "Ogni altra sistemazione lei voglia scegliere sarà semplicemente considerata una libera sostituzione."

Hugh fu salvato dal dover trovare una risposta dall'arrivo di una sontuosa cena a base di bistecche accompagnate da un Bordeaux rosso del 1967 che avrebbe fatto seguito allo champagne.

"Come posso dirti...?"

"Un brindisi alla libertà!" Maria stappò lo champagne con la sola pressione del pollice e versò il liquido spumeggiante in due bicchieri.

"Che..." Hugh sospirò, brindando con lei. "Il passato..."

"Sss!" fece lei. "Per le prossime sessanta ore sei libero."

Fu Maria a tener viva la conversazione durante la cena, il clown che, con le lacrime agli occhi, continua a divertire il suo pubblico.

Poi si fermò improvvisamente. "È meraviglioso vederti ridere di nuovo, tesoro" disse con serietà.

La derelitta in agguato dietro al clown. Maria era più vulnerabile di quanto apparisse. Stava rischiando la propria vita per la sua con spericolato disprezzo per la quasi certezza di perdere.

"Apprezzo ciò che stai facendo, Maria" disse lui stringendo il cucchiaino da dessert per farsi coraggio.

"Hai un'aria molto distinta, così dimagrito e coi capelli inargentati. Ma devi toglierti di dosso quel pallore tipico di chi è stato in prigione... e non hai più un chilo di troppo. Mi piacciono gli uomini coi muscoli dello stomaco ben compatti."

L'emozione violenta della scoperta della vulnerabilità di Maria portò con sé affetto, dolcezza e languore. Lui non meritava che lei si prendesse tanta pena, ma gli faceva piacere.

"Non era una prigione vera e propria. Avevo persino un'assistente sociale giovane e graziosa."

"Non voglio saperne nulla... immagino che avrai litigato con lei prima di andartene."

"Come fai a saperlo?"

L'affetto lo indusse alla tenerezza, a un desiderio imperioso di proteggerla e di prendersi cura di lei.

Lei agitò la mano, liquidando la domanda in quanto assurda. "È il modo in cui voi Donlon risolvete i problemi con la gente; ci litigate, così siete sicuri di non innamorarvene. Ma, come ho già detto, non voglio sapere nulla di lei... Quanti anni ha?"

Inevitabilmente, affetto e tenerezza accesero il desiderio, come gettar benzina sulle scintille.

Con altre donne — anche con Maria al casotto di caccia e sulla spiaggia — Hugh aveva provato la sensazione che tutte le sue difese crollassero e che la furia di un torrente impetuoso lo allontanasse dai propri doveri.

Ma ora si sentiva semplicemente trasportato verso di lei, su un fiume profondo, lento e pacifico, verso un rifugio che era il suo, verso casa. Quale altra parola poteva descrivere questa unione, se non amore?

Si alzò dalla sedia, le tolse il cucchiaino da dessert dalla mano, lo posò sul tavolo, la fece alzare in piedi. "Ti amo, Maria" le disse infine.

La prese fra le braccia e l'aggredì di baci furiosi. Le labbra di Maria non erano meno bramose delle sue.

Le sue dita tremanti erano maldestre, e la catena degli occhiali andò a impigliarsi nella camicetta.

"È fatta solo per essere guardata, troppo sottile per qualsiasi altra cosa," si scusò lei, ridendo e tremando al contempo. "Ti dispiace se metto via gli occhiali?"

Sotto, pizzi color crema, nylon trasparente, elastici.

Lei contribuì sbottonandogli la camicia nel frattempo.

Finalmente, gli fu davanti nuda — gli occhi limpidi e solenni

— una donna che si dava interamente e senza condizioni. Si sciolse i capelli e li lasciò cadere.

"La tua stanza o la mia?" domandò.

"La tua" rispose lui.

Hugh era serio e compreso, ma non era lui a condurre il gioco. Maria era un'amante allegra e spensierata. Si sarebbero amati a modo suo, e cioè ridendo. La loro unione, dopo ventisei anni, non avrebbe avuto la solennità dell'alta liturgia, ma sarebbe stata farsa.

Quando si svegliò, nel letto di lei, la vide in piedi sopra di sé, le mani sulle anche, splendente e dorata nel sole del tardo pomerigigo, con indosso solo gli occhiali e la semplice croce d'oro che portava al collo.

"Ti piaccio?"

Maria era fiera di sé, fiera del suo corpo morbido e liscio, i seni sodi e perfetti, la vita sottile, i fianchi snelli. Da sposa pudica a contessa nuda...

"Mi piaci molto." Tornò ad appoggiarsi sul cuscino. "Ma..."

"Adesso mi sentirò dire che mi ami, ma che tuttavia sei costretto a tornare al sacerdozio perché devi far penitenza per i tuoi peccati, perché la tua famiglia se lo aspetta, e perché se non lo farai Peggy avrà un altro attacco di cuore. Va' avanti e dillo." Incrociò le braccia. "Io non credo a una parola di tutto questo. E nemmeno tu."

"Io devo cercare il perdono."

"Schiocchezze. Ricordi il tuo sermone al matrimonio di Marge? Il perdono c'è già, tanto per cominciare. È dato, nello stesso modo in cui fu dato a quella povera donna della Bibbia che stavano per lapidare."

"Una donna nuda che cita le Scritture?"

"Perché no? Attira l'attenzione. Tiziano."

"Cosa c'entra Tiziano?"

"La sua rappresentazione dell'amore sacro e profano. L'amore Profano è un'ottusa vecchia pudibonda tutta vestita, e quello Sacro è come me." Alzò le braccia. "Solo che lei non porta occhiali."

Lui le cinse la vita e l'attirò a sé. Lei gli mise le mani sul capo, l'amore Sacro che offriva la sua benedizione. Le dita di lui si mossero in su, verso i seni. Tenendone uno in ciascuna mano, glieli baciò, prima uno, poi l'altro, con infinita delicatezza. Lei sospirò e i suoi occhi si dilatarono per il piacere.

Dio del cielo, quanto l'amava. L'unica che avesse mai amata.

Poi si tirò indietro ancora una volta.

"Maria... devo uscire dall'inferno... non posso..."

"No, non è in quel modo che puoi uscire. Devi invece proten-

dere la mani fino a Dio." Gli riprese le mani fra le sue. "E lasciare che sia Lui a tirarti fuori." Lo attirò a sé. "In questo modo."
Lui l'abbracciò.
"Perché ti prendi tanta pena per me?" le domandò.
Gli occhi di Maria si riempirono di lacrime. Gli appoggiò la testa sulla spalla. "Perché ti amo, pazzo bastardo. Ti ho sempre amato e ti amerò sempre, per quanto tu possa cercare di sfuggirmi."

Per la prima volta in quarant'anni le lacrime spuntarono dagli occhi di Hugh Donlon, lacrime di agonia e dolore, frustrazione e delusione, fallimento e disperazione. Le braccia di Maria lo strinsero. Lui nascose la testa sul suo petto, con le lacrime che scorrevano sui seni di lei, un bambino nelle braccia della madre col corpo squassato dai singhiozzi.

Quando la penetrò di nuovo, dopo una lunga e delicata preparazione, lei disse con una voce che si spegneva in un gemito: "Se facciamo una bambina, potremmo chiamarla Margaret Mary," e poi, con un sospiro finale: "Peggy, come diminutivo".

E fu così che, accanto a un monastero che aveva preso il nome dal podere nel quale Gesù pianse, ma non al suo interno, Hugh Donlon dimenticò il gelo e sperimentò la pace e la felicità.

Quando si svegliò, il cielo stava volgendo dal nero al grigio. Per un momento non seppe dove si trovava; sapeva solo che in vita sua non era mai stato tanto felice.
Poi ricordò.
Mio Dio, cosa ho fatto? Ero uscito di prigione con l'intenzione di tornare al sacerdozio. E in un paio d'ore sono a letto con una donna.
Per un attimo non poté fare a meno di meditare sulla sua colpa. Ma il suo stato d'animo cambiò altrettanto rapidamente.
Scivolò di nuovo nel dormiveglia, crogiolandosi in sensazioni piacevoli cui tentò di non dare un nome. Non possedeva, era posseduto. Quanto era delizioso essere posseduto...
Un'altra emozione, che lo turbava pur non essendo sgradevole, qualcosa che aveva a che fare col fatto di essere posseduto... Che cos'era?
Qualcosa come la vaga inquietudine che ti prende quando una vela continua a sbattere debolmente contro l'albero, in cerca di un po' di brezza rinfrescante... cosa sarebbe accaduto se non si fosse mai diretto verso la riva?
Paura.
Poteva aver paura di Maria?

Era di nuovo completamente sveglio. Sì, esatto; era terrorizzato da lei che lo teneva prigioniero. Doveva scappare. Cercò la forza di alzarsi dal letto.

La sua deliziosa carceriera dormiva pacificamente accanto a lui, così snella da sembrare eterea, una mano che tratteneva il lenzuolo alla vita in atteggiamento infantile. Ho veramente paura di lei, ma d'altronde non voglio sfuggirle.

La vita l'aveva perfezionata facendone un dono, un premio da assegnare senza considerare se lei avrebbe sofferto o no, un dono che era una mescolanza di remissività e ilarità, di innocenza e concupiscenza. Ancora una volta, e contro la propria volontà, si sentì costretto a proteggerla. Le sue labbra tornarono al seno di lei, i denti le sfiorarono delicatamente la pelle.

Lei aprì gli occhi, allungò una mano e gliela mise sulla nuca, mantenendola dov'era. Il suo sorriso era un sorriso di completa adorazione, quello di una madre che allatta il figlio maschio un po' irrequieto.

Nel dolce sapore della sua carne ogni altra cosa venne dimenticata, e rimasero solo amore e speranza.

Hugh non si era mai convinto, eccetto questa volta, almeno, a non cercar di richiudere la porta che lasciava trapelare la luce.

Hugh prese il Piedmont 609 da Louisville a Chicago. Maria aveva da fare a Louisville, o così aveva detto.

Jack Howard, Marge, Liam, Fionna e Graine e un sorridentissimo Seamus erano ad attenderlo ad O'Hare.

"Quanto sono orgogliosa del mio fratellone" disse Marge in tono eccessivamente entusiasta mentre lo abbracciava. Ora Marge era una signora di mezz'età attraente ma nemmeno paragonabile alla sua levigata antagonista italiana.

"Bene" disse Liam. "Benone."

"Ben tornato, e questa volta per fermarti." Jack Howard riusciva a contenere a stento la felicità.

Entrambe le nipoti di Hugh lo chiamarono Padre stringendogli timidamente la mano. Seamus lo chiamò zio.

Maria telefonò a Kathy Marshal dall'areoporto. Mentre il telefono squillava ella osservava l'anziana signora che compariva sull'*U.S. News* dietro a una lastra di vetro, accanto alla cabina telefonica. Quella sono io. Dopo sette anni di astinenza avevi dimenticato cosa il sesso poteva fare di te.

In auto diretti all'aeroporto, il silenzio scostante di lui — un adolescente il quale aveva deciso che dopo tutto non sarebbe andato al ballo studentesco — l'aveva raggelata. Aveva giocato una posta alta e perso.

"L'Operazione Resurrezione è in difficoltà, cara. Comincia a far girare le ruote di preghiera" disse a Kathy.

Non avrebbe dovuto essere così ingenua. Alla sua età e con la sua storia, il sesso non poteva essere una scappatella occasionale. Ora era profondamente innamorata, fisicamente prigioniera, se non di Hugh, della necessità di lui ch'ella stessa si era costruita.

Le tornò in mente l'ultima volta che si erano uniti, nelle prime ore del mattino. Mentre lui la penetrava, nell'ultimo, incontrollabile impeto di passione, Maria si era sentita come se il suo corpo indifeso fosse percorso da un temporale di primavera — pioggia sferzante, tuoni furiosi, saette crepitanti che le percorrevano il corpo e l'anima, provocando esplosioni in ogni terminazione nervosa e in ogni angolo oscuro della sua personalità. Le insopportabili saette si erano fatte sempre più frequenti — Dio, quanto lo amava — e infine si erano combinate in una sola enorme esplosione di suono e di luce che aveva momentaneamente annullato ogni sensazione lasciandola fluttuante su una nuvola fra cielo e terra, bagnata dalla pioggia rinfrescante.

"Maria Angelica" — si disse, scuotendo la testa verso la donna dell'annuncio sull'*U.S. News World Report* — "finirai per farti del male davvero."

Anche a casa dei genitori Hugh si trovò dinanzi al presupposto, seppure non formulato ad alta voce, ch'egli, ovviamente, sarebbe tornato al ministero attivo. La stretta di mano di suo padre fu vivace e franca, il pianto di sua madre breve.

"Hai un ottimo aspetto" le disse Hugh. "Un'aria così giovane che potresti sembrare mia sorella."

"Come potrei non averlo? Non faccio altro che star seduta qui tutto il giorno, coi pennelli in mano, accudita in tutto dal tuo povero papà. E ora queste due meravigliose bambine... come abbiamo fatto a meritarci delle nipotine così?"

Tutto era meritato, nel bene e nel male, pensò Hugh.

Il giudice le prese la mano. "I medici sono molto contenti, Hugh. Tua madre dovrà condurre una vita un po' più tranquilla ed evitare i grossi alti e bassi emotivi, ma sopravviverà a tutti noi."

Il muto appello espresso dai visi di tutti era inequivocabile. Fa' che sia com'era stato in passato.

Mentre li lasciava per andare alla camera che si era prenotato in un motel all'aeroporto — non c'era nient'altro disponibile e lui non voleva stare coi suoi — suo padre gli domandò con aria un po' incerta se aveva un appuntamento col cardinale.

Poveri, meravigliosi esseri che lo volevano di nuovo prete e lo volevano libero.

"Jack Howard dice che il capo vuol vedermi venerdì" rispose con noncuranza. "Non si dice mai di no a un cardinale."

Marge fu più spicciativa quando, il martedì sera, Hugh cenò con lei e Liam all'Escargot, nella sua nuovissima sede all'Allerton Hotel.
"Ti sarà difficile rientrare?"
"Se Sean mi vuole, ho la possibilità." Hugh non voleva altre discussioni. "Ma probabilmente finirò per prendermi un lungo periodo di penitenza in un monastero."
"Da una prigione all'altra, stupida Chiesa" commentò stizzito Lord Kerry.
"La vita monastica potrebbe piacermi" disse Hugh.
"Questo non andrebbe bene." Marge bocciò l'idea senza complimenti. "Forse dovrai stare in monastero solo per un paio di mesi, e a patto di avere la possibilità di tornare a casa ogni fine settimana. Mamma merita qualche buona notizia. Sai bene quanto il tuo ritorno al sacerdozio significhi per lei e per Papà."
"Sentiremo cos'ha da dire il cardinale."
"Jack Howard dice che i tuoi colleghi saranno felicissimi del tuo ritorno. Ritengono che sia una grande vittoria per la Chiesa."
"Grandioso" commentò Liam nei panni del fedele can da caccia locale.
Tim, Liz, Brian e Lise erano morti semplicemente perché sua madre e suo padre potessero avere una vecchiaia felice e la Chiesa una grande vittoria?

Monsignor Xav Martin invitò Hugh a cena a St. Mark dopo il servizio liturgico del Giovedì Santo. Hugh non assisté alla Messa; il rinnovo dei voti era qualcosa che desiderava evitare.
Pat Cleary raggiunse Xav e il parroco aggiunto, Jack Howard, a cena, che ovviamente era in onore di Hugh.
"Vedi il capo domani?" domandò Xav in tono espansivo.
"Prima dei servizi del Venerdì Santo."
"Per celebrare la fine della tua discesa all'inferno?" domandò Jack.
"Non sono certo che sia finita. Devo ancora uscirne."
"Ci vorrà tempo" disse Pat Cleary, la sua consueta serenità turbata da un leggero cipiglio.
Tu sai troppo di me, Pat Cleary.
"È meraviglioso averti di nuovo fra noi," insisté Xav "come ai vecchi tempi."

"Non riesco a immaginare il perché." Hugh non ricordava i vecchi tempi.

Essi li rievocarono a lungo, lodando il lavoro ch'egli aveva compiuto da prete e l'importanza che aveva avuto nella loro vita.

"Non mi ero mai reso conto..." Hugh era commosso suo malgrado.

"Ti saresti reso conto se avessi ascoltato." Xav alzò un sopracciglio spruzzato d'argento.

"Suppongo." Hugh avrebbe voluto mostrare più entusiasmo nel ricambiare il loro affetto.

"Torni al sacerdozio?" Jack, alla fine, si era lasciato sfuggire la domanda nuda e cruda.

Pat Cleary aggrottò le sopracciglia, ancor meno entusiasta degli altri, forse perché conosceva storture e carenze della mentalità di Hugh.

"Sì" rispose semplicemente Hugh, sorpreso.

I suoi amici si rallegrano e cantarono l'inno "*Ad Multos Annos*", augurandogli lunghi anni di sacerdozio. Lui, tuttavia, non era convinto.

Venendo alla canonica Hugh aveva avuto cura di evitare Ashland, la via dove Maria abitava, quantunque avesse cercato il suo indirizzo sulla guida telefonica prima di avviarsi verso St. Mark.

In qualche modo ora si trovava all'angolo di Ashland, alla fine dell'isolato in cui ella abitava. Una luce a una finestra a circa metà della strada avrebbe potuto essere la sua.

La casa di Maria nel nuovo "nuovo quartiere", pensò. C'erano state così tante case nella sua vita — le stanzette dietro alla bottega del padre di lei, Mason Avenue, il lago Geneva, l'angusto appartamento di Hyde Park, la casa di Kenilworth, riccamente arredata ma vuota, la tana di nefandezze vicino a Rush Street, il grottesco maniero gotico di Tim con piscina e sauna...

...e ora quella che all'apparenza era un'ordinaria casa suburbana in un'ordinaria via suburbana. Ordinata, femminile, ma non pretenziosa. Ottima per dormirci e per ogni altra attività.

Ingannevolmente, pericolosamente ordinaria.

Era una serata tiepida per esser solo all'inizio della primavera; nell'aria c'era odore di temporale, di umidità e di fertilità.

Doveva obbligarsi ad evitare Maria per ora.

Tirò su il finestrino dell'auto, avviò il motore e mise in moto il tergicristallo.

Nonostante i nobili tentativi di buttare le cose in ridere, Maria era terribilmente seria a suo riguardo, e tenacemente risoluta a riplasmarlo nell'immagine di ciò che ella riteneva che lui avrebbe dovuto essere. Se fosse diventato l'uomo di Maria avrebbe dovuto cambiare — una trasformazione drastica e dolorosa. E non sarebbe stata ammessa nessuna scusa.

Nessuno nella sua vita, nemmeno sua madre, l'aveva mai voluto con un desiderio così devoto. Egli ne era lusingato.

E atterrito.

Il segretario del cardinale accolse Hugh entusiasticamente alla porta principale e lo introdusse nello studio di Sean. Hugh attese per una mezz'oretta, pensando a Maria e a sua madre. Le amava entrambe. Tristemente, qualsiasi cosa avesse fatto, una delle due ne avrebbe sofferto.

Sean entrò con aria solenne, gli occhi ardenti; salutò Hugh con una salda stretta di mano e gettò su una sedia colletto rigido e tonaca. La sua camicia bianca di sartoria contrastava coi colori giallo-arancio dello studio.

"Scusami per il ritardo, Hugh. I cari, vecchi tempi in cui il vescovo non era tenuto ad ascoltare non sono più. Adesso, in mezz'ora ti si accumulano fesserie d'ogni genere fino in cima alla mitra. Dialogare con le suore, poi, è quanto di peggio possa capitarti. Hanno letto tutto ciò che bisogna leggere... Ma lasciamo stare. Sembri in ottima forma. Bentornato a casa."

"È bello essere di nuovo qui."

"Venerdì Santo; a rigor di termini non dovrei offrirti da bere. Perché non ci beviamo un bicchiere di Perrier facendo finta di far parte dell'élite?"

Sean riempì due bicchieri di acqua frizzante e, prima che Hugh potesse incominciare, si lanciò in un monologo.

"Posso persuadere il mio amico polacco a riprenderti. Forse dovrò metterti in seminario per qualche mese. Lui comunque cederà, dicendo qualcosa come 'Cronin, sei grande' e ammiccando coi suoi occhi di ghiaccio. Posso farlo, Hugh, e voglio farlo. Non mi piace perdere preti che si dedicavano al ministero attivo, e sono felici di ricuperarli, specialmente quando sono uomini come te."

"Capisco" disse Hugh.

La mano del cardinale si bloccò. "No, tu non capisci, Hugh, proprio no. Io ti rivoglio, ma non sono lo Spirito Santo. Se vuoi sposare quella tigre di una siciliana bionda, sarò lieto di celebrare il tuo matrimonio. Lei afferma di essere ciò che Dio vuole per te e, caspita, potrebbe anche aver ragione. Non sono io a poterlo dire.

Solo tu puoi. Tu hai da giocare una carta rischiosa, ed è meglio che la giochi a modo tuo."

Considerò Hugh molto attentamente al disopra dell'orlo del bicchiere.

"Indipendentemente da ciò che farai, sei un prete di questa arcidiocesi, e non lo dimenticherai mai."

"È così difficile sapere..." balbettò Hugh. "Dovrei essere prete prima d'ogni altra cosa? Avrei dovuto lasciare? E ora, dovrei rientrare?"

"Perché non si può avere vocazione per il ministero attivo per un certo periodo, e poi un altro genere di vocazione? Io ti rivoglio, Hugh, ma solo se sei convinto che per te è la via migliore. In ogni caso, sei un prete. La scelta è fra il ministero attivo e l'essere prete in qualche altro modo che nessuno, per ora, immagina — rappresentando la Chiesa e, sì, svolgendo la funzione di ministro del culto in qualsiasi mondo si operi."

"Credo di aver bisogno di un altro po' di tempo." Quanto era simile a Maria.

"Prenditelo." Sean gettò un'occhiata all'orologio. "Meglio che mi sbrighi."

"Ti raggiungerò in chiesa. Ho un sacco di cose su cui meditare."

Un bagliore incontrollato attraversò gli occhi del cardinale. "Questo era il concetto generale."

Hugh ascoltò passivamente le letture del Venerdì Santo, si fece avanti per baciare la croce, e più tardi, quantunque non avesse ricevuto l'assoluzione per le attività dell'ultimo weekend, tornò all'altare per ricevere la Santa Comunione.

Terminate le funzioni religiose, ricuperò l'auto noleggiata nel parcheggio oltre State Street e si avviò per Chicago Avenue in direzione ovest, attraversando l'area in cui la Gold Coast raggiungeva il fiume, ed evitando schizzinosamente la mostruosità del cantiere del centro Cabrini-Green, la più recente versione del "Piccolo Inferno" offerta da Chicago.

Oltre il fiume un semaforo rosso lo fermò all'ombra di una vecchia chiesa polacca adorna di una grande cupola verde di forma rialzata. Si sarebbe diretto verso ovest ancora per un isolato, verso il sole calante, e poi si sarebbe immesso nel traffico — scarso perché era Venerdì Santo, quantunque si fosse nell'ora di punta — della Kennedy fino all'O'Hare Marriott.

La melodia del "*Vexilla Regis*", che veniva cantato in Latino nella cattedrale durante la venerazione della croce, continuava a ossessionarlo:

Vexilla Regis Prodeunt:
Fulget crucis Mysterium,
Qua vita mortem pertulit,
Et morte vitam protulit.

Quae Vulneratae lanceae
Mucrone diro, criminum
Ut nos lavaret sordibus,
Manavit unda, et sanguine.

Già mondato dai suoi peccati? Come nell'immagine di Maria di un Dio proteso ad afferrare le sue braccia tese verso l'alto per tirarlo fuori dalla voragine?

L'inferno della dottrina degli apostoli, l'inferno del Venerdì Santo, non era quello dei dannati. Era Sheol, dove i Patriarchi attendevano che Gesù venisse a prenderli...

Tuttavia, egli non era un Patriarca.

Solo un'anima perduta.

Gli venne in mente un film che aveva visto da bambino, un film in cui Ray Milland impersonava un affascinante e sinistro Satana che portava le sue vittime all'isola di Almas Perdidas, l'Isola delle Anime Perdute. Forse quello era il suo posto.

Autocommiserazione, si disse con fermezza. La salvezza non era mai impossibile, non importa quanto si era scesi in basso.

Avrebbe dovuto dirigersi verso O'Hare. Ma poteva ancora girare a sinistra in Milwaukee Avenue, costeggiare il gigantesco cuore sul muro della Polish Roman Catholic Union of America e poi svoltare a ovest sull'Augusta Boulevard e finire a River Forest passando per il vecchio quartiere polacco, che ora aveva assunto la nuova denominazione di barrio.

I figli di Maria erano a Charleston a trascorrere la Pasqua con la nonna.

Era davvero fornicazione, quel peccato che non aveva confessato? Non gli era parso... Amore Sacro, ella si era definita... il primo passo in un'unione destinata a durare tutta la vita?

La conosceva appena — due settimane al lago Geneva, qualche incontro distribuito nell'arco di un quarto di secolo, un fine settimana che era volato... Tuttavia l'amava con la certezza ch'ella fosse l'amore della sua vita. Come avrebbe potuto lasciarla nuovamente?

Il semaforo cambiò ed egli svoltò a nord sulla Milwaukee Avenue. D'accordo, avrebbe preso la Kennedy a Division Street.

Due isolati prima di Division, tuttavia, egli girò a ovest sull'Augusta. La Citation noleggiata attraversò sobbalzando il barrio pittoresco; i due grandi caseggiati erano dipinti di rosso e giallo e di azzurro e rosa, colori più consoni a Venezia che a Chicago.

Più a ovest passò fra le stanche case che segnavano il limite della città, abitazioni senza fisionomia, cui mancavano sia i colori del barrio che la calma sicurezza dei quartieri suburbani; esse rappresentavano la malinconica fine del sogno di rispettabilità che St. Ursula aveva offerto agli irlandesi negli anni Venti e Trenta, quando nessuno immaginava quanto ricche, alla fine, Oak Park e River Forest sarebbero divenute.

Non notò nemmeno Mason Avenue quando la superò. Il vecchio quartiere dove tutto era cominciato non esisteva più. Mentre attraversava l'Austin Boulevard e si addentrava fra le graziose strade di Oak Park che si integravano armoniosamente, avrebbe soltanto desiderato di essere di nuovo giovane, all'inizio della vita.

Harlem Avenue era il quartiere fra Oak Park e River Forest, una strada ammodo, che teneva ordinatamente separati i ricchi dai più ricchi. Anche lui avrebbe dovuto comportarsi ammodo, girare a destra sull'Harlem e dirigersi a nord verso O'Hare.

Ma la Citation rifiutò caparbiamente di conformarsi, e tirò diritto per River Forest.

Ad Ashland, la strada di Maria, fermò l'auto. Questo era il limite estremo. Gli alberi spogli rosseggiavano nel sole calante.

Girò l'auto, puntando verso l'Harlem Avenue.

A metà isolato, sulla destra, vide due donne che si chinavano sul marciapiede di fronte a una casa in stile olandese coloniale, affaccendandosi su un mucchietto informe che giaceva a terra.

Qualcuno stava male? Chissà se avevano bisogno di un prete. Lasciamo che telefonino a St. Mark. È solo a pochi minuti da qui. Girò a destra in Ashland Street, non del tutto convinto di ciò che aveva fatto.

Erano Maria e un'altra donna, che sembravano confortare un vecchio o una vecchia morente.

"È Nonna Monaghan" gli gridò Maria vedendolo. "Abita in questa strada, appena più in là, coi pronipoti."

Indossava un paio di jeans e una giacca a vento argentata del Fenwick con la scritta in nero "Maria!" applicata sulla tasca. Masticava un chewing-gum e portava gli occhiali rettangolari.

La vecchia aveva più di ottant'anni, era sottile e fragile, e tuttavia conservava la vaga traccia di una grande bellezza ed energia di tanti anni prima.

"Tutto bene, nonnetta" disse Hugh, che si era precipitato al suo fianco, stupito lui stesso dalla facilità con cui aveva ritrovato le

374

parole. "Sono un prete. Sono qui per aiutarla. Dio la ama. Sta venendo per portarla a casa."

"Ah, no, Padre" — tracce di accento irlandese alquanto marcato — "Dio non mi perdonerà mai; sono la più gran peccatrice mai esistita. Durante i moti irlandesi commisi i peccati più terribili. Sono una vecchia cattiva, andrò sicuramente all'inferno."

Gli occhi le si chiusero, il respiro si arrestò e per un attimo parve morta, poi il petto scheletrito ricominciò a muoversi.

"Qual è il suo nome?" si affrettò a sussurrare Hugh.

"Grace, penso" rispose Maria.

"Sei pentita di tutti i peccati della tua vita, Grace Monaghan?" le domandò tenendole saldamente la mano; non l'avrebbe lasciata morire prima che fosse pronta.

"Lo sono, Padre, lo sono. È troppo tardi, non verrò mai perdonata." Gemette come se già fosse fra i dannati.

"Basta così, donna" ordinò Hugh severamente. "Non tollererò che tu parli in quel modo di Dio, e di te mentre stai per raggiungerLo. Egli ha già perdonato tutti, e questo è un fatto. Dio ci ama..."

I suoi occhi semispenti si accesero per un attimo di una luce astuta.

"È un po' un imbroglione, vero?"

"Gli amanti sono sempre un po' imbroglioni, Grace, lo sai."

"C'è della verità in questo, è abbastanza giusto; presto, ora, Padre" — la sua voce era forte e ferma — "mi dia l'assoluzione; dica le parole; Lui sta venendo per me; mi vuole adesso; questa volta non gli sfuggirò."

La vecchia cercò di mettersi a sedere, protendendosi per abbracciare un amante invisibile.

"Ti assolvo da tutti i tuoi peccati nel nome del Padre, del Figlio e dello Spirito Santo, e valendomi del potere conferitomi ti impartisco la benedizione papale e il pieno perdono per qualsiasi cosa tu abbia fatto di male in tutta la tua vita."

"È qui adesso, Padre, e sorride come un giovanotto sulle barricate di Galway." Gli ultimi raggi del sole colpirono il viso consunto della vecchia. Per un momento ella sorrise estaticamente, poi cadde pesantemente in avanti, inconscia, forse morta.

Un giovane prete che si trovava accanto a Hugh gli cacciò in mano gli oli. "Vada avanti lei, Padre Donlon, finisca lei."

Con dita tremanti, Hugh tracciò il segno della croce sulla fronte che pareva pergamena. "Mediante quest'olio santissimo e con la Sua più tenera misericordia possa Dio perdonare tutti i tuoi peccati."

"Gesù, Maria e Giuseppe, siate con me nel mio ultimo viaggio" disse il giovane prete.

"Nelle Tue mani rimetto il mio spirito" risposero le due donne inginocchiate.

"Dio il Padre che ci creò..."

"Nelle Tue mani rimetto il mio spirito."

"Dio lo Spirito Santo che ci ama..."

"Nelle tue mani rimetto il mio spirito."

"Dio il Figlio che ci salvò..."

"Nelle Tue mani rimetto il mio spirito."

La Contea di Galway era lontana nel tempo e nello spazio. Tuttavia Grace Monaghan era a casa.

Mentre il crepuscolo avanzava, Hugh si sentì inghiottire in un'esplosione di luci e di tepore, che lo trascinava verso il medesimo Amore spuntato furtivamente dalla siepe davanti alla casa di Maria per portarsi via Grace Monaghan.

Era un Amore implacabile e impulsivo, che perdonava senza esserne richiesto, che mai abbandonava la persona amata e voleva soltanto che questa si arrendesse all'Amore e fosse felice.

Un Amore come Maria.

Hugh tentò di sottrarsi all'istanza possente e alla grazia imperturbata dell'Amante, di sfuggire loro, di nascondersi, di allontanarsi. Non v'era via di uscita.

"Joe Machowiak, Padre. È stato bello." Il giovane prete gli porse una zampa nerboruta. Il calore e la luce che si erano impossessati di Hugh privandolo momentaneamente di ogni energia si erano esauriti senza che nessuno se ne accorgesse.

Qualcuno era venuto per portare a casa Grace Monaghan e aveva appena sfiorato Hugh mentre entrambi se ne andavano. La sua vita non sarebbe mai più stata la stessa.

Maria stava osservandolo. Prima d'ora, non lo aveva mai visto nelle sue funzioni di prete dinanzi a un moribondo. Il suo sorriso diceva che stava preparandosi ad essere una buona perdente.

Maria.

Intravedeva la sua casa dietro di lei — frontoni dipinti con cura, mattoni di un bel giallo caldo, luce bassa alla finestra del salotto, il bagliore del crepuscolo che si rifletteva dolcemente nelle altre finestre. Una casa in cui non era mai entrato. Tuttavia, la conosceva abbastanza bene: arredamento non convenzionale, con mobili ordinati, puliti e caldi, decorazioni ricche. Una casa piacevole, invitante, rassicurante, confortante. E una volta entrato nella sua luce non la lasciavi più. Mason Avenue, lago Geneva, Betlemme.

Arrivarono i vigili del fuoco e il medico, poi arrivò anche una nipote coi figli. Il giovane prete guidò la recitazione di una decina di avemarie dal rosario. Poi tutto finì, l'ambulanza coi resti terreni di Grace Monaghan partì, tutti tornarono a casa; solo Hugh e Maria rimasero in silenzio sotto il lampione.

"Entri?"

"Se me lo permetti."

"Certo, che te lo permetto. Per una visita?"

"Per restare, se mi lasci."

"Sii mio ospite." Lei fece un gesto dubbioso verso la porta, come il proprietario di un motel non troppo sicuro della serietà di un cliente potenziale. I suoi occhi alla Rembrandt, appena visibili alla luce del lampione, erano velati di lacrime.

Avanzarono verso la porta, vicini ma abbastanza separati perché le loro mani non si toccassero. Maria aprì la porta. La luce proveniente dal salotto la inquadrò sulla soglia, proprio com'era accaduto al lago Geneva.

"Sicuro?" domandò lei con aria esitante, tenendo la porta aperta.

"Sono sicuro" disse lui.

Le toccò il viso, glielo piegò leggermente, le accarezzò la guancia col pollice.

Gli balzò improvvisamente alla memoria l'antico saluto della Pasqua greca, la spiegazione di tutto.

"Cristo è risorto, Maria, alleluia."

"Tu credi che io non sappia la risposta, scommetto." Ecco di nuovo la Maria del lamponi con la panna. "Egli è risorto davvero, alleluia!"

Commento dell'autore

Perché un prete dovrebbe scrivere un romanzo che tratta di un uomo il quale viola il voto di celibato e abbandona l'esercizio attivo del sacerdozio? Sono forse contrario al celibato? Approvo coloro che lasciano il ministero attivo? Sto forse progettando di ritirarmi io stesso, e vado in cerca di giustificazioni?

Risponderò agli ultimi tre interrogativi in ordine inverso: Non intendo abbandonare il sacerdozio, e non lo lascerei nemmeno se chi detiene il potere tentasse di cacciarmi via. Non formulo giudizi né sui singoli che decidono di lasciare il ministero attivo né su coloro che restano; non posso giudicare che me stesso. Infine, sono favorevole al celibato, ma ritengo altresì che potrebbe essere utile sperimentare qualche forma di servizio a tempo limitato nel sacerdozio, una strategia a mio parere molto migliore dell'abbandono della tradizione del celibato.

Quanto al primo interrogativo, la mia storia sviluppa solo secondariamente il tema della lotta di un uomo contro la vocazione religiosa. Al pari di tutte le storie religiose, questa è innanzitutto una storia su Dio. I racconti su Dio narrati dalle scritture ebraica e cristiana sono spesso considerati sia profani che "poco edificanti". I cicli di Giuseppe e Davide e le parabole di Gesù sono storie di Dio che scandalizzarono profondamente coloro che le udirono. Se oggi non ci scuotono, il motivo è forse che le abbiamo udite troppo spesso e non le ascoltiamo più.

Sono storie di adulterio, tradimento, incesto, conflitti famigliari, rivalità e invidia, storie di servi infedeli e di fratelli traditori, di madri insensate e padri indulgenti, di giudici o ingiusti o di cuore incredibilmente tenero, di cercatori di tesori e di astuti mercanti, di re adirati e dei loro tortuosi cerimonieri, di lavoratori impudenti e giardinieri ossessivi, di massaie avvezze alle fatiche e avveduti speculatori, di fanciulle da capogiro e adolescenti arrabbiati, di feste e riunioni, guerre e matrimoni, vita e morte.

Ritengo che nella mia storia non vi sia né personaggio né evento che non trovi il suo omologo nelle scritture, e che nelle medesime non vi sia storia la quale, ascoltata con attenzione, non ci lascerebbe fortemente impressionati.

Le storie su Dio hanno lo scopo preciso di sconcertarci, di aprirci al suo amore travolgente e di rivelarci nuovi modi di vivere nel mondo muniti dell'illuminazione e della forza che da quell'amore provengono.

Le parabole di Gesù ingenerarono controversie. Gesù cercava di far apparire grata alle folle la sua immagine di Dio; egli narrava le sue storie non tanto con propositi dottrinali sulla natura di Dio quanto per illustrare nel modo più accattivante come Egli agisce. I suoi sono racconti non su chi è Dio ma su come Dio si comporta.

Oltre a essere profane e sconcertanti, le parabole di Gesù sono comiche; in realtà, sono commedie che trattano della grazia. Coloro che tentano di mercanteggiare con Dio contrattando, impetrando favori ai quali si sono già guadagnati il diritto mediante le buone azioni, conquistandosi faticosamente la pietà e il perdono — gli Operai che per primi si misero al lavoro nella Vigna, il Fratello del Figliuol Prodigo, gli accusatori dell'Adultera (una storia che, con tutta probabilità, in origine era una parabola) — vengono umiliati e cadono bocconi. Al contrario, coloro che non hanno alcun diritto alla misericordia o all'amore — i Lavoratori dell'undicesima ora, la misera vittima dei ladri salvata dal Buon Samaritano, il Figliuol Prodigo, l'Adultera — con grande loro sorpresa sono travolti da un'irresistibile ondata di grazia. Nel Regno della Misericordia è sempre sorprendentemente comico che la Grazia indulga a un'ultima risata alle spalle della Giustizia.

E questo, dice Gesù, è il modo in cui Dio agisce.

La base dottrinale della mia storia su come Dio agisce è contenuta nel sermone di Hugh Donlon sulla Grazia originale e nell'inno "Vexilla Regis" che riecheggia nella mente di Hugh mentre, percorrendo in auto la Chicago Avenue, passa accanto alla chiesa polacca; inoltre, essa è documentata nel Canone 179 del Secondo Concilio di Orange, citato più avanti.

Quantunque la maggior parte dei lettori troverà facile assimilare i simboli religiosi o "sacramenti" (realtà che rivelano la presenza della grazia, dell'azione divina) che costituiscono il tessuto connettivo di questa storia, sarà forse necessario chiarire alcune immagini per coloro che non hanno familiarità coi simboli o rifiutano ostinatamente di vederli — e particolarmente per i recensori cattolici, i quali non coglieranno il parallelismo coi sacramenti cattolici: acqua, vento (spirito), seno (cibo e bevanda), luce, discesa e ascesa, una porta aperta, casa, e donna (specialmente due donne deliziose, Peggy e Maria, che rappresentano le due opposte visioni di come Dio agisce e, al riguardo, che cosa la Chiesa dovrebbe essere).

Bisognerebbe anche osservare che il sacerdozio di Hugh è un "sacramento" per lui come per gli altri. Esso gli rivela che il Dio della grazia che egli predica agli altri non è il Dio della giustizia che domina la sua vita personale. Il sacerdozio, alla fine, lo costringe ad applicare a se stesso quanto egli predica e a rendersi conto che il peggior peccato della sua vita era stato quello di allontanarsi dalla grazia.

E così, pur lontana anni luce dalle parabole per efficacia d'immagini, la mia rappresentazione della grazia si sforza di fare ciò che fecero le parabole di Gesù: narrare una storia che spieghi come Dio agisce. Forse il lettore rimarrà perplesso dinanzi al fatto che io immagino che Dio potrebbe agire come Maria e Maria come Dio. Entrambi grandi attori ed entrambi maestri nell'ammannire piacevoli sorprese, Dio e Maria sono, come direbbero i teologi, reciprocamente "correlati".

Forse il lettore capace d'immaginare Maria come sacramento di Dio e rivelazione del Suo modo di operare sarà anche capace di intravvedere nuovi modi di vivere alla luce di una storia di un Dio che, come Maria, è elusivo, temerario, vulnerabile, gioioso, imprevedibile, irreprimibile, un Dio costantemente disposto al perdono e all'amore.

Il secondo concilio di Orange
sul dono dell'amore divino

Se alcuno dice che la misericordia ci viene accordata per intervento divino quando, privi della grazia di Dio, crediamo, vogliamo, desideriamo, lottiamo, ci affatichiamo, preghiamo, vigiliamo, studiamo, supplichiamo, bussiamo per essere accolti, ma non proclama che è attraverso l'infusione e l'ispirazione interiore dello Spirito Santo che crediamo, vogliamo, o siamo in grado di fare tutto quanto detto come dovremmo... contraddice le parole dell'Apostolo: "Che cosa hai tu che non abbia ricevuto?" e "Per grazia di Dio io sono quel che sono".

(Il testo latino del presente canone è contenuto in *Denzinger et al.* "Enchiridion Symbolorum", 376.)

Indice

Finito di stampare nel mese di agosto 1985
dalla Rizzoli Editore - Via A. Rizzoli 2 - 20132 Milano
Printed in Italy